MIC LIBRARY
WITHDRAWN FROM STOCK

Coláiste Oideachais Mhuire Gan Smál
Luimneach

Für Imogen
mit allen
lieben Wünschen
zu Weihnachten
1991 von
Eli

Von Siegfried Lenz erschienen

Romane:

Es waren Habichte in der Luft (1951) – Duell mit dem Schatten (1953) – Der Mann im Strom (1957) – Brot und Spiele (1959) – Stadtgespräch (1963) – Deutschstunde (1968) – Das Vorbild (1973) – Heimatmuseum (1978) – Der Verlust (1981) – Exerzierplatz (1985)

Erzählungen:

So zärtlich war Suleyken (1955) – Jäger des Spotts (1958) – Das Feuerschiff (1960) – Lehmanns Erzählungen (1964) – Der Spielverderber (1965) – Leute von Hamburg (1968) – Gesammelte Erzählungen (1970) – Der Geist der Mirabelle (1975) – Einstein überquert die Elbe bei Hamburg (1975) – Ein Kriegsende (1984) – Das serbische Mädchen (1987)

Szenische Werke:

Zeit der Schuldlosen (1962) – Das Gesicht (1964) – Haussuchung (1967) – Die Augenbinde (1970) – Drei Stücke (1980)

Essays und Gespräche:

Beziehungen (1970) – Elfenbeinturm und Barrikade (1983) – Gespräche mit Manès Sperber und Leszek Kolakowski (1980) – Über Phantasie: Gespräche mit Heinrich Böll, Günter Grass, Walter Kempowski, Pavel Kohout (1982)

Ein Kinderbuch:

So war das mit dem Zirkus. Mit farbigen Bildern von Klaus Warwas (1971)

Siegfried Lenz

Die Klangprobe

Roman

Hoffmann und Campe

CIP-Titelaufnahme der Deutschen Bibliothek

Lenz, Siegfried:
Die Klangprobe: Roman/Siegfried Lenz.
– 1. Aufl. – Hamburg: Hoffmann u. Campe, 1990
ISBN 3-455-04248-1 Leinen
ISBN 3-455-04249-X Leder

Schutzumschlag- und Einbandgestaltung: Werner Rebhuhn
Gesetzt aus der Janson-Antiqua
Satzherstellung: Fotosatz Otto Gutfreund, Darmstadt
Druck- und Bindearbeiten: Mohndruck, Gütersloh
Printed in Germany

Siegfried Lenz   Die Klangprobe

I

Über Nacht hatten sie wieder mal sein Meisterwerk versaut, die – wie ich glaube – gelungenste Figur, die er jemals gemacht hat, den »Wächter«. Ich sah es schon von der Bushaltestelle aus, erkannte es an den Leuten, die sich vor dem mittleren Rosenbeet, das mit kalkweißen Steinen umlegt war, versammelt hatten und zu der überlebensgroßen Figur hinaufglotzten, grinsend und amüsiert und bestens unterhalten. Sie stießen sich an, sie hatten sich Erheiterndes zu zeigen – alte Kerle zumeist und kurzhalsige Frauen mit Plastiktüten und vollgestopften Einkaufstaschen –, und hier und da steckten sie die Köpfe zusammen und flüsterten etwas, das ihre gute Laune wach hielt. Wie immer, wenn es darauf ankommt, standen die Ampeln auf rot, und zu allem Überfluß kam auch noch die Kolonne mit dem Staatsbesuch vorbei: weiße Mäuse auf Motorrädern vorneweg und dahinter der kugelsichere Mercedes, in dem das vernarbte Ananasgesicht saß. Nach dem letzten Wagen, in dem die Leute vom Staatsschutz fuhren, kam ich endlich hinüber, doch ich konnte nicht gleich erkennen, was sie diesmal mit dem »Wächter« angestellt hatten, der, aus dichtem kristallinem Kalkstein genommen, im mittleren der drei Rosenbeete stand.
Offenbar hatte der »Wächter« – eine der ersten Auftragsarbeiten meines Alten – etwas an sich, das den

Mutwillen von allen möglichen Leuten weckt; junges Volk und Saufbrüder und Typen, die glaubten, sich etwas beweisen zu müssen, hatten bereits an ihm ihre Phantasie erprobt: einmal hatten sie einen Luftballon an seinen Wanderstab gebunden, ein andermal eine Zigarre in den lauschend offenen Mund gezwängt; sie hatten dem »Wächter« – der nackt war, dessen körperliches Ebenmaß ihm aber soviel Würde verlieh, daß man die Nacktheit vergaß – Kaugummi angeklebt, eine Plastiktüte über den Kopf gezogen, Rosen vor sein kümmerliches Geschlecht gehängt oder ihm mit bunter Kreide einen geringelten Badeanzug verpaßt. Jedesmal, wenn so etwas passierte, war ich einen ganzen Tag lang deprimiert, und ich wünschte mir dann, daß sie die Figur an einem andern Ort aufgestellt hätten, bei den Wildenten in den Alsteranlagen oder, von mir aus, bei den Elenantilopen in Hagenbecks Tierpark, jedenfalls nicht in dem mittleren der drei Rosenbeete vor dem mächtigen Hamburger Kaufhaus.
Obwohl es längst zu regnen aufgehört hatte, trugen etliche der Frauen, die sich vor dem »Wächter« eingefunden hatten, diese durchsichtigen Plastikhauben, mit denen sie an Sülzköpfe erinnerten, und die alten Kerle, die wie angeleimt herumstanden, machten den Eindruck, als würde ihnen gerade das Erlebnis der Woche beschert. Über ihre Köpfe hinweg sah ich, wofür der »Wächter« hatte herhalten müssen: er, dessen Blick unter halb geschlossenen Lidern weniger den Zugängen zum Kaufhaus galt als der Ferne, in der er etwas wahrgenommen hatte, trug eine schwarze Augenklappe, die ihm irgend jemand in der Nacht angelegt hatte. Mit diesem Ding, das man bei Bindehautentzündung verschrieben bekommt, glich die Figur, auf deren breitwangigem Gesicht ein leichtes resigniertes Lä-

cheln lag, einem schläfrigen Piraten, wirklich, einem mittellosen, pensionierten Piraten. Bei diesem Anblick war ich ganz schön geladen, ich zwängte mich durch die Leute, die gleich zu maulen anfingen, stapfte durch das aufgeweichte Rosenbeet, zog mich auf den Sockel hinauf und versuchte, die Augenklappe zu entfernen. Ich muß zugeben: ich bin ziemlich füllig, auf einem feuchten Sockelsims zu balancieren ist nicht gerade meine Stärke; dennoch hätte ich es geschafft, wenn da keine Zuschauer gewesen wären. Die freuten sich natürlich, die juchzten und spornten mich an, und ich hob mich auf die Zehenspitzen, langte Mal um Mal hinauf und befingerte und befummelte Kinn und Hinterkopf des »Wächters«, ohne das verdammte Gummiband der Augenklappe zu erreichen. Gewiß hätte ich ihnen keinen größeren Gefallen tun können, als runterzukippen, aber schließlich reichte mir ein Zimmermann seinen gedrehten Wanderstock hinauf, und mit dessen Hilfe gelang es mir, das Gummiband am Hinterkopf hochzuschieben. Warum einige Zuschauer klatschten, als ich die herabfallende Augenklappe fing, habe ich nie begriffen; verständlicher war es mir schon, daß ein paar mich vorwurfsvoll musterten, gerade als hätte ich ihnen den Fernseher abgeschaltet.
Selbstverständlich beschloß ich, meinem Alten kein Wort darüber zu sagen, was sie diesmal mit seinem »Wächter« angestellt hatten. Vor dem Haupteingang des Kaufhauses, der von zwei lachhaften Miniaturwindmühlen flankiert war, schmiß ich die Augenklappe in einen Abfallbehälter, gab dem rotäugigen Wermutbruder, der dort wie immer bettelnd herumlungerte, seine Mark und steuerte auf die Aufzüge zu. Obwohl mein Mitleid sich abgenutzt und verringert hatte, tat mein Alter mir von Zeit zu Zeit immer noch leid: ich

mußte daran denken, wie er vor vielen Jahren mit dem ersten Auftrag nach Hause gekommen war, zuversichtlich, selbstbewußt und prall vor Gewißheit, die Zukunft in der Tasche zu haben: Hans Bode, der aufstrebende Bildhauer.
Auch wenn du es vielleicht vergessen hast – ich werde mich immer an die Stunden in deiner Werkstatt erinnern, an deine unendlichen Erzählungen über Steine, und auch daran, wie du mich eingeweiht hast in das Geheimnis ihrer Dauer. Du wußtest alles über sie: wie sie entstanden sind in vulkanischen Krämpfen und wie sie, erstarrt, ihre Ruhe fanden; du wußtest, was Farbton und Form besagen, und du konntest Adern und Flecken deuten und jedem Stein seine Härte ansehen und die Elemente nennen, aus denen er bestand. Steinmoose und Farne und im Schiefer die Meerlilie: alles, was in ewige Gefangenschaft geraten war, hast du mir gezeigt und dabei Geschichten erzählt vom Erkalten der trägen Massen und von tausendjährigen Wanderungen.
Unsere Aufzüge waren mal wieder hängengeblieben oder hatten sich selbst blockiert, weil sie überbelastet waren; darum nahm ich die Rolltreppe und ließ mich hochbaggern zur Lebensmittelabteilung. Gegen unsere Verkäuferinnen ließ sich nichts sagen, es waren, bis auf wenige Ausnahmen, ausgesuchte Mädchen, die verdammt gutsitzende weiße Kittel und auf dem Kopf ein kleidsames Schiffchen trugen; sie waren freundlich gegen jedermann, lächelten zuvorkommend, selbst wenn einer nur ein pappiges Fischbrötchen kaufte, und jedes Achtel Salami wickelten sie dir so sorgfältig ein wie eine Rubinbrosche. Wenn es allerdings auf den Feierabend zuging, dann vergaßen sie wohl, was man ihnen eingeschärft hatte, sie wirkten verdrossen, überlegen

und sogar hochmütig; man konnte den Eindruck gewinnen, daß sie nur noch darauf warteten, fürs Fernsehen entdeckt zu werden. Daß sie mich kumpelhaft und nachsichtig behandelten: mein Gott, mir machte es nichts aus, wir teilten ja nichts anderes als den Arbeitsplatz, und mir war seit langem klar, daß man gut beraten ist, wenn man am Arbeitsplatz erst gar nichts anfängt. Sie grüßten mich von den Auslagen, den Kühltruhen, dem Probiertischchen, manche zwinkerten mir zu oder spitzten den Mund zu einem Scheinkuß, so daß ein zufälliger Beobachter von mir und den langbeinigen Mädchen, die erstaunlich oft erkältet waren, wer weiß was hätte denken können, im Ernst. Ich grüßte freundlich zurück, ärgerte mich nicht, als die fabelhaft gewachsene Doris meinen Gang imitierte – ihre Watschelbewegung war einmalig –, drohte ihr nur spielerisch und schloß meinen Arbeitsraum auf.
Vom Büro eines Hausdetektivs kann man sehr verschiedene Vorstellungen haben; man kann sich Kabinen denken, in denen Verdächtige sich entkleiden müssen, man kann einschüchternde Gerätschaften vermuten – Lügendetektoren oder Blendscheinwerfer –, und schließlich bleibt es einem auch frei, sich einen behaglich eingerichteten Raum vorzustellen, in dem sympathische Protokollanten sitzen, die jedem Warenhausdieb das Geständnis leicht machen. Die Herren von der Direktion unseres Kaufhauses waren bestimmt Liebhaber der neuen Sachlichkeit, was sich unter anderem darin zeigt, daß sie mir als einzigen Wandschmuck einen Werbekalender zugestanden hatten, mit Abbildungen von Kinderspielzeug aus fünf Jahrhunderten, und als Mobiliar das verjährte Modell eines Tisches sowie zwei Stühle, die mit ihrer geizigen Sitzfläche und der steilen Lehne zu allem anderen einluden, nur nicht

zu geruhsamem Dasitzen. Der riesige Aschenbecher stammte von Willi, meinem pfeiferauchenden Kollegen, und die schlichte Keramikvase von den Mädchen der Lebensmittelabteilung, die sie mir zu meinem vierundzwanzigsten Geburtstag geschenkt hatten.
Zuerst trug ich meinen Dienstantritt in das Rapportbuch ein, füllte dann einen Lottoschein aus, öffnete einen neuen Karton mit Karamelbonbons, und nachdem ich mir die weinrote Krawatte umgebunden hatte – unser Abteilungsleiter wünschte tatsächlich, daß die Hausdetektive eine Krawatte trugen –, schaltete ich die schwenkbare versteckte Kamera ein und widmete mich dem Bildschirm. Langsam verzog sich der grisselnde elektronische Schnee, und wie vielleicht jemand vom Himmel auf die Erde blickt – forschend, ausdauernd, kopfschüttelnd und so, daß ihm nichts entgeht –, blickte ich, von Spiegeln unterstützt, die hinter jedes Regal spitzelten, in unsere Lebensmittelabteilung. Ich wunderte mich nicht, daß trotz der frühen Stunde ganze Völkerscharen bei uns durchzogen, schätzungsweise fünfzigtausend Kunden, die Drahtkörbe schleppten und Einkaufswagen schoben, und die allesamt darauf aus waren, irgendeine Beute zu machen. Obwohl ich der jüngste Hausdetektiv in unserem Kaufhaus war, dessen Anziehungskraft ziemlich weit in die Niederungen Schleswig-Holsteins hineinstrahlte, hatte ich bereits einen Blick für faule Kunden – ohne daß ich mir den berufsmäßigen Argwohn angeeignet hätte, von dem Willi sich leiten ließ. Mein Mißtrauen erwachte, sobald einer sich aufführte, als sei er ganz erschlagen von allen Angeboten, aber auch die Verkniffenen und die allzu Selbstherrlichen konnten mit meiner gesteigerten Aufmerksamkeit rechnen, und natürlich auch die Typen mit dem unsteten Iltisblick und Kunden,

denen man ihre Dreistigkeit an der ganzen Erscheinung ansehen konnte. Aber, Herr im Himmel, um sich über seine Zeitgenossen im klaren zu sein, braucht man nicht ein gutes Jahr lang auf einem elektronischen Ansitz Erfahrungen zu sammeln, das weiß man auch so und ohne Ausbildungskurse.

Ein einziger Schwenk über die Kundenschar genügte, und schon hatte ich mich an einem gepflegten Alten festgesehen, der Ratlosigkeit mimte und kleine Verwirrtheit; ungläubig beugte er sich über Kühltruhen, gab sich wie verloren vor dem weithin laufenden Spalier vollbesetzter Regale, inspizierte staunend unsere Sonderangebote, wobei er es nicht unterlassen konnte, einige Waren zu begrabbeln. An den Probiertischen ließ der alte Knacker nichts aus, was ihm unsere Verkäuferinnen auch reichten: Grillhappen, Fischklößchen, unser hustenförderndes Salzgebäck und fleischfarbene Würfel einer tasmanischen Frucht, er nahm alles freudig an, bedankte sich sogar mit angedeuteter Verbeugung und mümmelte geziert und mit blöder Kennermiene. Als Ingrid ihm auf der Spitze eines gewinkelten Messers Käsehäppchen reichte, setzte er ein Gesicht auf, als wollte er ihr seine Verblüffung und Unentschiedenheit zeigen, was sie dazu verleitete, ihm gleich noch einige Häppchen nachzureichen. Mit unserer getarnten – übrigens mit Tannengrün getarnten – Kamera begleitete ich ihn in die Ecke, in der die »Geschenke des Meeres« – so das von der Decke herabhängende Plakat – gestapelt waren, Sardinen, Thunfisch in Öl, das ziemlich verblaßte Fleisch der Königskrabbe und Muscheln in Gläsern. Es überraschte mich nicht, daß er sich dort, nachdem er kurz gesichert hatte, ein paar Dosen schnappte – Makrelen in Tomatensoße, wie ich feststellte – und sie sich in den Hemd-

ausschnitt steckte, wirklich, nicht in eine seiner zahlreichen Taschen, sondern in den Hemdausschnitt, so daß er das Blech an seiner alten Haut fühlen mußte.
Ich kann machen, was ich will: immer, wenn ich einen miesen Kunden ertappe, stellt sich so ein Gefühl der Bedrückung ein, Ärger selbstverständlich auch, aber vor allem ein Gefühl der Bedrückung und oft genug auch der Trauer. Das war auch bei dem gepflegten alten Knaben der Fall, er ließ mich tatsächlich einen Augenblick schwanken, und ich mußte mich gewaltsam an meine Pflicht erinnern, sonst wäre es mir kaum gelungen, den Warnknopf zu drücken, der an der Kasse ein rotes Lämpchen aufleuchten ließ. Den Rest besorgte unser Abteilungsleiter, über den sich nicht viel sagen läßt – aber soviel vielleicht doch: daß er zierlich war und mitunter mit dem Fuß aufstampfte – übrigens der ungeduldigste Zuhörer, der mir jemals über den Weg gelaufen ist. Strupp-Schönberg hieß er auch noch, Fabian Strupp-Schönberg.
Unter seinem Vorgänger Umbach habe ich leider nur einen Monat arbeiten können, denn er ging in den Ruhestand, er war Kriegsinvalide und hatte sich vom Packer zum Abteilungsleiter hochgedient, und ich fand es einfach umwerfend, wie er mit den Leuten umgehen konnte. Seine Tür stand immer offen, er befürwortete jeden Antrag auf Vorschuß und hatte für jeden von uns ein Lob bereit, aber er warnte auch jeden von uns davor, sich einem Kunden gegenüber erhaben zu fühlen, denn er hatte herausgefunden, daß wir alle auf gewisse Art Jäger sind, auf der Pirsch nach preiswerter Beute. Er lächelte nur, wenn irgendein elegischer Heuchler anmerkte, daß unser Riesenangebot an Waren nichts als Übelkeit verursache und daß nur der Mangel gesund sei und auf gute Gedanken bringe und die

Kultur fördere, und immer noch lächelnd bat er dann um Vorschläge, welche der mehr als siebentausend Produkte – von der Ski-Sicherheitsbindung bis zur Kiwi-Konserve – wir denn einstampfen sollten, oder wem allein es denn vorbehalten sein sollte, die anscheinend überflüssigen Sachen abzuschleppen. Wenn einer, dann war Umbach mein Mann, wirklich.
Warum die stämmige Frau mit dem Kinderwagen meinen Verdacht wachrief, konnte ich nicht sagen, jedenfalls tat sie es nicht, weil sie eine von Doris kunstvoll errichtete Pyramide von Melonen umriß und sich einen Dreck darum kümmerte, wohin sie rollten. Zielbewußt, ohne die Preise zu vergleichen, schob sie ihr Gefährt einfach weiter zur Fleisch- und Wurstabteilung, verlangte dort ein paar Markknochen, vermutlich für eine Kraftbrühe, und während Sibylle die Knochen mit der Bandsäge zerteilte, griff die Kundin in einen Korb, schnappte sich gleich mehrere der schwitzenden, graupelzigen Dauerwürste und verstaute sie unter dem Kopfkissen des Kinderwagens. Alles ging so schnell und wirkte so trainiert, daß ich es kaum mitbekam. Und nur, weil ich sie schon mal im Fadenkreuz hatte, entging mir auch nicht, was sich die Dame, die alle Probehäppchen zurückwies, bei den Konserven leistete, bei den Eintopfgerichten: nachdenklich, als bestimme sie den Küchenplan für die ganze Woche, fischte sie sich sieben Dosen raus, unter anderem Gulasch-, Spargel- und serbische Bohnensuppe, und ließ sie unter der Zudecke des Kinderwagens verschwinden. Das sirenenartige, auf- und abschwellende Geschrei des Kindes drang bis in mein Büro. Aber dann riß es mich fast vom Stuhl, als sich eine kleine fleischige Hand über den Wagenrand hob und etwas runterplumpsen ließ, eine Dauerwurst runter-

plumpsen ließ, und ich mußte die Luft anhalten, als kurz darauf eine Konservendose beidhändig hochgestemmt und über Bord gewälzt wurde. Bevor die Frau das Kind mit dem Kissen erstickte – sie tat es natürlich nicht, aber bei den strafenden Blicken, die sie ihm zuwarf, hätte man das durchaus vermuten können –, drückte ich den Warnknopf und veranlaßte unseren Abteilungsleiter, den Fall persönlich zu übernehmen. Er fand Grund, ein paarmal heftig mit dem Fuß zu stampfen, es hätte nicht viel gefehlt, und die wütende Frau, die ganz schön herumschrie, wäre tätlich geworden, aber schließlich folgte sie ihm kleinlaut in sein Büro.

Ich war ziemlich deprimiert und versuchte mir vorzustellen, mit dieser Frau verheiratet zu sein und all das; wie ich auf dem Bildschirm erkannte, hatte sie nämlich zwei Gesichter, ein hartes, robustes äußeres Gesicht und ein zurückgeschmolzenes, nur noch ahnbares Gesicht, das einem staunenden Mädchen gehörte. Von ferne erinnerte sie mich sogar an ein Mädchen, mit dem ich einmal sehr gern zusammen gewesen wäre; ich hatte sie in dem Film »Wilde Erdbeeren« kennengelernt, in einem lausigen Kino, wir saßen nebeneinander, und ich bot ihr von meinen Erdnüssen an, und sie dankte mir jedesmal mit einem langen Blick. Als ich sie nach Hause begleiten wollte, entschuldigte sie sich damit, daß sie gerade eine schwere Operation überstanden hatte, und mir blieb nichts anderes übrig, als das zu glauben. Eine Operation, daß ich nicht lache! Mir geht es oft so, daß mich jemand, der mir über den Weg läuft, an einen andern erinnert, der mir schon mal irgendwo untergekommen ist.

Endlich wurde unser Abteilungsleiter in die Direktion hinaufbestellt, und ich konnte an seinem Glaskäfig vorbeigehen, ohne sofort einen dieser stechenden, mißtrauischen Blicke einzufangen, mit denen er jeden von uns musterte, der nur mal zur Toilette wollte. Für das Personal hatten sie selbstverständlich eine eigene Toilette eingerichtet, alles war hier karger und anspruchsloser als in der Kundentoilette, statt Stoffhandtüchern, die über Ringelwalzen laufen, gab es nur harte Papierhandtücher, flüssige Seife wurde bei uns nicht nachgefüllt, und um gesprungene Fliesen, die in der Kundentoilette sogleich ersetzt wurden, kümmerte man sich bei uns nicht die Bohne. Die Aussicht von der Personaltoilette war einfach niederschmetternd, denn man blickte genau auf die Rampe, auf der die Abfälle gestapelt wurden, der tägliche Ausschuß, auf den ein bulliger Kerl, dem eine ganze Armada von Lastern gehörte, abonniert war. Mein Gott, was sich da so türmte: Kisten mit Pfirsichen, die nur winzige dunkle Druckstellen aufwiesen, Metallwannen mit Sülzkoteletts und Sauerfleisch, über die das Verfallsdatum gerichtet hatte, Hügel von verschrumpelten Gurken, Milch und Milchprodukten und, wahllos zusammengeworfen, ausgesonderte Poularden mit harmlosen Flecken und schwärzlich angelaufene Blumenkohlköpfe. Länger als nötig mochte sich bestimmt niemand auf der Personaltoilette aufhalten.

Ein paar Stunden lang konnte ich keinen faulen Kunden ertappen; das kam auch vor, und damit mußte man sich abfinden. Ich kann nicht sagen, daß da gleich meine Stimmung stieg oder daß sich mein Glaube an die Menschheit verfestigte und dergleichen, ich stellte nur wieder mal fest, daß es ziemlich öde ist, ehrliche Kunden beim Einkauf zu überwachen. Ehrlichkeit ist nun mal langweilig und gibt nicht sehr viel her – für einen Hausdetektiv, meine ich. Immerhin hatte ich

noch nicht den Dritten erwischt, und während ich mich wieder und wieder fragte, wer es wohl diesmal sein könnte, wuchs eine gewisse, wuchs die übliche Spannung. Ich hatte nämlich im stillen mit mir selbst abgemacht, jeden dritten diebischen Kunden laufen zu lassen. Ich weiß auch nicht, warum; ich weiß nur, daß es mir umso leichter fiel, zwei zu melden und hochgehen zu lassen, wenn ich einen – mit allem, was er eingesackt hatte – unbelangt entkommen ließ. Dabei war mir schon klar, daß nicht jeder, der in den Genuß meiner Großzügigkeit kam, diese Großzügigkeit auch verdiente; oft genug war es mir passiert, daß ich Kunden, die sich nur auf bescheidene Weise vergingen, überführt hatte, andere hingegen, die sich dreist und allzu happig bedienten, folgenlos den Engpaß der Kasse passieren ließ. Das wurmte mich mitunter, dennoch gab ich das System, es schicksalhaft mit jedem Dritten zu halten, nicht auf; auf irgend etwas muß man sich schließlich festlegen.
Diesmal stellte mich der Dritte auf eine ganz schöne Geduldsprobe; in der unaufhörlichen Prozession, die durch unsere Lebensmittelabteilung zog, gab es keinen, der meinen Verdacht erregte, die waren alle so verdammt ehrlich und zahlungswillig, als wollten sie mir meine Entbehrlichkeit beweisen. Und als ich sie entdeckte, glaubte ich auch nicht einen Augenblick, daß sie mein Dritter sein könnte, ich sah mich nur deshalb so an ihr fest, weil sie das anziehendste Gesicht hatte, das jemals bei uns erschienen war, im Ernst. Es war ein sommersprossiges, jungenhaftes Gesicht, auf dem ein scheues Lächeln lag, die Lippen waren leicht geöffnet, und die Augen, um auch das noch zu erwähnen, hatten einen ganz und gar klassischen Schnitt. Sie trug Bubikopf, war schlank und wohl eben über zwanzig.

Ach, Lone, ich weiß noch, wie du hereingeweht kamst, träumerisch und mit zaghaften Bewegungen; du schienst verwundert über dich selbst, konntest dir offenbar nicht erklären, wie du in meine Abteilung geraten warst, in die Lebensmittelabteilung. Unter dem offenen Parka trugst du einen langfallenden marineblauen Pullover und in der Herzgegend einen Aufnäher, auf dem ein kleiner, krummschnäbeliger Vogel abgebildet war, der einem Baumläufer glich. Kein Schmuck war an dir zu finden, nicht einmal ein imitierter Gardinenring, der durchaus zu dir gepaßt hätte. Deiner geschmackvollen Umhängetasche – mehrfach getöntes herbstbraunes Leder, das in Blätterform geschnitten und zusammengenäht war – sah ich sofort an, daß du sie selbst gemacht hattest. Als du vor dem Gewürzständer stehenbliebst und für eine Weile nicht wegfinden konntest von gefüllten Streuern und Tütchen, botest du mir dein Profil an, und da ging mir auf, wie ähnlich du meiner kleinen Schwester Jette warst. Großer Gott, ich will nicht zuviel sagen, aber du schienst von einer einzigen Bereitschaft erfüllt, stille Freude auszudrücken, und je länger ich dich im Auge behielt, desto deutlicher fühlte ich, wie sich deine Freude auf mich übertrug.

Jedenfalls, ich kam und kam nicht von ihrem Anblick los, ich mußte einfach zusehen, wie sie, ohne einen Drahtkorb aufzunehmen oder ein Einkaufswägelchen vor sich herzuschieben, an der Truhe mit den Fischgerichten vorbeiglitt und nachdenklich vor dem wie schlafend dekorierten Wildgeflügel im Federkleid stehenblieb. Sie belegte mich so sehr mit Beschlag, daß ich kaum mitbekam, wie mein Kollege Willi unser Büro betrat, auf dem kleinen Abstelltisch seine finnischen Lehrbücher aufschlug und auch gleich zu murmeln anfing, auf finnisch natürlich. Obwohl er noch nicht einmal dreißig war, hatte er schon vier Kinder, die zu Hause so nervtötend an ihm herumhingen, daß er die Aufgaben für die Abendschule im Büro erledigte; Willi mit seinem füchsischen Dreiecksgesicht, der mir nicht oft genug sagen konnte, daß man sich weiterbringen muß, wenn man etwas erreichen will. Weiterbringen: ich brauche das nur zu hören, dann bekomme ich schon Krämpfe.

Ich ließ ihn bei seinen finnischen Studien und setzte mich so vor den Bildschirm, daß er nicht merkte, wem allein ich meine Aufmerksamkeit widmete. Sie dankte für ein Käsehäppchen und aß es so andächtig, als wollte sie das geheimste Aroma herausschmecken; danach ging sie in die Backwarenabteilung, nahm aus einem Korb ein kurzes Stangenbrot, schnupperte daran, betastete es, und ich glaubte wirklich, daß sie sich nur von der Frische überzeugen wollte. In diesem Augenblick wäre ich gern hinter ihr aufgetaucht, um sie so freundlich wie möglich auf das Schild hinzuweisen, das das Berühren der Backwaren untersagte. Plötzlich sah ich, wie sie das Stangenbrot in die Innentasche ihres Parkas schob und gedankenlos zu den Konfitüren hinüberging. Der Schmerz, den ich da spürte, kam gewiß daher, daß ich mich überrumpelt, widerlegt, mattgesetzt fühlte; mir war es furchtbar peinlich, um die Wahrheit zu sagen; genau so elend wäre mir zumute gewesen, wenn sich meine kleine Schwester Jette unter meinen Augen selbst bedient hätte. Vermutlich stöhnte ich oder gab irgendein Geräusch von mir, denn Willi unterbrach sein finnisches Gemurmel und wollte wissen, ob ich einen in der Falle hätte. Ich schüttelte den Kopf, mimte Gelassenheit und beobachtete gleichzeitig, wie sie sich in der Konfitürenabteilung umtat, hilflos und so, als verursachten ihr unsere Angebote ein Ziehen in den Schläfen, denn sie betastete sie tatsächlich. Schließlich, und damit beendete sie ihre Verlegenheit, wählte sie ein Glas mit Tannenhonig; danach strebte sie, das Honigglas auf offener Hand balancierend, gemächlich und unbefangen auf unsere Kasse zu, reihte sich geduldig in den kleinen Stau ein und bewies, zu wieviel Mädchenhaftigkeit sie noch bereit war, als sie einem feisten Knirps, den seine Mutter in einen Einkaufswagen gesetzt hatte, eine Grimasse schnitt. Das warf mich um, die Grimasse warf mich einfach um, und während sie einem mißmutigen Ehepaar, dessen Taschen sich als zu klein erwiesen, beim Einpacken half, unterbrach ich Willis Studien von Nurmis Sprache. Ich bat ihn, die Aufsicht ausnahmsweise früher zu übernehmen, versprach, ihm bei Gelegenheit alles zu erklären – mein Gott, es war nicht mal eine verdammte Stunde, um die ich ihn bat –, doch er mußte sich zunächst stirnrunzelnd und übellaunig mit sich selbst beraten, und erst nachdem ich ihm angeboten hatte, die doppelte Zeit für ihn einzuspringen, willigte er ein. Auch unter Hausdetektiven kann man deprimierende Erfahrungen machen. Wer weiß, was er sich dachte, als er mich gleich darauf durch die Abteilung hasten sah und mich mit der schwenkbaren Kamera bis zur Rolltreppe verfolgte, der ich im Ernstfall mehr vertraute als den ewig überfüllten Aufzügen.

2

Mindestens tausendmal hatte ich im Kino gesehen, wie einer flieht und von mehr oder weniger sympathischen Burschen verfolgt wird, und ebenso oft hatte ich es erlebt, daß Fliehende und Verfolger auf die immer gleiche einfallslose Art behindert wurden: kaum hatten sie nämlich ihre Höchstgeschwindigkeit erreicht, wurden sie auch schon von einem lärmenden Karnevalszug gebremst, oder es schloß sich eine Eisenbahnschranke vor ihnen, und wenn nicht dies, so wurden sie von einer in Panik geratenen Rinderherde aufgehalten oder von den Teilnehmern einer politischen Demonstration zum Warten gezwungen. Ohne Behinderung geht wohl keine Flucht ab, und eine Verfolgung wohl ebensowenig. Jedenfalls hatte ich es noch nicht einmal bis zur Rolltreppe geschafft, als sich der Strom der heraufgebaggerten Kunden verdickte, schätzungsweise eine Million drängten gleichzeitig heran, umschlossen, umschnürten mich – zumeist diese stämmigen, kurzhalsigen Frauen, die erbarmungslos ein einziges Ziel verfolgen –, so daß mir gar nichts anderes übrigblieb, als zu kämpfen und mich gewaltsam herauszupflügen. Herr im Himmel, wenn ich an all das denke, was diese Leute mir androhten, nur, weil ich in eine andere Richtung wollte; so ein Riesenbrötchen meinte tatsächlich, man müsse die Luft aus mir herauslassen – die Luft! Ich kam

mir wirklich vor wie in einem dieser blödsinnigen Filme, und als ich endlich den Nebenausgang erreichte, mußte ich erst einmal stehenbleiben und tief durchatmen.
Draußen auf dem Parkplatz fiel mich gleich der Wind an, der hier immer ging, ein launisch wechselnder Fallwind, der Sand und Blätter und Plastikfetzen in Spiralen drehte und den Kunden, die Kisten und Taschen zu ihren Autos schleppten, Tränen in die Augen trieb. Ich hatte mich noch nicht einmal umgesehen, da erkannte ich sie auch schon wieder: gegen den Wind gelegt, der ihr Haar zauste, an ihrem Parka riß, ging sie an den Autoreihen vorbei, verhielt ab und zu, reckte sich, hielt Ausschau; doch auf einmal wurde sie unsicher und kehrte suchend zurück. Sie kam direkt auf mich zu. Sie sah mich mit ihren sehr hellen Augen an und lächelte scheu, und mir gelang nichts anderes, als ihr Lächeln zu erwidern und ihr zuzunicken; etwas anderes gelang mir nicht. Eine Sekunde lang glaubte ich im Ernst, daß sie sich gestellt fühlte und daß sie mir schuldbewußt ausliefern wollte, was sie bei uns auf die Seite gebracht hatte; gottseidank tat sie mir das nicht an, sie ging weiter zu den langen Blumenständen im Freien, an denen zwei kaum beachtete Frauen – bestimmt ohne Gewerbeschein – die Schönheit des Sommers verkauften. Während ich ihr folgte, bestätigte ich mir, daß ich nie zuvor ein so anziehendes Gesicht gesehen hatte.
Gleich hinter den Blumenfrauen kniete auf einem ausgebreiteten Sack ein bärtiger Gitarrenspieler, er spielte und sang mit geschlossenen Augen, er sang eins dieser sattsam bekannten Klagelieder, in denen es um Verlassenheit, um vergebliche Erwartung und all das ging, doch obwohl er die Augen geschlossen hielt, bekam er

jedesmal mit, wenn man ihm eine Münze hinwarf, denn er dankte immer mit einer steifen Verbeugung. Dicht vor ihm, das Kinn in beide Hände gestützt, saß ein Junge mit borstigem Kopf und schmächtigen Schultern, er saß starr und ganz verzückt da und blickte unverwandt auf die Finger und auf das Instrument des Spielers. Als die Frau den Jungen entdeckte, beschleunigte sie ihre Schritte und rief auch gleich seinen Namen, doch Fritz – so hieß das Bürschchen – hörte nicht oder wollte nicht hören, Fritz saß da wie verzaubert, unempfindlich für alles, was um ihn herum geschah. Einen Augenblick stand die Frau ratlos da, dann kniete sie sich hin und umarmte den Jungen und flüsterte ihm etwas ins Ohr, und jetzt wandte Fritz ihr sein Gesicht zu, musterte sie zuerst vorwurfsvoll taxierend, gleich darauf aber freudig und erleichtert. Schnell griff er nach ihrer Hand, ließ sich hochziehen, hatte den Spieler und sein Spiel schon vergessen – es ist einfach atemberaubend, wie übergangslos sich Fritz und seinesgleichen von einer Sache trennen und einer anderen zuwenden können –, und folgte bereitwillig der Frau, staksig, fohlenhaft und zu kleinen Hüpfern aufgelegt.

Ich kann mir nicht erklären, warum ich nicht einen einzigen Moment schwankte, ob ich sie sich selbst überlassen oder auf ihrer Spur bleiben sollte, ich kann mir überhaupt vieles nicht erklären, jedenfalls zuckelte ich hinter ihnen her, als bestünde eine rätselhafte Bindung zwischen uns. Auf Abstand bedacht, überquerte ich nach ihnen den Parkplatz, konnte es aber an der Bushaltestelle nicht vermeiden, in ihre Nähe zu kommen. Um nicht in ihr Blickfeld zu geraten, drehte ich mich weg und studierte wohl zwanzigmal den verdammten Fahrplan und achtete dabei auf die komischen Zeichen und Signale, die die beiden austauschten. Es war ein regelrechtes Geheimalphabet, dessen sie sich bedienten, im Ernst. Immerhin bekam ich schon an der Haltestelle mit, daß sie Lone hieß, Lone, und daß sie von dem schmächtigen Bürschchen immer nur mit diesem Namen angesprochen wurde. Als endlich der Bus kam und die Türen zischend aufflogen, ließ ich allen den Vortritt, stieg als letzter ein und suchte erst einmal festen Stand zwischen den Einkaufstaschen und den Plastiktüten und all der preiswerten Beute. Mir machen Ausdünstungen und Enge nichts aus, ich bin daran gewöhnt, aber den Geruch nach Kümmel, den kann ich nicht ertragen, von Kümmel wird mir einfach schlecht. Die Frau, die nach Kümmel roch, hielt außerdem noch den gewaltigsten Gladiolenstrauß gepackt, den man sich denken kann, und als ich versuchte, von ihr fortzukommen, wischte mir dieser Strauß über Gesicht und Hals, einmal so heftig, daß einer dieser verfluchten Stengel knickte. Jesus Christus, gab das ein Gemaule! Nachdem die Eigentümerin des Straußes sich mit dem geknickten Stengel abgefunden hatte, schlug sie tatsächlich vor, für Leute von übertriebener Raumverdrängung einen besonderen Bus mit Anhänger einzusetzen. An der Haltestelle, vor einem trostlosen Krankenhaus, in dem ich nicht mal sterben möchte, drängten sich noch mehrere Krankenschwestern herein, sie schoben, sie schubsten – alles mit dieser unerbittlichen Munterkeit –, und auf einmal stand ich unmittelbar hinter Fritz. Ich packte zwei Haltestangen und stemmte mich gegen die andrängenden Körper der Krankenschwestern, denen zu meinem Erstaunen kein einziges der gestärkten Häubchen verrutschte; doch ich konnte nicht verhindern, daß der Junge in die Klemme geriet, zur Seite gedrückt wurde und auf Lones Schoß landete. Beide sahen zu mir auf, beide lächelten verständnisvoll, ich aber wandte mich schnell ab.

Ob ich es wollte oder nicht, ich mußte zwei Schulmädchen zuhören, die ihre Sitzplätze wohl schon früh erobert hatten, sie trugen Pullover aus zarter Angorawolle und silberne Kettchen um den Hals; belustigt sprachen sie über ihren Sportlehrer, der sich in den Ferien einen Bart hatte wachsen lassen, einen rotflammenden irischen Bart, der ihn selbst beim Vorturnen nicht irritierte, der Klasse aber den Eindruck verschaffte, als schwinge ein tollkühner Opa zwischen den Holmen des Barrens, so daß sie bei jedem Abgang vor Begeisterung klatschte und trampelte. Unwillkürlich mußte ich an meine eigene Junglehrerprüfung denken, sie lag noch nicht lange zurück, ein gutes Jahr nur, ein Jahr, in dem ich es mir abgewöhnt hatte, auf die erhoffte Nachricht von der Schulbehörde zu warten. Ich dachte an den bekümmerten Glückwunsch meines Prüfers, er hieß Klaus Kampe, er gab mir gewiß nur aus Mitleid ein »gut«, und während er uns Zigaretten drehte, versicherte er mir, daß mich auch eine bessere Zensur nicht davor bewahren würde, auf dem Bahnsteig für arbeitslose Pädagogen zu landen. Ihm war genau so elend zumute wie mir. Lieber Jan Bode, sagte er, für unsereins sind die Züge abgefahren. Er schaute mich fortwährend an mit seinem verhangenen, traurigen Blick und nickte zu jedem seiner Sätze. Um mir meine Lage nach bestandener Prüfung zu erklären, bemühte er das Bild von der Leiter. Früher, sagte er, da ging alles automatisch, man stieg auf, Sprosse für Sprosse, und man konnte mit Recht erwarten, daß jede einzelne Sprosse trug, und so weiter. Heute muß man darauf gefaßt sein, daß gleich die ersten drei, vier

Sprossen fehlen, einfach herausgebrochen sind, man ist verurteilt, am Fuß der Leiter zu bleiben, das Loch ist unbezwingbar, man muß Abschied nehmen von einst verbrieften Erwartungen. Nachdem er sich ziemlich allgemein über den Begriff der Arbeit ausgelassen hatte, den wir neu definieren müßten, gab er mir kumpelhaft zu verstehen, daß ich bei der Wahl meiner Studienfächer wohl einen Fehler gemacht hatte. Warum bloß Englisch und Kunstgeschichte, Menschenskind, so fragte er, warum nicht Mathe und Chemie? Als ich ihn verließ, war ich so deprimiert, daß ich mit dem Gedanken spielte, alles aufzugeben und Schäfer zu werden, in der Provence oder in der Lüneburger Heide; ich stellte mir vor, daß zwei schwarze Hunde die Herde bewachen würden und daß ich bei Schafskäse und Rotwein alt werden könnte, betreut von einer gutaussehenden Schäferin und umspielt von ein paar Schäferkindern.

Aus den Augenwinkeln beobachtete ich Lone und den Jungen, ich war entschlossen, sie nicht entkommen zu lassen, bevor ich mehr über sie erfahren hätte. Wie zappelig Fritz war, wie wißbegierig! Einmal wollte er so ein blödes koloriertes Reklamebild neben dem Busfenster erklärt bekommen; das Bild zeigte ein festlich gekleidetes Paar, das gerade ein schönes, abseits gelegenes Haus verlassen hatte und vertrauensvoll auf einen Schlüssel blickte, den der Mann triumphierend hochhielt. Geduldig erklärte Lone ihm, daß jedem alleingelassenen Haus Gefahren drohen, von Einbrechern, von Dieben und allerlei lichtscheuem Gesindel, und daß es nur gut ist, ein Sicherheitsschloß zu haben; ein Sicherheitsschloß bewacht das Heim. An ihre Schulter geschmiegt, leicht schnaufend und auf einem Mundwinkel kauend, hörte Fritz ihr zu, es war nicht zu erkennen, ob er die geschilderten Gefahren begriff. Unten am Hafen wechselten sie den Bus, sie kündigten ihren Entschluß frühzeitig an, indem sie Hand in Hand zum vorderen Ausgang strebten, ich konnte ihnen geruhsam folgen. Es ging am Spalier der Kneipen entlang, in denen bei jedem ausländischen Flottenbesuch mindestens ein Dutzend landfroher Besatzungsmitglieder verlorengeht – die Kneipen wetteiferten darin, dem Besucher alles zu versprechen, was er gerade entbehrte –, und dann weiter an öffentlichen Gebäuden vorbei, die für das vernarbte Ananasgesicht beflaggt waren, und an Kühlhallen und einer Brauerei, und als wir parallel zum Strom hinfuhren, kam die Sonne heraus. Ich sah, wie die Sonne einen Kerl mit blauroter Säufernase weckte: er blinzelte, hob abwehrend seinen Arm, und um dem Licht zu entkommen, stand er auf, machte einen Schritt über den Gang und sackte auf den freien Sitz neben dem Jungen. Das hätte mich verdammt gleichgültig lassen können, doch ohne daß ich es wollte, visierte ich schon den furunkulösen Nakken des Burschen an, um ihn mit einem Handkantenschlag, wie wir ihn im Ausbildungskurs für Hausdetektive gelernt hatten, an die Einhaltung guter Sitten zu erinnern. Doch der Kerl bewegte nur stumm die Lippen und blickte ungläubig auf die dünnen, nackten Beine des Jungen, die von Kratzern bedeckt waren. Unwillkürlich rückten sie zusammen, Lone und Fritz, die neue Nachbarschaft war ihnen ungemütlich, und auf der Höhe des kleinen ölschimmernden Segelboothafens stiegen sie so überraschend aus, daß ich beinahe zurückgeblieben wäre. Ich mußte den Notknopf drükken, um die Bustür noch einmal zu öffnen; in der Deckung der milchglasverkleideten Haltestelle verharrte ich und ließ sie vorausgehen zur Dampferanlege-

stelle. Dort zeigten sie sich gegenseitig, was die Elbe hinabführte an Kanthölzern, an Dosen, Plastikfetzen und dergleichen.
Nachdem Fritz sich ein gebleichtes Stöckchen aus dem Wasser gefischt hatte, sprangen sie auf den dreckigen Elbsand hinunter, auf dem jede vergangene Flut ihre Markierung hinterlassen hatte; großer Gott, was sich da für ein Mist ablagerte! Über ihnen, auf den Bänken am Wanderweg, saßen ein paar sehr alte Knacker, Insassen eines Altersheims, die hier immer reglos in der Sonne dösten und sich nun bei ihrem Anblick belebten. Fritz zog seine Schuhe und die kurzen Strümpfe aus, watete ins Wasser, rief Lone an und machte ihr vor, wie hoch er springen und wie toll er plantschen konnte, und danach zeigte er ihr, wie die trübe ablaufende Elbe sich an seinen Beinen staute und kleine Wirbel machte; die alten Knacker lächelten zustimmend.
Immer auf gleichbleibenden Abstand bedacht, folgte ich ihnen auf dem Wanderweg, drehte mich weg, wenn sie zurückblickten, oder mimte den empfindsamen Betrachter, indem ich eine schattende Hand an die Stirn legte, um die Fahrwasserzeichen im Glitzern des Stroms auszumachen. Als sie eine freie Bank unter alten schrundigen Bäumen fanden, wagte ich es nicht, an ihnen vorüberzugehen und noch einmal ihr Blickfeld zu kreuzen; ich scherte aus, überquerte den Rasen und suchte Deckung hinter Rhododendren und Hartriegelbüschen, wobei ich tat, als studierte ich das Wachstum der Schößlinge. Ich möchte nicht zuviel sagen, doch auch bei einer Freiluftbeobachtung kann man Erfahrungen machen.
Ach, Lone, ich entsinne mich noch, wie du ein broschiertes Buch und einen Stift aus deiner Tasche fischtest und Fritz ermahntest, für ein paar Minuten Ruhe

zu geben; doch er hörte nicht auf, sich anzuschleichen und dir die Augen zuzuhalten, Tierlaute nachzuahmen oder auf der Banklehne herumzuturnen. Einmal versteckte sich der Junge hinter einem Baum, und als er merkte, daß du seine Kuckucksrufe überhörtest, fing er an, um Hilfe zu rufen, und da blieb dir nichts anderes übrig, als ihn zu suchen; natürlich wußtest du, wo er steckte, denn du sahst seine Hand und seine Knie, während er sich um den Baum herumtastete, aber du tatest so, als ob du wahnsinnige Angst hättest. Schließlich, als du ihn mit gemachter Trauer für verloren erklärtest, sprang er hervor, rannte gegen dich an, preßte sein Gesicht gegen deinen Bauch und jauchzte vor Wiedersehensfreude. Das warf mich um, wirklich. Das warf mich um. Und dann trabtet ihr Hand in Hand zur Bank zurück, und du holtest aus deinem Parka das kleine Stangenbrot und das Honigglas heraus, und Fritz begann vor Ungeduld zu trampeln. Wie geschickt du Brocken von dem Stangenbrot abbrachst und ihn dann lehrtest, den Brocken in den Honig zu tauchen, ihn nach schneller Drehung herauszuheben, langgezogene Fäden mit einer Wickelbewegung aufzunehmen und den ganzen Brocken auf einmal in den Mund zu stopfen! Fritz schaffte es nicht; alles geriet ihm so heftig, so ungeschickt, daß Honigfäden sich um seine Finger wickelten und daß er die halbe Bank bekleckerte; da gab er es auf und öffnete einfach seinen Mund und wollte von dir gefüttert werden.
Um die Wahrheit zu sagen, ich hätte euch stundenlang zusehen können bei dieser Fütterung; für Fütterungen habe ich mich immer interessiert, nicht nur bei Seelöwen und Vögeln, und ich bedauerte tatsächlich, daß das Stangenbrot nicht für länger reichte.
Ich weiß auch nicht, wie man das erklären kann, doch

wenn ich jemanden beobachte, habe ich nach einer gewissen Zeit das verdammte Gefühl, selbst beobachtet zu werden, ich spüre dann ein Brennen im Nacken, spüre einen Zwang, meine Harmlosigkeit zu demonstrieren, indem ich mich betont entkrampft gebe, unsinnige Bewegungen mache und pfeife oder den Geistesabwesenden spiele. Gerade wollte ich damit beginnen, als Lone den Jungen aufforderte, eine Weile Ruhe zu geben und unten am Strand zu spielen oder im Buschwerk hinter den Bäumen – an ihren Gesten erkannte ich das. Fritz quengelte, Fritz schmollte, er stand eine ganze Zeit unschlüssig da, schließlich aber griff er sein Stöckchen, musterte mit schräggelegtem Kopf die Umgebung und trottete über den Rasen zu den Rabatten – nicht ohne vorher, vermutlich um Lone am Verlassen des Platzes zu hindern, um die Bank eine halbkreisförmige magische Linie in den Boden geritzt zu haben. Zu der durchhängenden, schmiedeeisernen Kette trottete er, mit der ein gut mannshohes Denkmal eingezäunt war, ein Ehrenmal für die im Krieg Gefallenen der Handelsmarine. Forsythien und Hartriegelzweige, die längst hätten gestutzt werden müssen, verbargen es; vom Wanderweg aus ließ sich nicht mehr erkennen als ein schimmerndes, aus Sandstein genommenes Reliefbild.
Großer Gott, es ließ mich nicht kalt, zu beobachten, wie der Junge über die Kette stieg, die Zweige auseinanderbog und weniger überrascht als grüblerisch das Denkmal musterte – schließlich war es die vorletzte Arbeit meines Alten, eine Auftragsarbeit aus jener Zeit, in der er noch geglaubt hatte, als freier Bildhauer leben zu können. Obwohl mir schon allerhand geboten werden muß, bevor bei mir Ergriffenheit aufkommt, hatte mich dieses Denkmal bereits am Tag der Enthül-

lung ergriffen. Fern am Horizont, unter leerem Himmel, versank da übers Heck ein Frachtschiff, nur noch der geknickte Mast war zu sehen und der steil aufragende Bug; vorn, auf einem altmodischen Stockanker, saß als gleichmütiger Beobachter der Tod, der in einer Hand ein Tiefenlot, in der anderen sein eigenes Logbuch hielt: gleich würde er die letzte Eintragung machen für das von Torpedos getroffene, von einer Mine zerrissene oder von einer Salve versenkte Schiff. Der Tod trug übrigens eine Matrosenmütze, von der bei angenommenem Wind die Bänder flatterten. Wenn es vielleicht auch nicht die beste Arbeit von Hans Bode war, zu seinen bemerkenswerten zählte sie gewiß.
Jedenfalls berührte es mich, das Denkmal nach einer Ewigkeit wiederzusehen, und als der Junge es mit seinem Stöckchen leicht und wahllos zu betrommeln begann, ging es mir seltsam an die Nerven; aber ich beherrschte mich, hielt mich zurück und beobachtete, wie er mit dem Stöckchen hier leicht schabte, dort pausenreich, als erwarte er ein Echo, klopfte und schließlich, unter verstärktem Druck, mit der Stockspitze zu kratzen begann. Nur durch einen Busch gedeckt, erkannte ich, daß Fritz den aufragenden Bug des sinkenden Schiffes kratzend bearbeitete, und wie sich aus dem Reliefbild Krümel und Scheibchen lösten und auf den eingeschwärzten Sockel fielen; unablässig lösten sie sich, rissen, platzten ab, gerade als hätte der Stein seine Härte verloren und all das, was ihm das Geheimnis der Dauer verlieh. Es hätte nicht viel gefehlt und ich wäre hervorgekommen und hätte dem Bürschchen Bescheid gestoßen. Doch Fritz, vermutlich gelangweilt von kleiner Zerstörungsarbeit, unterbrach das Kratzen, musterte maßnehmend das Denkmal und schlug plötzlich, den Stock beidhändig führend, zu. Er

schlug zu. Er traf das Logbuch, das der Tod schreibbereit in der Hand hielt. Der Stock federte zwar zurück, doch vom porösen Stein platzten gleich mehrere dünne Scheiben ab, so daß das Logbuch nicht nur verdünnt, sondern auch seltsam benagt aussah. Ich brauche wohl kaum zu erklären, wie mir zumute war; der Junge jedenfalls erschrak, lauschte, warf sich durch das Gebüsch und rannte, so schnell er konnte, zur Bank zurück.

Es war, wie gesagt, eine Ewigkeit her, seit ich zum letzten Mal hier gewesen war, und ich war sicher, daß es auch den Schöpfer des Reliefbilds eine lange Zeit nicht mehr hierher geführt hatte, an dies einst umstrittene, langsam zugewachsene, und wenn nicht vergessene, so doch kaum beachtete Denkmal. Was ich mit angesehen hatte, beunruhigte mich so sehr, daß ich mir erst einmal selbst nähere Gewißheit verschaffen wollte; also zwängte ich mich durch das verdammte Gebüsch und untersuchte auf meine Art den Stein, schabte ein bißchen, pochte, wischte mit den Fingerkuppen über Teile des Reliefbilds, und zum Schluß inspizierte ich auch den Sockel. Auf ihm lagen Körner und Krümel und abgeplatzte Scheiben, die der Stein schon länger und bestimmt ohne Einwirkung des Stöckchens verloren hatte – seltsamerweise nicht an der Wetterseite, zur Elbe hin, sondern sozusagen in Lee, dort, wo weder Wind noch Regen oder Hagel sich am Stein zu schaffen machten. Was sich aus dem Stein gelöst hatte, gab nichts her, zumindest konnte ich nichts herauslesen über die Ursachen des Zerfalls; dennoch beschloß ich, zu Hause zu erzählen, was ich zufällig entdeckt hatte. Um den Beweis mitzuliefern, breitete ich mein Taschentuch aus, scharrte Abgeplatztes und Abgesondertes zusammen und schnürte es zu einem kleinen Bündel, und für einen Augenblick kam ich mir dabei im Ernst wie ein wirklicher Detektiv bei der Spurensuche vor.

Die Bank unter den schründigen Bäumen war leer, ich konnte gucken und gucken: keine Lone, kein Fritz. Wie zur Entschädigung glitt im Hintergrund ein Gebirge von Tanker vorbei, die ziemlich verdreckte »Golden Bay«. Ich rannte zum Wanderweg, suchte zuerst elbabwärts, sah nur alte Einzelgänger und hunderttausend Mütter mit Kinderwagen; auch elbaufwärts, bis zur Anlegestelle hin, waren die beiden nicht zu entdecken. Vermutlich saßen sie an Bord des frisch gelackten, in der Sonne glänzenden Fährschiffs, das gerade abgelegt hatte und in die Fahrrinne hinausdrehte. Obwohl sie ja nun wirklich keinen Grund hatten, auf mich zu warten, kam ich mir vor, als hätten sie mich im Stich gelassen, tatsächlich. Ich war jedenfalls ziemlich deprimiert und konnte mich mit ihrem Verschwinden einfach nicht abfinden. An der Bushaltestelle war ich so enttäuscht und verdrossen, daß ich einem kleinen Mädchen eine pampige Antwort gab; die Kleine, die behutsam das Bündel mit den abgeschabten Steinproben befühlte, fragte mich nämlich, ob ich da zufällig Bernsteinstücke drin hätte, und ich sagte: Nein, nur die abgedrehten Nasen von kleinen Mädchen, die zuviel wissen wollten. Das tat mir sogleich verflucht leid, denn im allgemeinen nehme ich die Fragen von Kindern ernst. Ich gab mir Mühe, mich bei der Mutter blickweise zu entschuldigen, doch die starrte nur auf meine Haare, in denen, wie ich später im Bus feststellte, ein paar welke Blätter steckten, Hartriegelblätter, um es genau zu sagen.

Es ist kaum zu glauben, wieviel Aufmerksamkeit mein zum Bündel geknotetes Taschentuch fand, alle im Bus glotzten es an, sogar der Fahrer; ich möchte nicht

wissen, was zum Teufel die über mich dachten; man braucht nur etwas an sich zu haben, das sie nicht auf einen Blick erklären können, und schon stellen sie ihre Mutmaßungen an. Ich hielt das Bündel auf meinem Schoß, und während wir die traditionsreiche Chaussee neben dem Strom hinabrollten, mußte ich an die öffentliche Erregung denken, die das Ehrenmal einst hervorgerufen hatte. Wie gereizt sie damals waren, wie empört, vor allem ein paar Mitglieder einer Marine-Kameradschaft, die am Tod unter der Matrosenmütze Anstoß nahmen; doch auch ein Teil der Presse gab zu verstehen, daß dem Ehrenmal Ausdruckskraft und Würde fehlten, und daß man mit öffentlichen Geldern nur einen mäßigen Ulk bezahlt habe. Die Auseinandersetzung wurde noch bissiger, als ein pensionierter Denkmalspfleger, der selbst zur See gefahren war und zweimal sein Schiff verloren hatte, in einer Wochenzeitung für den Bildhauer und seine Arbeit Partei nahm und im Ehrenmal Gefühls- und Geschichtswerte zwar kritisch, doch angemessen aufbewahrt fand und ihm außerdem einen überzeugenden Kunstwert zuerkannte. Fade Allegorik, sagten da die andern, die sich in ihrer Vergangenheit verunglimpft fühlten, und einige sprachen sogar von infantiler Schmähung. Was dem Künstler Hans Bode damals zu schaffen machte, war weniger das Unverständnis als die Empörung einiger Leute; die regten sich tatsächlich so auf, als hätte mein Alter ihnen ihre geliebten Takelblusen gestohlen.
An der Endhaltestelle erwartete mich mein Hund. Manchmal lag er da stundenlang auf der Lauer, den Kopf zwischen den eingeschlagenen Vorderpfoten, nur um mich zu begrüßen; er war eine Mischung aus Schnauzer und Spaniel, und sein Eigensinn wurde nur

noch von seiner Intelligenz übertroffen. Ich hatte ihm den Namen »Hund« gegeben – nicht, weil es mir an Phantasie für Namen fehlte, sondern aus Protest gegen Zeitgenossen, die ihre Hunde Whisky oder Tango oder sogar Wotan nennen; ich meine, mit solchen blödsinnigen Namen beleidigen die Leute nur ihre abhängigen Begleiter. Als sich einmal ein Kunde zu uns chauffieren ließ, der seinen Hund Widukind nannte, ist mir beinahe schlecht geworden, im Ernst; jedenfalls gab dieser Besuch den Ausschlag dafür, daß ich später meinem Vierbeiner den Namen Hund gab. Wenn Hund neben mir ging, wollte er immer etwas tragen, und nachdem wir uns mit dem üblichen Nasenkuß begrüßt hatten, fischte ich ihm aus einem Abfallbehälter eine verbeulte Cola-Dose, und dann trotteten wir den lockeren Sandweg hinab, an einer Siedlung von Reihenhäusern vorbei, die anscheinend nur für Streitsüchtige gebaut worden war, denn man konnte da zu keiner Tageszeit vorbei, ohne Zeuge von Gekeife und Schimpf und Drohung zu werden. Zwischen ihren handtuchgroßen Gärtchen hatten sie Sichtblenden oder Matten aufgestellt, nur um sich nicht sehen zu müssen, doch das hinderte sie nicht daran, sich ohne Blickkontakt anzugeifern, durch Blenden und Matten hindurch. Das warf mich jedesmal um, wirklich. Mein Atem ging erst wieder normal, wenn ich das schüttere Laubwäldchen erreicht hatte, in dem die Leute aus den Reihenhäusern nie anzutreffen waren.

Von dort aus, vom Wäldchen, wo der Weg sich zum Strombett hin senkte, konnte man bereits das Tor unseres Werkplatzes erkennen und das grauweiße Firmenschild, auf dem nicht mehr stand als: Hinrich und Hans Bode Grabsteine – Grabdenkmäler. Auch die getürmten Rohblöcke – Sandstein, Granit und Marmor

– konnte man erkennen und, weil es alles überragte, das schiefergedeckte Haus, in dem wir lebten. Es hatte zahlreiche Fenster und war einmal eine Schule gewesen, eine Landschule, zu der die Kinder einst meilenweit pilgern mußten bei Regen und Schnee. Aus alter Gewohnheit rannte Hund jetzt voraus, um mich am Tor offiziell zu begrüßen – mit Sprüngen und Kopfstößen gegen meinen Magen – und ganz plötzlich, geduckt und mit fließenden Haaren, weiterzustürmen zum Hauseingang, wo dann die Hauptbegrüßung mit Klammergriffen und dergleichen erfolgen sollte.
Aber erst einmal mußte ich an Großvater Hinrich vorbei. Er lebte in der ehemaligen Hausmeisterwohnung und saß immer nur am Fenster und las oder grübelte über das Gelesene nach, und als er mich entdeckte, rief er gleich und winkte und wollte wissen, was ich ihm aus der Leihbibliothek mitgebracht hätte. Er hatte nie besondere Wünsche, er überließ es mir allein, Bücher für ihn auszuleihen, und obwohl ich in den Jahren mitbekam, daß er die Bücher am meisten liebte, nach deren Lektüre er sich ganz benommen fühlte, gab ich es nicht auf, ihm gelegentlich einen sogenannten Klassiker unterzuschmuggeln. Er las sie alle, benommen jedoch fühlte er sich nur nach Dostojewskis »Schuld und Sühne«, und zwar so sehr, daß er es dem Verfasser gleich schreiben wollte. Einmal war er nahe daran, auch an Dickens zu schreiben, ein andermal an Victor Hugo, aber vermutlich fühlte er sich bei ihnen nicht benommen genug und ließ es bei der Absicht bleiben. Jedenfalls, als der alte Knabe die Hände nach neuem Lesefutter ausstreckte, mußte ich ihm sagen, daß ich aus beruflichen Gründen nicht dazu gekommen war, in die Leihbibliothek zu gehen. Er war nicht allzu enttäuscht, er lächelte verständnisvoll und

machte sich zum sechsten Mal an eine Lebensbeschreibung von Rasputin.

Ach, alter Steinmetz, nie werde ich den Sonntag vergessen, an dem du uns alle hierherschlepptest, zu der aufgelassenen Schule, die du nicht zuletzt deshalb erwerben wolltest, weil der Schulhof sich als Werkplatz anbot. Wir alle maulten während der Fahrt, und du selbst klagtest wie immer über Schmerzen in den Gelenken, aber als wir dann hier einfielen, beherrschte uns nur noch Entdeckerfreude. Du schrittest den Schulhof aus und machtest dir Skizzen, und wir rannten durch die Korridore, stürmten die ehemaligen Klassenräume und zogen die Spülungen sämtlicher Toiletten. Und später hörten wir staunend zu, wie du alles entwarfst, einteiltest, für uns zurechtdachtest, indem du jedem Raum Namen gabst und schon bestimmtest, wo die Werkstatt, wo der Lagerschuppen errichtet werden sollten. Uns Kinder, Großvater, hattest du sofort auf deiner Seite, und als wir uns in dem einstigen Lehrerzimmer versammelten, um Rat zu halten, mußtest du nur noch deinen Sohn Hans überzeugen, dem alles zu groß und abgelegen vorkam, und das schafftest du, ohne wütend zu werden. Du bist überhaupt der einzige Mensch, den ich nie wütend erlebt habe.

Ich war so in Gedanken, daß ich den Block aus gelbem, geschliffenem Juramarmor übersah, der gerade am Laufkran über mir schwebte; Ernie, mein jüngster Bruder, rief mir eine Warnung zu und grinste und deutete vergnügt – wirklich vergnügt – auf den von einem Kranztau umschlossenen, am Lasthaken pendelnden Block. Es braucht wohl kaum erwähnt zu werden, doch wem solch ein Klotz auf den Fuß fällt, der muß ziemlich lange am selben Fleck ausharren. Das kleine Bündel in der Hand, wanderte ich suchend über den Werkplatz, bis ich Nikolas in der offenen Hütte fand. Nikolas war ein Jugendfreund meines Vaters und sein ältester Geselle, er arbeitete gerade an einem Auftrag, den sie von einem Mann aus Marseille bekommen hatten. Herr im Himmel, war das ein Grabmal! Es zeigte ein Freundespaar, das ganz aus Marmor genommen war: tief beugte sich ein Jüngling über das Gesicht seines entspannt liegenden Freundes, nicht verzweifelt oder schmerzerfüllt, sondern eher bereit, die Stirn des Liegenden zu küssen und ihm etwas zuzuflüstern, ein Versprechen, ein Trostwort oder so. Für einen jungen französischen Tänzer war das Grabmal bestimmt, angeblich die größte Begabung des Tanztheaters; seine Leidenschaft für Motorräder war ihm zum Verhängnis geworden. Nikolas legte gerade letzte Hand an; sorgsam, die Nickelstahlbrille auf der Nase, fuhr er tastend über die Figuren hin, suchte nach Löchern und größeren Poren im Stein und kittete sie mit Schellack aus, dem er Farbpulver beigemischt hatte. Gefühlvoll glitten die knotigen Finger über den noch matten Stein, machten ihn bereit fürs Polieren.

Na, sagte Nikolas, als er mich entdeckte, und ich sagte auch nur: Na – und dann gab er mir die Hand und lud mich ein, das Grabmal von allen Seiten zu begutachten. Er war nicht ganz zufrieden; wenn es nach ihm gegangen wäre, dann hätten auf dem ausgestreckten Jüngling noch einige Herbstblätter liegen sollen, gekrüllt und wie hingeweht, aber der Meister war dagegen gewesen. Ich wäre auch dagegen gewesen, denn die Haltung der beiden Marmorfiguren sagte genug, und Herbstblätter hätten hier wirklich nur wie eine symbolische Zugabe gewirkt. Nachdem ich das Grabmal, so wie es war, ausreichend bewundert hatte, gab ich

Nikolas das verknotete Taschentuch und forderte ihn auf, einen Blick auf den Inhalt zu werfen, einen fachkundigen Blick. Er guckte mich überrascht an, nahm zögernd das Bündel, wog es zuerst in der Hand, rieb dann vorsichtig und fühlte und versuchte den Inhalt zu erraten, bevor er das Tuch aufknotete. Auch Nikolas wußte alles über Steine. Er hat zwar nicht den ganzen Kalender der Erdzeitalter im Kopf wie mein Alter, aber manchmal hatte er uns einfach sprachlos gemacht mit seinen Kenntnissen. Jedenfalls wischte er sich über seine bucklige Stirn und starrte verwundert auf die Körner und Scheibchen und brauchte eine ganze Weile, bis er fragte: Woher, woher hast du das? Guck mal genau hin, sagte ich. Er nahm ein paar Steinproben auf und hob sie nah vor die Augen, betrachtete die scharfen Ränder der Scheibchen, besah sich und rollte die Körner, drückte sie einzeln, kratzte an ihnen, und dabei öffneten sich seine Lippen und ließen den kantigen Stummelzahn sehen, der den Ausdruck seines Gesichts bestimmte. Was soll ich sagen, fragte er leise. Was du siehst, sagte ich, einfach, was los ist mit dem Stein. Ohne Unsicherheit in der Stimme sagte er: Krank, wenn du mich fragst, der Stein ist krank. Er löst sich auf, wie du siehst, er schalt ab, er zerfällt. Bist du ganz sicher, fragte ich. Mir war gar nicht wohl, ich spürte so ein verdammtes Schnüren in der Brust, vielleicht ahnte ich zum ersten Mal, daß uns etwas bevorstand, das keiner für möglich gehalten hätte. Nikolas hob abermals die grusigen Stücke und Scheibchen vors Auge, drehte und befingerte sie und sagte ruhig: Das war nicht der Frost, Jan, und das sieht mir auch nicht nach Salz- oder Temperaturverwitterung aus. Mir scheint, daß sich die natürlichen Bindemittel in den Poren gelöst haben. Aber wie, fragte ich, wodurch; und er

darauf: Dieser Stein ist befallen; ich sehe, daß er fault, Jan.
Wir schwiegen, denn wir hörten den Schritt meines Vaters, einen Schritt, den jeder bei uns kannte. Unbemerkt annähern konnte er sich nicht. Seit dem Unfall, als nach dem Sägen ein paar schwere Platten vom Blockwagen stürzten und seinen Fuß zerdrückten, hinkte er und hatte sich angewöhnt, mit seinen durch Stahlkappen verstärkten Schuhen über den Boden zu scharren. Auf dem Sandweg oben beim Laubwäldchen hinterließ er manchmal Spuren, als sei da ein Dreitonner entlanggerumpelt. Wie so oft, beachtete er mich kaum, er wandte sich gleich dem Grabmal zu, schnappte sich einen festgewickelten Leinwandballen, trug auf die Figur des liegenden Jünglings ein bißchen Wachs auf, das zusammen mit Terpentin zu einem Teig gerührt war, und begann probeweise zu polieren. Er wäre nicht er selbst gewesen, wenn er nicht gleich etwas zu monieren gehabt hätte. Ohne aufzublicken beanstandete er, daß da noch löchrige Stellen im Stein waren, wollte wissen, ob Nikolas zum Vorpolieren geraspeltes Blei und grobgepulverten Alaun verwendet hätte, und stellte mit seinem typischen Raunzton fest, daß nicht genug wollene Lappen dalagen. Großer Gott, er hatte eben an allem etwas auszusetzen, nichts reichte ihm aus, doch seine ewige Unzufriedenheit galt nicht nur den anderen, sondern auch sich selbst. Er trug seine blaue, verschmierte Schürze und auf seinem Seehundskopf den krempenlosen Filzhut, auf dem Steinstaub und Schweiß eigentümliche Muster gebildet hatten. Ich weiß auch nicht, wie es kam, doch wenn ich den krummen untersetzten Mann mit dem gewölbten Nacken bei der Arbeit sah, empfand ich oft ein gewisses Bedauern für ihn, ein widerstrebendes Bedauern,

wenn es jemand genau wissen will. Der Staub all der gesägten und geschliffenen Steine hatte sich in seiner Haut festgebissen. Seine Finger waren dick und vernarbt, der Hals glich einem geschwollenen Strang. Immer wirkte sein Gesicht anklägerisch und verfinstert, am Morgen nicht weniger als am Abend, gerade als müßte er dauernd zu Gericht sitzen. Ich möchte nicht zuviel sagen, aber ich glaubte ihm auch einen nie ausgesprochenen Groll ansehen zu können und die zählebige Enttäuschung über einen aufgegebenen Traum, den die Genugtuungen in der Werkstatt nicht ersetzen konnten.

Jedenfalls, als er mit seinem ewigen Mißmut dastand und probeweise die Jünglingsfigur polierte, schwankte ich, ob ich ihm die aufgelesenen Steinproben überhaupt zeigen sollte. Doch dann tat es Nikolas. Nikolas wartete, bis mein Alter den Leinwandballen hinwarf, trat an ihn heran, schlug das Taschentuch auf und sagte: Guck dir das mal an, Meister, was meinst du? Der große Meister hatte für die Krümel und Scheibchen zuerst nur einen abschätzigen Blick übrig, immerhin fragte er dann aber: Was soll damit sein? Ich meine, das Zeug stammt von einem kranken Stein, sagte Nikolas. Krank, sagte der Meister, krank, da muß viel passieren, bevor der Stein krank wird. Lustlos betrachtete er die Proben, stutzte auf einmal, sah sich fest und wollte plötzlich wissen, woher der Grus und die Splitter stammten, und ich sagte: Von deinem Reliefbild am Wanderweg, ich war da unten. Da sah er mich verblüfft an, verengte die Augen und schüttelte ungläubig den Kopf – gerade als hätte er mir alles zugetraut, nur eben das nicht: einen Gang zu seinem halbvergessenen Marine-Ehrenmal. Ich war mal wieder da, sagte ich, und das Zeug, das hab ich da aufgelesen, es platzt und fällt

einfach ab, schon bei leichten Berührungen. Jetzt untersuchte er die Brocken etwas sorgfältiger, schien jedoch nicht beunruhigt zu sein. Jedem Werkstein droht Veränderung, wenn er aus seinen natürlichen Verhältnissen herausgenommen wird, sagte er zu Nikolas; du mußt doch wissen, was der Standort bedeutet. Mir sieht es nach Chemie aus, sagte Nikolas, irgendwas Unbekanntes, und mein Alter darauf, mit dieser knurrenden Entschiedenheit: Kein Sulfidstaub, keine fettigen Rußpartikel, es sind nur die üblichen Einflüsse. Also nur Witterung, fragte Nikolas. Ja, sagte der Meister, soviel ich erkennen kann, nur Witterung. Du hast es doch selbst erlebt – vorn, wo Wind und Regen ihr Werk tun, ist der Stein weniger gefährdet als auf der Rückseite, das ist nun einmal so, an der Rückseite beginnt er zuerst abzuschalen.
Das war schon der ganze Senf, den er dazu zu geben hatte, mehr wollte er nicht sagen. Keine Beunruhigung, keine Nachdenklichkeit, kein Wunsch, in den verbeulten blauen Kleintransporter zu klettern und gleich mal hinüberzufahren, um das gefährdete Werk in Augenschein zu nehmen. Als ich ihm dazu riet, als ich ihm sagte, daß er um den Sockel herum allerhand finden würde, was vielleicht nicht so leicht zu erklären sei, sah er mich mit einem Blick an, der mir zu jedem weiteren Wort die Lust nahm. Das ging auch anderen so: wenn mein Alter sie mit einem bestimmten Blick ansah, verzichteten sie auf jedes weitere Wort. Es konnte einen wahnsinnig machen, wirklich, vor allem, weil man selbst nicht genau wußte, warum man plötzlich schwieg. Jedenfalls, es interessierte ihn nicht, ob wir mit seinem Befund zufrieden waren, er gab mir das Bündel, verließ mit gesenktem Gesicht die offene Hütte und trottete auf den Werkplatz hinaus. Auf

einmal aber verlangsamte er seine Schritte, wandte sich zu uns um und winkte mir, und in diesem Augenblick glaubte ich tatsächlich, daß er mir etwas zu seinem Marine-Ehrenmal und meiner Entdeckung sagen würde; doch als ich bei ihm war, gestand er mir nur, daß er blank sei. Ich bin blank, Jan, sagte er, wieder einmal; kannst du mir mit fünfzig aushelfen? Das warf mich um, denn es war erst ein paar Tage her, seit ich ihm mit hundert ausgeholfen hatte, und insgesamt stand er bei mir schon mit zweihundertvierzig in der Kreide. Als hätte er mitbekommen, daß ich seine Schulden schnell zusammenzählte, sagte er: Ich weiß, wieviel es sind, mach dir keine Sorgen, spätestens im nächsten Monat bekommst du alles zurück. Das sagte er nicht etwa höflich oder mit freundlicher Stimme, sondern übellaunig wie immer und mit knurrendem Unterton. Achselzuckend gab ich ihm den Fünfziger und war nicht überrascht, daß er den Geldschein wegsteckte, ohne sich zu bedanken, und mich einfach stehenließ. Andere mögen ihre Gläubiger ein bißchen achtsamer behandeln – Hans Bode nicht, der nicht.

3

Hinter jeder Tür war es still. Ich ging den trüben, gefliesten Korridor hinab, in dem oft auch tagsüber das Licht brannte, lauschte kurz an Jettes Tür und an der Tür meines jüngsten Bruders Ernie, doch da regte sich nichts, auch im ehemaligen Lehrerzimmer, das mein Alter zum Wohnraum hatte umbauen lassen, schien nichts los zu sein. Schulen, auch ehemalige Schulen, können einem ganz schön tot vorkommen, sobald Stille in ihnen ausbricht. Mir war elend zumute, meine Gesichtshaut brannte, und im Magen fühlte ich einen heißen, reibenden Schmerz. Noch bevor ich die Tür zu meinem Zimmer öffnete – es war der einstige Klassenraum für die älteren Schüler –, ahnte ich, daß mich auf dem Schreibtisch eine Nachricht meiner kleinen Schwester erwartete, rot eingekastelt, mit mindestens fünf Ausrufezeichen. Es verging kaum ein Tag, an dem Jette mir nicht dringende Bitten oder Anweisungen hinterließ, die sie mitten auf die grüne Schreibunterlage legte und mit dem versteinerten Seeigel beschwerte. Gib den Tieren Wasser, stand diesmal auf dem Zettel, dahinter eine Menge Ausrufezeichen und dazu ein übertrieben kunstvolles J für Jette.

Ausrufezeichen ärgern mich, ich kann sie nicht ausstehen, um es genau zu sagen, darum schmiß ich den Zettel in den Papierkorb und mischte mir erstmal

Essigwein mit Sprudelwasser und trank das Glas in einem Zug aus. Danach hängte ich die Hose weg, aus der meine Mutter zum zweiten Mal Stoff rausgelassen hatte, um den Bund zu erweitern – unsere Betty, die es mit jedem aufnahm im Diskutieren und Rauchen. Warum ich das verdammte Bündel mit den Steinbrokken im Schreibtisch verwahrte, ist mir bis heute nicht klar geworden; jedenfalls warf ich es in eine Schublade, zu den Zeitungsausschnitten, Kolleghaften und all dem anderen Krempel. Dann stand ich eine Weile am Fenster und blickte über den Werkplatz und über das abfallende Land, das vom grauen Band des Stroms begrenzt wurde. Unten, im Lokal »Zum Mastkorb«, hatten sie wieder mal ein paar bunte Wimpel aufgezogen, die im Wind steif abstanden; die Wimpel hatten auch jetzt ihre Bedeutung – vermutlich für Saufbrüder oder für Schmuggler auf vorbeiziehenden Schiffen –, sie warben um etwas, versprachen etwas oder forderten zu erhöhter Wachsamkeit auf. Sie hatten wirklich ihre eigene Signalsprache im »Mastkorb«, kein Außenstehender konnte sie entschlüsseln, und wenn man den Wirt fragte, ob die aufgezogenen Wimpel etwas Bestimmtes meinten, dann bekam man nur ein Nicken zur Antwort.
Als ich die Signalwimpel sah, mußte ich gleich an Lone und das schnaufende Bürschchen denken: auch sie hatten sich in einer Geheimsprache verständigt, ich fand das einfach nett. Es tat mir nicht nur leid, daß ich sie verloren hatte, ich war regelrecht deprimiert darüber, und ich hätte wer weiß was dafür gegeben, wenn sie unten auf dem Anlegesteg des »Mastkorb« aufgetaucht wären, dem Fährschiff entstiegen, das da gerade festmachte. Weil ich nicht von ihnen loskam, ging ich sogar so weit, mir ihr Zuhause vorzustellen.

Um Jette nicht zu enttäuschen, gab ich dann aber das Grübeln auf und ging in ihr Zimmer, das nie verschlossen war. Ihre Tiere mußten Wasser bekommen, ihre Leih- und Pflegetiere, die sie aus der Kleintierklinik mitbrachte, in der sie als Arzthelferin arbeitete. Mein Gott, man hätte einfach mal die Patienten sehen müssen, die meine kleine Schwester zur Nacherholung nach Hause schleppte: Zwergkaninchen und Meerschweinchen, über die wunderte man sich nicht, aber man begann doch nachdenklich zu werden, wenn da erkältete Wüstenmäuse herumhuschten, wenn ein Baby-Kaiman an einem Bleistift nagte oder ein neuseeländischer Schwarzkopfsittich vermutlich Flüche der Maoris probte. Jette liebte und heilte alle, den Sittich vom Keuchhusten, das Zwergkaninchen von Blähungen. Und es ist die Wahrheit, wenn ich sage, daß sie, je nach Eigenart der Patienten, wiedergeliebt wurde. Jedenfalls schloß ich die Tür hinter mir, damit mir keiner ihrer Patienten entwischte, und sah schon von der Schwelle aus, daß die Tiere wirklich Wasser brauchten. Der flache Napf war leer; doch obwohl er leer war, saß in ihm ein Zwergpapagei und machte diese verrückten Pluster- und Schüttelbewegungen, die Vögel beim Baden machen. Es gab keinen Zweifel: in seiner Badewut hatte der Zwergpapagei das ganze Trinkwasser verspritzt. Ich scheuchte ihn weg, füllte den Napf und setzte ihn unter Lockrufen wieder hin, und jetzt kroch tatsächlich ein verängstigtes König-Karls-Hündchen unter dem Bett hervor. Mir wurde fast schlecht, als ich sah, daß das Wesen mit den weit auseinanderstehenden Kulleraugen eine hellblaue Seidenschleife um den Hals trug; immerhin wußte es, wie man trinkt. Bestimmt trug das Hündchen die Seidenschleife nur, weil seine Eigentümerin es wünschte. Jette hätte die schüchterne

Kreatur, die ziemlich viele Falten hatte, nie so aufgetakelt.
Ich hing sehr an Jette, und gewiß hing sie auch an mir, aber mehr als an mir hatte sie wohl an unserem ältesten Bruder Reimund gehangen. Das einzige Foto, das sie in ihrem Zimmer hatte, zeigte sie und Reimund: er stand bis zur Brust in der Ostsee bei Travemünde, und sie saß, beide Hände auf seinem Kopf, im Reitersitz auf seinen Schultern und ließ sich hinaustragen in ein endloses Glitzern. Obwohl Reimund, der schon an die Dreißig war, auf jeden verblüffend harmlos wirkte, hatte er mehr drauf als alle, die mir über den Weg gelaufen sind, jedenfalls war er mindestens fünfzehnmal intelligenter als ich, und das nicht nur wegen seiner preisgekrönten Einakter und der beiden Novellen, die er seinen Geschwistern gewidmet hatte. Als er sich erschoß, hat es uns alle verflucht mitgenommen, und Jette ist uns beinahe durchgedreht, wirklich. Sie aß nichts und wurde von den sonderbarsten Weinkrämpfen geschüttelt, die ich jemals erlebt habe. Aus Reimunds Nachlaß hatte sie sich zwei Pinguine gewünscht, die aus Walfischzahn geschnitzt waren, und außerdem sein Bett, das ungefähr die Hälfte ihres Zimmers einnahm, so ausladend war es.
Ach Jette, du mit deiner ewigen Sorge für andere und mit deiner umwerfenden Art, alles auszusprechen, was du dachtest! Du brauchtest keinen Kalender, du wußtest einfach all unsere Geburtstage und Reimunds Todestag, nie vergaßest du den Hochzeitstag der Alten oder das Datum, an dem ich Hund zu uns brachte. Mich überwältigte es jedesmal, wenn ich in deinem Zimmer war und alle die Geschenke sah, die du auf Vorrat gekauft hattest. Du lieber Himmel, da waren Thermoskannen und Kunstbücher, Bergkristalle, Hals-

tücher und Vasen und Obstschalen und Teller und ich weiß nicht was, jedes Geschenk war terminiert, sollte zu Ostern, zu Pfingsten, zu einem Geburtstag überreicht werden; aber es gab auch Päckchen ohne Aufschrift, das waren Geschenke für alle Fälle. Ich will nicht zuviel sagen, aber mich überwältigte das, denn ich weiß, wie wenig du in der verdammten Kleintierklinik verdienst. Du bist wirklich der einzige Mensch, dem man einfach glauben muß, daß er mit Geld nicht umgehen kann; jeder andere – und mir haben viele gesagt, daß sie mit Geld nicht umgehen könnten – war in meinen Augen ein Heuchler. Du hast es schon bewiesen, als wir Kinder einmal in Hagenbecks Tierpark waren und du einem Wärter dein Taschengeld gabst, damit er Extrafutter für ein ziemlich verzotteltes Zweizehenfaultier kaufte – nicht für die drolligen Pinseläffchen, nicht für die Seehunds-Künstler oder die unterhaltsamen Braunbären, sondern für das Zweizehenfaultier. So warst du schon damals, und es gab keinen, der dich nicht gern hatte.
Ich setzte mich gerade aufs Bett und drohte dem König-Karls-Hündchen, das offensichtlich nach dem Trinken auf Jettes Pyjama ruhen wollte, als meine Mutter die Tür aufriß und, als sie mich allein auf dem Bett sitzen sah, langsam die Zigarette aus dem Mund nahm. Sie wischte sich über die Augen, die Rauch abbekommen hatten, und fragte in ihrer typischen Art: Was is'n hier los, Pummel? Hältst du Andacht? Ich nickte auf das kulleräugige Wesen hinab und bat sie, die Tür zu schließen, denn der Zwergpapagei duckte und sammelte sich bereits zu einem Fluchtversuch. Betty deutete auf die dunklen Flecken auf dem Fußboden und fragte: Hat dieser Bastard hier gepinkelt? Also, erstens ist er kein Bastard, sondern ein verflucht edles Ge-

schöpf, sagte ich, und zweitens solltest du erkennen, daß es Wasser ist, das dieser blöde Papagei verspritzt hat, in seiner Badewut. So, sagte Betty, so, und woran erkennt man das? Sie klemmte sich an mir vorbei und trat ans Fenster und schnippte die Asche auf einen Geranientopf. In einer Viertelstunde können wir essen, sagte sie, gib allen Bescheid. Gut, mach ich, sagte ich und sah sie dabei wohl so bekümmert an, daß sie fragte: Ist was, Pummel? Hör zu, Betty, sagte ich, wenn du dich recht erinnerst, bin ich jetzt vierundzwanzig; ich bin erwachsen, hab das Junglehrer-Examen in der Tasche und eine feste Anstellung als Hausdetektiv, und du hörst nicht auf, mich Pummel zu nennen. Und? fragte sie, gönnst du mir dieses Privileg etwa nicht? Das war typisch für sie; sie bezeichnete es als ein Privileg, mich Pummel zu nennen. Wenn es so ist, Betty, sagte ich, dann kannst du mich auch die nächsten neunzig Jahre so anreden, aber bitte tu es nicht vor fremden Leuten. Wer sind für dich fremde Leute, fragte sie, und ich darauf: Zum Beispiel Willis Schwester, die Schwester meines Arbeitskollegen; als ich Elsbeth mal zu uns brachte, hast du mich den ganzen Abend nur Pummel genannt. Sie lächelte; es war dieses umwerfende Lächeln, das einen völlig unsicher machte, man glaubte dann einfach, nichts mehr zu verstehen von der Zuverlässigkeit der Wörter. Rasch drückte sie ihre Zigarette aus, und während sie sich an mir vorbeiklemmte, wischte sie mir übers Haar und sagte so über die Schulter hinweg: Deine Hose ist fertig, mehr läßt sich nicht rauslassen. Bevor sie ging, zwinkerte sie mir noch einmal zu, so listig, als wüßten wir alles übereinander. Keiner hätte ihr zugetraut, daß sie vier Kinder großgezogen hatte – vier beliebige Kinder vielleicht schon, aber nicht vier, wie wir es waren.

Für Papageien habe ich noch nie geschwärmt, und als Jettes Pflegefall zu schreien anfing – es hörte sich tatsächlich so an, als bearbeitete einer mit einem Stück Glas ein Reibeisen –, verließ ich das Zimmer und bekam gerade noch mit, wie sich das verängstigte König-Karls-Hündchen unter dem Bett verkroch. Ich ging nach draußen, durchquerte den kümmerlichen Garten, den wir selbst angelegt hatten, umrundete den stetig wachsenden Hügel aus Abfallgestein, aus dem man sich gut und gern an die hunderttausend Briefbeschwerer hätte heraussuchen können. Ein mächtiger Transporter hatte gerade unser Tor passiert und huckelte mit seiner Last über den zerfahrenen Hauptweg zum Lager der Rohblöcke. Auf dem Trittbrett stand Nikolas und gab dem Fahrer Anweisungen, er dirigierte ihn am ausgetrockneten Brunnen vorbei, vorbei an einem mit Maschendraht eingezäunten Gehege, in dem spalierhaft unbeschriftete, auf Vorrat behauene Grabsteine standen, Gedenksteine in allen Preislagen. Dort, wo die Rohblöcke sich türmten, manövrierten sie so lange, bis der Hebekran des Transporters seine Reichweite nutzen und die Last Stück für Stück absetzen konnte; doch bevor der Fahrer den Kran aus seiner Blockierung löste, kletterte Nikolas auf die Ladefläche und begann die Kalksteinblöcke zu inspizieren.
Als ich näherkam, merkte ich, daß es dem Fahrer gar nicht schmeckte, was Nikolas mit den Rohblöcken machte. Der Fahrer wollte nur – wie alle Fahrer – eine Unterschrift auf den Lieferschein bekommen und dann nach Hause fahren. Nikolas übersah den Lieferschein. Nikolas wischte und rieb an den Blöcken, begutachtete ihre Farbe, fühlte nach Rissen und Strichen, pochte auch und schüttelte ein paarmal den Kopf. Er unterschrieb nicht und gab auch nicht das Zeichen zum Ab-

laden, er hatte wohl allerhand auszusetzen an den Rohblöcken. Und dann rief er in die offene Hütte hinein, wo sie dabei waren, einen behauenen Stein zu wärmen, um ein Vierungsstück einzupassen, und nach einer Weile zeigte sich mein Alter, mißmutig wie immer. Bevor er wußte, um was es ging, knurrte er mich erstmal an und forderte mich auf, aus dem Schwenkbereich des Krans zu treten. Man konnte stehen, wo man wollte, oder tun, was man wollte, für ihn gab es zunächst immer etwas zu knurren. Selbst wenn man ihm zum Geburtstag gratulierte, ging es ohne Knurren nicht ab. Jedenfalls, er ließ sich von Nikolas etwas ins Ohr flüstern und gab dann Anweisung, ein Kranztau um einen Kalksteinblock zu bringen und das Seil mit hölzernen Unterlagen abzusichern, und dann wurde der Lasthaken eingepickt, und alles war bereit, den Block zu lüften. Nun man los, kommandierte der Meister und nickte ungeduldig dem Fahrer zu, der die Kraftwinde einsetzte und den Kran mit seiner Last sacht heben und schwenken ließ, und für einen Moment begann der Stein zu pendeln, und die hölzernen Unterlagen an den scharfen Kanten des Blocks knirschten unter dem mächtigen Gewicht.

Es ist vielleicht komisch, aber wo etwas abgeladen wird, da kann ich nicht weitergehen: ob es Gerüstteile sind oder Papierrollen oder nur blöde Bierkästen – immer bleibe ich stehen und sehe ausdauernd beim Abladen zu, ich weiß auch nicht, warum. Schon als Kind gab es kaum etwas Spannenderes für mich, als beim Abladen zuzusehen, und auf unserem Werkplatz war ich immer dabei, wenn von den zerschrammten Ladeflächen der Transporter die kantigen, zersägten und genau gesprengten Steinblöcke runtergehievt wurden. Ich gebe zu, daß mich das Abladen von Steinen

besonders anzog, denn ich war dauernd versucht, Farben und Zeichen in der trägen Materie auszumachen und Spuren zu entdecken, die auf ein Geheimnis verwiesen. Mein Gott, was ließ sich nicht alles hineinsehen in den Stein: silbrige Nervenbahnen und das kranke Grün vergrabener Münzen, ich fand Girlanden tropischer Farne und zur Erstarrung verurteilte Medusen; auch wer nur über einen Bruchteil der Phantasie verfügte, die mein Bruder Reimund besessen hatte, konnte Moose und Korallen und so weiter zum Leben erwecken. In solchen Augenblicken verstand ich, warum Hans Bode am liebsten mit Steinen zu tun haben wollte.
Jedenfalls, auf ein zweites Kommando blockierte der Fahrer des Transporters die Kraftwinde, und Nikolas sprang von der Ladefläche und brachte den leicht schwingenden Stein, der in Brusthöhe im Kranztau hing, zur Ruhe. Der Meister begutachtete den Stein, der große Kenner, dem nichts verborgen blieb. Auch er wischte nur und rieb und befühlte, und dann schüttelte er langsam seinen Seehundskopf: er konnte Nikolas' Urteil nicht bestätigen. Was er fand, das waren nur einige poröse Stellen und Risse, die aber die dichte Struktur – wie er sagte – nicht beeinträchtigten. Haben wir doch immer, Nikolas, diese Merkmale gehören einfach zum kristallinen Kalkstein. Und beide Handflächen am Rohblock, sagte er: Du witterst zuviel, Nikolas. Mir entging nicht, daß Nikolas darauf nur schwieg, weil er den Meister nicht reizen wollte durch seinen Widerspruch – ich kannte wirklich keinen, der so leicht gereizt war wie er –, dennoch gab sich der alte Geselle nicht zufrieden, er schnappte sich den Schlägel, zögerte, fragte: Willst du, oder soll ich? – worauf ihm der Meister wortlos das Werkzeug aus der Hand nahm.

Um sicher zu gehen, daß der Stein maßhaltig und fehlerfrei war, machten sie also die Klangprobe, und beim ersten Anschlagen, als sich ein heller Ton aus dem Rohblock löste, dessen vibrierende Schwingungen ich in meinem Körper spürte, mußte ich unwillkürlich an den lange zurückliegenden Tag denken, an dem mein Alter mir überraschend den Schlägel gereicht und mich aufgefordert hatte, selbst einmal die Reinheit des Steins zu prüfen: Schlag zu, Junge, und horch auf den Ton, und du wirst wissen, wie es innen aussieht, der Ton macht den Stein durchsichtig. Weiß der Teufel, warum er mir damals den Schlägel hinhielt, vielleicht hatte er noch Pläne mit mir, das will ich gern zugeben, jedenfalls schlug ich zu. Nie hätte ich geglaubt, daß sich aus diesem toten, ungeschlachten Brocken ein so reiner Klang befreien ließ, der lange nachschwang, und der zuletzt so fein und so scharf in mich eindrang, daß ich ihn als wohligen Schmerz empfand, tatsächlich. Ich meine, ich fühlte die Tonwellen körperlich und glaubte dabei, ein irisierendes Licht zu sehen. Wenn in dem Stein Lehmnester oder Sandnester oder Preller dringewesen wären, hätte es keinen nachschwingenden Ton gegeben, dann hätte es sich nur so angehört, als ob ein Blumentopf auf den Boden knallt.
Nun schlug er also selber zu, kurz und hart, so daß der Schlägel eben nur den Stein traf, und beim Aufklingen des hellen Tons starrte er Nikolas an und sagte: Na bitte, keine faulen Stellen, keine plattigen Lager, nix; sie werden uns doch kein stichiges Gestein abliefern. Und er hätte nicht Hans Bode sein müssen, wenn er nicht auch diese Gelegenheit benutzte, eine seiner typischen Anspielungen zu machen; nachdem er mich nämlich mit einem mißbilligenden Blick gestreift hatte, sagte er zu Nikolas: Man sollte sie auch für gewisse

Leute einführen, die Klangprobe, dann bekäme man zeitig genug zu wissen, was in ihnen steckt, und man könnte sich vor Überraschungen sichern. Manchmal sind seine Anspielungen wirklich schwer zu ertragen, und diesmal hätte es nicht viel gefehlt und ich hätte ihm geantwortet, doch ich war einfach zu deprimiert. Ich sagte nur ziemlich schroff: Mutter wartet mit dem Essen, mehr sagte ich nicht. Darauf machte er noch zwei, drei Stichproben, und nachdem er sich davon überzeugt hatte, daß die Steine in Ordnung waren, warf er Nikolas den Schlägel zu, unterschrieb selbst den Lieferschein und ging mir brummelnd voraus.
Mein Kollege Willi, der fünfmal so lange als Hausdetektiv tätig war wie ich, will erkannt haben, daß der Gang eines Menschen ungeheuer aufschlußreich ist; er behauptete sogar, die miesen Kunden bereits an ihrem Gang ausmachen zu können. Seitdem er mir an einer trippelnden Dame bewies, daß der Gang tatsächlich Auskunft über einen Menschen geben kann – über seine Gemütslage und seine näheren Absichten und dergleichen –, achte ich etwas genauer darauf, wie einzelne Leute ihre Schritte setzen. Hinter meinem Alten hergehend, fiel mir zuerst eine elende Müdigkeit auf, die sich an seinem schleifenden Schritt zeigte. Aus seinem Gang ließ sich aber auch eine Verbissenheit herauslesen und ein unbezwingbarer Trotz, man sah einfach, daß dieser krumme Mann mit den baumelnden Armen von einer schrecklichen Energie bewegt wurde. Seltsam, daß es mir nicht in den Sinn kam, ihn einzuholen und neben ihm herzugehen, das kam übrigens keinem von uns in den Sinn, immer und überall ging er uns ein paar Schritte voraus, und wenn wir zufällig mal gemeinsam unterwegs waren, machten wir den Eindruck eines in Dwarslinie laufenden Familienkonvois,

im Ernst. Im Gehen band er seine vom Steinstaub steif gewordene Schürze ab und hängte sie, ohne hinzublikken, über den Zaun. Dann betraten wir das Haus, stiegen die wenigen ausgetretenen Stufen hinauf, überquerten den Korridor und gingen ins Wohnzimmer.
Ich konnte mir nicht helfen – oft, wenn ich in den erweiterten Wohnraum trat, mußte ich daran denken, daß er einmal das Lehrerzimmer gewesen war; hier hatten sie einst gesessen, meine Kollegen, hier hatten sie ihr Frühstücksbrot verzehrt, Stundenpläne aufgestellt, Zeugnisse beraten und sich behutsam politisch gekabbelt, ehe sie sich in warmen Pensionsfrieden verabschiedeten. Ich konnte mir alles so genau vorstellen, daß ich mitunter, besonders in winterlichen Dämmerstunden, ihre Stimmen zu hören glaubte, Lehrerstimmen, die selbstverständlich von glücklichen Zeiten sprachen. Glückliche Zeiten – großer Gott!
Zu meiner Erleichterung sah ich, daß Jette nach Hause gekommen war, sie stand schon in der Küche, goß gerade die Kartoffeln ab und unterbrach dabei nicht einmal ihren täglichen Bericht. Jette erlebte mindestens einmal pro Tag etwas Merkwürdiges, sie war regelrecht abonniert auf Merkwürdigkeiten, und sobald sie nach Hause kam, brauchte sie einen, der ihr zuhörte; meist war es Betty. Soweit ich es mitbekam, hatte ihr ein alter Knabe, der seinen Siamkater aus der Kleintier-Klinik abholte, ein Kompliment gemacht, das sie nicht nur blödsinnig, sondern auch peinlich fand. Nachdem sie ihm den genesenen Kater auf den Arm gesetzt hatte, musterte sie der alte Knacker ganz seltsam und murmelte: Was für aristokratische Hände Sie haben. Dieser Halunke soll auch noch gesagt haben: Unter diesen Händen muß jedes Wesen gesund werden.
Wir setzten uns an den gedeckten Tisch, es war ein

schwerer ovaler Kirschholztisch, den wir, wie die meisten unserer Möbel, von einer Großmutter aus Norderstapel geerbt hatten, all unsere Möbel waren ziemlich wuchtig, und Betty hatte sie eigenhändig altblau und weinrot und weiß gestrichen und mit explodierenden Bauernrosen verziert. Endlich wurde das Essen aufgetragen, gekochter Dorsch, dessen Fleisch schon bei scharfem Hinschauen von der Gräte fiel, dazu Kartoffeln und Buttersauce und Meerrettich. Jette kniff mich einmal sanft in den Nacken, wohl zum Dank dafür, daß ich ihre Tiere vor dem Verdursten bewahrt hatte, dann tat sie jedem ein Stück Fisch auf den Teller, mir, was ich im voraus wußte, das Schwanzende, Hans Bode, wie immer, das Kopfstück. Es war einfach sehenswert, wie mein Vater das Kopfstück anging. Wie ein Mikrochirurg löste er die geronnenen Dorschaugen aus dem Fischkopf, spießte sie, die mehrmals wegkullerten, auf eine einzige Gabelzinke, stippte sie in Meerrettich und verspeiste sie mit einem Gesichtsausdruck, als erwarte er eine kleine Erleuchtung. Mir wurde es jedesmal etwas mulmig, wenn er die Fischaugen zerkaute, und ich sah dann zu Jette hinüber, die die festen, kernigen Fleischflocken des Mittelstücks in Buttersauce tränkte und mit einem Kartoffelstück in den Mund schob.
Es war mir noch gar nicht aufgefallen, daß mein jüngster Bruder Ernie nicht mit am Tisch saß; ich merkte es erst, als sich im Nachbarzimmer seine ausgelassene Klarinette meldete; in mühelosen Tonfolgen probierte sie da anscheinend ein Frage- und Antwortspiel, heiter, schelmisch, als belustigte sie sich über sich selbst, bis sie sich auf einmal, wie nach einem übermütigen Flugversuch, emporschwang und jubilierend Höhe hielt. Warum kommt er nicht zum Essen, fragte mein Alter. Er liefert uns die Tafelmusik, sagte Jette. Er probt fürs

Schulfest, sagte Betty, laß ihn nur, außerdem hat er keinen Appetit. Als mischte Ernie selbst sich in dieses Gespräch, begann seine Klarinette fröhlich zu meckern und dann, wie bockig, eine Art quengelnder Weigerung zu intonieren, worauf mein Alter die Gabel hinlegte und sagte: Es ist nicht zum Aushalten, er soll aufhören und hier am Tisch sitzen, und brummelnd fügte er hinzu: Ich denke, das ist nicht zuviel verlangt. Auf einen Wink von Betty ging ich also zu Ernie hinüber, nahm ihm das geliebte Instrument weg und gab zu verstehen, daß man am Eßtisch ziemlich heftige Sehnsucht nach ihm hätte. Ernie, der bald an die zwei Meter reicht und wirklich der gutmütigste Mensch von der Welt ist und nie etwas übereilt tut, stand gehorsam auf und kämmte sich noch, bevor er mir vorauslatschte. Einen Gruß oder so hielt er für überflüssig, er setzte sich still an den Tisch, lehnte dankend ein Mittelstück ab, das Jette ihm auftun wollte, und begann nach einer Weile, sich in einem kleinen runden Taschenspiegel zu betrachten. Unter dem drückenden Schweigen litt Ernie nicht, er bestimmt nicht.

Auf einmal ließ Jette ihr Besteck fallen, sie legte es nicht hin, sondern ließ es fallen und blies mit vorgeschobener Unterlippe über ihr Gesicht und sagte: Ich krieg das nicht runter. Sie hatte noch nicht einmal die Hälfte ihrer Portion gegessen. Geht's dir nicht gut, fragte Betty. Jettes Stirn war schweißbedeckt bis zum Haaransatz, sie schien es selbst gemerkt zu haben, denn sie bat mich um mein Taschentuch und wischte sich das Gesicht ab. Ich weiß nicht, was mit mir los ist, sagte sie, ich fühle mich einfach so komisch, so blokkiert. Was meinst du mit blockiert, fragte Betty; doch Jette antwortete nicht darauf, sie zuckte nur die Achseln und nahm den Taschenspiegel, den Ernie ihr

wortlos über den Tisch reichte. Wie ein Gespenst, sagte sie tonlos, und Ernie darauf: Vielleicht brauchst du ein Aspirin? Er sammelte schon seine unpraktischen Gliedmaßen, um aufzustehen, als mein Vater, ohne den Blick von seinem Teller zu heben, auch etwas zu empfehlen hatte. Ob nicht etwas mehr Schlaf guttäte, murmelte er, beispielsweise der förderliche Schlaf vor Mitternacht? Das mußte ja kommen, sagte Jette seufzend, mein Gott, hier wird einem aus allem ein Vorwurf gemacht. Beruhige dich, sagte Betty, es wird dir kein Vorwurf gemacht, sondern nur besorgt gefragt, ob du genug Schlaf bekommst. Ich bin nicht müde, Mama, ich fühle mich einfach nur koddrig und blokkiert. Vielleicht hast du Grippe, sagte Ernie, bei uns haben so viele diese verdammte Grippe, daß schon das Schulfest wackelt. Ein Ausdruck von Schmerzlichkeit erschien in Jettes Gesicht, sie legte einen Finger an die Schläfe und begann geräuschvoll zu atmen, offenbar versuchte sie, mit einem inneren Widerstand fertig zu werden. Ihr Ärmel war herabgerutscht, ich sah, daß auf ihrem Unterarm ein frisches Pflaster klebte – vermutlich hatten ihre Lieblinge ihr aus Zärtlichkeit wieder mal eine Bißwunde oder einen Kratzer beigebracht –, doch bevor ich sie danach fragen konnte, sah sie uns buchstäblich der Reihe nach an und verkündete mit leiser Stimme: Ich werde ausziehen, ich weiß noch nicht, wann, aber ich werde hier ausziehen.
Das warf mich um, wirklich; ich hätte manches von meiner kleinen Schwester erwartet, doch nicht die Ankündigung, uns zu verlassen. Betty steckte sich sofort eine Zigarette an, während mein Alter ruhig weiteraß und Ernie nur den Satz fertigbrachte: Da bleibt mir die Spucke weg. Das ist ja eine schöne Überraschung, sagte Betty, und sie fragte auch: Ist dir

das eben eingefallen, oder gehst du schon länger damit um? Ich bin alt genug, sagte Jette. Das wissen wir, sagte Betty, aber dir ist doch klar, daß sich das, was du vorhast, gegen uns richtet, und darum haben wir wohl das Recht, deine Gründe zu erfahren. Ich meine, wenn du schon unter uns gelitten hast, dann kannst du uns wohl auch großzügigerweise sagen, woran du im einzelnen gelitten hast. Jettes Lippen begannen zu zittern, sie drückte ihre Knie ganz eng aneinander und beugte sich vor, als wollte sie sich klein machen, und so verharrte sie einen Augenblick, ohne Betty zu antworten. Plötzlich aber stand sie auf und ging in die Küche und kühlte sich das Gesicht unter dem Wasserhahn und betupfte es mit einem Stück Papier von der Küchenrolle. Hast du schon eine Bude oder so, rief Ernie, ich möchte dann zum Üben zu dir kommen. Jette ging wieder an ihren Platz. Bekümmert lächelte sie Betty zu und sagte: Entschuldige, ich hab mich noch nie so belämmert gefühlt. Aber du hast uns gerade erklärt, daß du ausziehen willst, sagte Betty. Allmählich kann ich nicht mehr, sagte Jette, allmählich halte ich das ewige Gegrolle nicht aus, dies Geknurre und die Zurechtweisungen und all das. Förderlicher Schlaf vor Mitternacht – gut, ich bin in der letzten Zeit ein paarmal etwas später nach Hause gekommen. Aber warum wohl, warum? Weil die Filme, die ich sehen möchte, nur in diesen blöden Spätvorstellungen gezeigt werden. Für den Mist reservieren sie die beste Zeit, aber die Filme, auf die es ankommt, die sich einfach lohnen, die verstecken sie. Aber es hat dir doch niemand hier am Tisch vorgeworfen, daß du in Spätvorstellungen gehst, sagte Betty. Es geht hier nicht um das, was gesagt wird, sondern um das, was nebenbei gemeint ist, sagte Jette, und es geht auch nicht um das, was heute hier zu hören

war, sondern was bereits seit Monaten und Jahren stattfindet. Ich halte das nicht aus. Man weiß hier gar nicht mehr, wie man sein darf und wer man eigentlich ist, bei jeder Gelegenheit werde ich gefragt, was mit mir los ist, einfach weil ich nicht mehr den Mut habe, so zu sein, wie ich bin. Wer fragt dich, was mit dir los ist, wollte Betty wissen, und Jette darauf: Ralf zum Beispiel. Der hat es nötig, sagte mein Alter unvermutet, gerade er, dieser Windmacher, der sich alles angelesen hat, was man braucht, um weiterzukommen.
Du lieber Himmel, nach diesem Urteil machte ich mir wirklich Sorgen um Jette, denn sie wurde auf einmal wieder blaß und faßte nach der Tischkante und saß mit geschlossenen Augen da; ich meine, sie schwankte auch ein bißchen. Nach einer ganzen Weile aber stand sie auf, mühselig, als ob Gewichte an ihr hingen, Tränen zeigten sich auf ihren Wangen, und mit kraftloser Stimme, doch so, daß wir alle es hören konnten, sagte sie: Manchmal, manchmal kann ich Reimund verstehen. Dann ging sie zur Tür, gehemmt, wie eine Schlafwandlerin, doch ehe sie noch die Tür erreicht hatte, rief Betty: Sag so etwas nicht, du, sag das nicht wieder, hörst du! Jette wandte sich nicht mehr um, und als ich, nach einem auffordernden Blick von Betty, ihr nachging und ihr Zimmer betrat, fand ich sie auf Reimunds altem Bett; sie lag ausgestreckt da und weinte in ein Kissen, während das König-Karls-Hündchen auf ihrem Pyjama hockte und trocken winselte. Ich scheuchte das Hündchen weg und setzte mich zu Jette und redete beruhigend auf sie ein. Sie hörte nicht zu. Krampfhaft hielt sie das verdammte Kissen gepackt, so, wie sie es immer schon als Kind getan hatte, wenn sie weinen mußte. Wenn Jette in ihr Kissen heulte, konnte es nicht einmal ein Pferd unter ihr wegziehen, im Ernst.

4

Allen Angestellten in unserem Kaufhaus, auch den Hausdetektiven, wurde ein Rabatt von sage und schreibe fünfzehn Prozent eingeräumt. Das galt allerdings nur für bestimmte Wirtschaftsgüter – etwa für Elektrobohrer, Skibindungen, Sonnenschirme, Kosmetika und Mixer – für Fleisch und Konserven hingegen, für Brillantringe, illustrierte Zeitschriften und Tabakwaren gab es keinen Preisnachlaß; warum, das konnte nur die Direktion beantworten. Weil wir wußten, daß für die Leute, die sich den Gewinn des ganzen Ladens teilten, immer noch genug abfiel, machten wir von diesem Vorrecht regen Gebrauch und schleppten ab, was wir mehr oder weniger nötig hatten. Vorrechte, meine ich, muß man immer ausnutzen, denn wenn man sie nicht ausnutzt, werden sie eines Tages abgeschafft; außerdem muß ich zugeben, daß man auch als Hausdetektiv nicht gerade große Sprünge machen kann.
So fuhr ich also, von einem überraschend vergnügten Willi mit frisch gelernten finnischen Wortbrocken verabschiedet, in unsere Kosmetikabteilung hinauf, um das übliche Geburtstagsgeschenk für Betty auszusuchen. Auch zu ihrem dreiundfünfzigsten Geburtstag wünschte sie sich von mir nichts anderes als einen Karton mit nicht alltäglicher Seife und ein dazu passendes Toilettenwasser, mehr nicht. Die Seife, das wußte

ich, gebrauchte sie; was sie mit dem Toilettenwasser machte, habe ich nie rauskriegen können, es stand immer unangetastet im Badezimmer herum, bis es eines Tages verschwunden war. Vermutlich trank unser schwedischer Onkel, der uns zweimal im Jahr auf der Durchreise besuchte, es einfach aus. Für jemand anderes als Betty jedenfalls wäre ich bestimmt nicht ein paar Stockwerke hinaufgefahren, denn wenn es etwas auf der Welt gibt, das ich nicht ausstehen kann, dann ist es unsere Kosmetikabteilung, und nicht nur unsere, falls das jemanden interessiert. Schon die Mädchen machten mich rasend, die da hinter gläsernen Verkaufstischen standen und so damit zu tun hatten, sich selbst in den goldgefaßten Spiegeln zu begutachten, daß sie die Kunden einfach übersahen. Anders als die Verkäuferinnen in unserer Lebensmittelabteilung, die einem zuvorkommend und mit gewinnendem Lächeln sämtliche Wurstsorten aufzählten, überließen die Mädchen in der Kosmetikabteilung jeden Kunden sich selbst; fast kam man sich vor wie ein Störenfried. Nie, wirklich nie, kamen diese meist nur hauchenden Geschöpfe auf einen zu, schläfrig warteten sie ab, bis man unmittelbar vor ihnen stand, und sagte man ihnen, was man haben wollte, dann nickten sie nur andeutungsweise zu einem der unzähligen gläsernen Regale hinüber, vor denen man selbst ziemlich aufgeschmissen war. Jesus Christus, wenn ich nur an all diese Namen denke, unter denen sie die Düfte und Seifen verkauften, kann ich schon auf die Palme gehen. »Späte Stunde« ließ ich mir noch gefallen, auch »Kleines Versprechen« konnte man so eben hinnehmen, aber wenn ich Namen wie »Nachtfalter« las oder »Zärtliche Versuchung« oder gar »Halali«, mußte ich mir gleich unsere Durchschnittskundinnen vorstellen, die sich mit diesem Zeug gläubig beträufelten. Das gab mir den Rest. Unbetreut und ratlos vor den Regalen, suchte ich nach einem Karton mit Seife; ich war so geladen, daß ich alles durchgrabbelte und die Kartons, die nicht in Frage kamen, einfach aufeinanderpackte, was die Mädchen überhaupt nicht rührte. Das ätherische Geschöpf, das sich um mich hätte kümmern müssen, feilte sich tatsächlich ausdauernd die Fingernägel. Mir war klar, daß ich Betty keine Seife Marke »Bajadere« auf den Geburtstagstisch legen konnte und ebensowenig eine Sorte »Kleopatra« oder »Josefine«, damit durfte ich ihr wirklich nicht kommen; also stöberte ich den ganzen verdammten Vorrat durch, bis ich schließlich eine Seife fand, die irgendein Werbehalunke »Schneewittchen« getauft hatte; als Toilettenwasser wählte ich »Frühlingswehen«.

Gerade hatte ich die Verkäuferin überredet, Seife und Toilettenwasser in Geschenkpapier einzupacken und nach Möglichkeit eine farbige Schnur mit Schleife drumzubinden, als ein ganzer Pulk von Leuten in die Kosmetikabteilung einfiel, vorweg eine gutgenährte, verflucht gut aussehende Frau mit Turmfrisur, und neben ihr ein wahnsinnig beflissener Habalik, der Abteilungsleiter. Ich brauchte ungefähr zwei Sekunden, bis ich wußte, daß es die Frau des Ananasgesichts war, die den Staatsbesuch benutzte, um sich, wie die Zeitung verbreitete, in einem Altersheim, in einer Schule für gehörlose Kinder und schließlich auch in unserem Warenhaus umzusehen. Frauen von Staatsbesuchern absolvieren ja immer ein eigenes Programm. Ihr Gang wäre bestimmt etwas für Willi gewesen, ich meine, es hätte mich brennend interessiert, welche Rückschlüsse Willi aus der Bewegungsart gezogen hätte, die dieser schönen Frau mit den hängenden Augenlidern eigen

war. Achtloser als sie habe ich nämlich noch niemanden gehen sehen; dabei hatten ihre Bewegungen etwas Fließendes, Wiegendes, als gehorchten sie einem geheimen Rhythmus, einem Rhythmus, dem sich auch die riesige Handtasche fügte, die in ihrer Hand baumelte. Habalik – dunkler Anzug, scharf gekämmt – machte mit großgeratenen Gesten auf all sein Zeug aufmerksam, und mit schnippenden Fingerzeichen weckte er unduldsam die Verkäuferinnen aus ihrem Dämmern und hielt sie an, Proben bereitzuhalten und sich um den hohen Besuch zu scharen. Der blieb tatsächlich hin und wieder stehen, hielt gutmütig den Handrücken hin, um eine Duftprobe aufzunehmen, roch nicht nur selbst, sondern ließ auch einige Frauen aus dem Gefolge riechen, und jedesmal, wenn sie Habalik anerkennend zulächelte, verbeugte sich dieser Affe. Wirklich, er verbeugte sich, gerade als hätte er alle Öle, Essenzen und Düfte selbst kombiniert. Aber so ist es: die meisten Leute stecken sich an den Hut, was andere hervorbringen.
Plötzlich warf es mich fast um; ich kann auch sagen, mir stockte der Atem, denn da ich abseits stand und mir alles aus vorteilhafter Perspektive anschaute, hatte ich mitbekommen, wie der hohe Gast blitzschnell hinter sich griff, eines der Fläschchen Marke »Rose d'Anjou« schnappte und es ausdruckslos in die geräumige Handtasche plumpsen ließ. Sofort linste ich zum wachenden Kameraauge hinauf, das in der Kosmetikabteilung mit Immortellen getarnt war; der rote Punkt sagte mir lediglich, daß das System eingeschaltet war; ob der zuständige Kollege etwas bemerkt hatte, blieb ungewiß. Immer behutsam an den Regalen entlang, begleitete ich den Staatsbesuch und sein Gefolge, von aufkommenden Zweifeln erfüllt, ob ich auch richtig hinge-

schaut hätte, als es noch einmal passierte, diesmal allerdings nicht im Verborgenen. Vermutlich, weil ihm ein Name etwas besagte oder zu versprechen schien, stellte der hohe Gast das herausgenommene Fläschchen nicht an den Platz zurück, sondern ließ es einfach in die Handtasche fallen, unbekümmert darum, ob es einer beobachtet hatte. Ich wurde ganz schön nervös, ein Gefühl von Verantwortung überredete mich, zu handeln, gleichzeitig aber sah ich all die Peinlichkeiten und unangenehmen Verwicklungen voraus, die mein Eingreifen zur Folge haben konnte. Im Vertrauen darauf, daß mein Kollege mit der elektronischen Kamera auch mich im Blick hatte, gab ich ihm deshalb aufs Geratewohl ein paar alarmierende Signale in Richtung Staatsbesuch – schließlich war ich ja auch nur ein Kunde in der Abteilung, die er zu überwachen hatte. Wie ich allerdings bald gewahr wurde, erübrigte sich meine Nervosität ebenso wie die alarmierenden Signale, denn eine magere, bebrillte Frau aus dem Gefolge trat mit Notizblock und Silberstift an die Regale und notierte unauffällig, was der hohe Gast hatte mitgehen lassen, selbst das Fläschchen »Rose d'Anjou«. Daß sich in ihrem perlenbestickten Handtäschchen ein Scheckheft befand, konnte ich mit eigenen Augen sehen, als sie ihr Schreibzeug wegsteckte. Die Leute vom Staatsschutz, die mit ihren Walkie-Talkies den Pulk umkreisten, hatten bestimmt nichts mitbekommen.
Erleichtert wartete ich, bis sich der hohe Besuch verzogen hatte, holte mir danach mein Päckchen und ging zur Kasse, wo ich der Kassiererin erst meinen Hausdetektiv-Ausweis zeigen mußte, ehe sie bereit war, mir den Preisnachlaß von fünfzehn Prozent einzuräumen. Meine Versicherung, daß ich unter einem Dach mit ihr arbeitete, genügte ihr nicht, und daß ich in der Lebens-

mittelabteilung arbeitete, war ihr noch nicht aufgefallen. Es war einfach zum Platzen. Grönland und Gabun liegen nicht so weit voneinander entfernt wie bei uns die Lebensmittel- von der Kosmetikabteilung. Nachdem sie aber meinen Ausweis gesehen hatte, war das Mädchen an der Kasse wieder sehr nett und gab mir ein paar Proben als Zugabe mit, Mattcreme und Balsam und so.

Es wird vielleicht manchen verblüffen, doch es gab Abteilungen bei uns, in denen ich keinen einzigen Menschen kannte, so zum Beispiel die Glas- und Porzellanabteilung und das öde Stockwerk, in dem eine Million Sportartikel herumlagen. In der Sportartikelabteilung standen überall Fernsehapparate, die von morgens bis abends belagert waren; junges Volk, aber auch alte Knacker sahen sich da die Höhepunkte der vergangenen Sportsaison in endlos wiederholten Filmen an. Sie konnten einfach nicht genug bekommen von irgendeinem blöden Fallrückzieher oder einem Schraubensalto oder von der angeblichen Tragödie um einen verlorenen Staffelstab. Ihre grauenhafte Ausdauer deprimierte mich so, daß ich die ebenmäßige, verhaltene Bewegung der Rolltreppe am liebsten auf hundert gebracht hätte. In unserer Spielwarenabteilung dagegen sah ich mich gern um, und das nicht allein wegen Trude, die einfach einmalig war im Umgang mit Kindern.

Nur um ihr eine Weile zuzusehen, steppte ich in der Spielwarenabteilung von der Rolltreppe und fand Trude neben einer Wippe, an deren einem Ende ein fetter kleiner Bursche saß und grinsend darauf wartete, daß seine zarte Schwester, die ihm bange gegenüberhockte, ihn endlich einmal anhob. Die Kleine schaffte es nicht, sie quengelte, es wurde ihr wohl auch ungemütlich auf ihrem erhöhten Sitz; da setzte Trude entschlossen einen Fuß auf die Wippe und brachte die beiden so in Schwung, daß sie quietschten. Ein einziges Mal hatte ich versucht, mich mit Trude zu verabreden; weil mir nichts anderes eingefallen war, hatte ich als Treffpunkt das Völkerkundemuseum vorgeschlagen und durchblicken lassen, daß wir hinterher gemeinsam ein berühmtes Fischrestaurant aufsuchen könnten – es war nämlich gerade Matjes-Saison –, doch obwohl mein Vorschlag ihr ganz bestimmt Freude machte, stimmte sie nicht zu. Noch bevor sie ein Wort sagte, hielt sie mir die Hand hin mit diesem Aquamarin am Ringfinger, und das tat sie nicht selbstbewußt oder spaßig, sondern einfach nur sachlich. Wie sie mir dann auch noch sagte, war sie erst seit sieben Tagen verlobt.

Als sie mich entdeckte, zwinkerte sie mir zu und machte mich auf einen kleinen Kerl aufmerksam, der auf einem Holzpferd ritt und mit kalter Wut nach seiner Mutter schlug, die immer wieder den Versuch machte, ihn von diesem Holzpferd herunterzuheben. Da er kurze, gellende Schreie ausstieß, zog er einige Zuschauer an, meist Kinder, aber auch ein paar Erwachsene, die sich wahnsinnig dafür zu interessieren schienen, wie die Sache ausgehen würde. Ich sah mir die Zuschauer an und stutzte, denn unter ihnen stand ein Bürschchen mit borstigem Kopf und hängenden Schultern: Fritz. Er war es wirklich. Er stand da und freute sich, wenn die Faust des verbissenen kleinen Reiters, der nicht genau Maß nahm, wohin er schlug, ins Leere traf. Lone war weit und breit nicht zu sehen, dennoch glaubte ich zuerst, daß sie nicht allzu fern sein konnte und den Jungen nur für die Zeit einer Besorgung sich selbst überlassen hatte.

Ohne Fritz aus den Augen zu lassen, suchte ich mir einen Pfeiler als Deckung und wartete. Sie kam nicht. Die Rolltreppe trug ganze Völkerschaften vorbei – sie nicht; da wurde mir allmählich klar, daß Fritz ohne Begleitung hier war. Und er selbst bestätigte es, als er, ermüdet von den erfolglosen Versuchen der Mutter, den finsteren kleinen Reiter vom Holzpferd zu heben, den Kreis der Zuschauer verließ und zu den Regalen schlenderte, in denen technisches Spielzeug lag, Baukräne und Eisenbahnen und dergleichen Zeug. Die Hände auf dem Rücken, in der Haltung eines Fachmanns, studierte er Abbildungen und Namen, begutachtete Trecker, Wasserpistolen, Flugzeugmodelle, nahm dies und jenes in die Hand, vergaß jedoch nie, es wieder zurückzustellen. Komisch, daß ich ihm nicht zusehen konnte, ohne an mich selbst als Kind zu denken; mir war es tatsächlich so, als prüften und bewunderten wir gemeinsam das ausgestellte Spielzeug; jedenfalls hatte ich das Gefühl, die Dinge mit seinen Augen zu sehen. Plötzlich, als wäre ihm etwas ungeheuer Wichtiges eingefallen, wandte er sich von den Regalen ab, strebte eilig der Rolltreppe zu und zwängte sich zwischen niederfahrende Kundschaft.
Diesmal entkam er mir nicht. Er verließ unser Kaufhaus durch den Hauptausgang, zögerte auf einmal, entdeckte die lachhaften Windmühlen, deren Flügel sich gerade drehten, und trat an eine von ihnen nah heran; auf einen Flügel fixiert, begann sein Kopf sanft zu kreisen. Da faßte ich zu; oder sagen wir so: ich packte ihn von hinten am Hemdkragen und sammelte soviel Stoff in meiner Hand, daß es ihn wohl zu schnüren begann. Erschrocken hob er sein Gesicht zu mir auf, seine Lippen begannen zu zittern, und in seinen Augen – Herr im Himmel, nie habe ich in Augen ein solch

ängstliches Flehen erkannt; das war es wirklich: ein Flehen. Um zu verstehen, was er leise und stoßhaft wiederholte, beugte ich mich zu ihm hinab, und nun verstand ich ihn: nicht schlagen, sagte er immer wieder, bitte, nicht schlagen. Ich lockerte gleich meinen Griff, hielt ihn jetzt wie spielerisch, auch schon wegen der Passanten, die uns wißbegierig anglotzten, und dann geschah etwas, womit ich nicht gerechnet hatte: Fritz langte in seine Hosentasche, holte eine Glaskugel heraus und reichte sie mir ohne ein Wort. In der Kugel steckte ein Haus mit einem Balkon, auf dem die aufgeplusterten Betten von Frau Holle lagen, und wenn man die Kugel schüttelte, gab es ein regelrechtes Stiemwetter von Daunen, schönen, großflockigen Schnee, der alles verdeckte. Ich forderte ihn auf, die Kugel wieder einzustecken, und als er mich ungläubig ansah, versenkte ich sie selbst in seine Tasche, nahm ihn an der Hand und sagte: Nach Hause, jetzt gehen wir zu dir nach Hause. Er guckte auf meine Hand, er guckte sie so kalkulierend an, als wollte er in sie hineinbeißen und sich mit einem Biß befreien, da blieb mir nichts anderes übrig, als seine Hand energischer zu packen und nach unten zu drücken: Los, gehen wir.

Gern ging er nicht mit mir, bestimmt nicht, alleweil hob er das Gesicht und musterte mich mit fragendem Blick, gerade, als könnte er nicht glauben, daß es mein Ernst sei, ihn nach Hause zu bringen. Je länger wir gingen, desto spürbarer erschlaffte seine warme, klebrige Hand, manchmal war mir so, als hielte ich nur einen zusammengedrehten Polierlappen, der nach längerem Gebrauch warm und klebrig geworden war. Sehr flink war Fritz nicht auf den Beinen, er stakste und hatte so eine eigenartige Steifheit in den Beinen, er schien auch nicht genug Luft zu bekommen, denn er

begann immer stärker zu schnaufen. Wenn ich ihn fragte, ob es noch weit sei, nickte er prompt, als rechnete er damit, daß ich ihn laufen ließe. Mir war wirklich nicht wohl auf diesem Weg, das muß ich schon sagen. Einmal blieb er stehen und sah sich ratlos um, ich sollte wohl glauben, daß er die Orientierung verloren hätte und nicht mehr weiter wüßte, doch als ich ihm androhte, ihn ins Kaufhaus zurückzubringen, zu großer Untersuchung und so weiter, fiel ihm die Richtung rasch wieder ein.
Wir hatten kaum miteinander gesprochen, doch als wir in die Nähe des Hauptbahnhofs kamen, fragte ich ihn, ob seine Mutter zu Hause sei, worauf er nach kurzem Nachdenken den Kopf schüttelte. Nur Lone ist zu Hause, sagte er. Ob Lone denn nicht seine Mutter sei, fragte ich, worauf er wieder nur den Kopf schüttelte. Aber ihr wohnt doch zusammen? M-hm. Ist Lone deine Schwester? N-n. Darfst du denn allein herumstromern? Ich soll noch Kuchen holen, Apfelkuchen. Hat Lone dir Geld für Kuchen gegeben? M-hm. Er schob eine Hand in die Tasche, fingerte, zog ein paar Münzen heraus und hielt sie mir hin. Gut, sagte ich, dann werden wir zuerst Apfelkuchen kaufen, und danach gehen wir zu Lone. Im Bäckerladen sagte er kein einziges Wort, legte nur seine Münzen auf die Glasplatte und zeigte auf den geschnittenen Apfelkuchen, und er machte ein glückliches Gesicht, als die Verkäuferin nicht mir, sondern ihm das Kuchenpäckchen reichte. Jetzt lag ihm daran, schneller nach Hause zu kommen, er faßte von sich aus nach meiner Hand und zog mich in eine schmale Straße, zu einem mehrstöckigen, frisch getünchten Haus, schräg gegenüber von einem klotzigen Hotel, das ungefähr die gleiche Ausdehnung hatte wie unser Kaufhaus. Fritz winkte über

die Straße hinweg dem Portier zu, einem athletischen Kerl in grüner, goldbetreßter Uniform, und dieser Ringertyp winkte tatsächlich mit weißbehandschuhter Hand freundlich zurück und lüftete fast gleichzeitig den Zylinder vor ein paar eleganten Scheckbetrügern oder dergleichen.

Es war ein altes Haus, in dem sie wohnten; die mit Linoleum ausgelegten Treppen glänzten, hinter den mächtigen dunkelgrünen Türen, die zu den Wohnungen führten, regte sich nichts. Da es keinen Fahrstuhl gab, mußten wir vier Stockwerke hinaufsteigen, und wie immer, wenn ich in einem fremden Haus war, las ich sämtliche Namen auf den Türschildern, auch hier verwundert darüber, wie Menschen nicht alles heißen können. Großer Gott, was manche mit sich herumtragen müssen. Sie hatte kein metallenes Namensschild, an ihrem Türpfosten war ein Pappschild angepinnt, der Name war mit Schreibmaschine geschrieben: Lone Steiner. Noch wußte ich nicht genau, mit welchen Worten ich ihr mein Erscheinen erklären sollte, ich trat hinter Fritz zurück, der wie verrückt läutete, und sah etwas beklommen auf die Tür.

Sie erkannte mich nicht wieder, ihr Blick sagte mir, daß sie nicht einmal versuchte, mich unterzubringen. Nachdem der Junge sich hastig an ihr vorbeigezwängt hatte und in die Wohnung gestürmt war, blieb sie in der offenen Tür stehen und sah mich etwas geistesabwesend an, gerade als wäre sie bei konzentrierter Arbeit gestört worden. Ich entschuldigte mich. Ich sagte, daß ich es bedaure, sie zu stören, aber ein Vorfall besonderer Art lasse mir keine Wahl. Sie erschrak ein wenig und bekam offenbar erst jetzt mit, daß ich nicht jemand war, der ihr Bürsten andrehen wollte oder ein Abonnement für eine Zeitschrift. Ist etwas passiert? fragte sie besorgt. Nichts Folgenreiches, sagte ich beschwichtigend und ärgerte mich über mich selbst, weil ich so ein aufgepustetes Wort gebraucht hatte. Während sie noch überlegte, wie sie sich verhalten sollte, nannte ich meinen Namen. Hat der Junge, fragte sie, ohne den Satz zu vollenden, und ich sagte: Ich bin hier, damit Sie es erfahren. Sofort tat es mir verdammt leid, daß ich das in einem so amtlichen Ton gesagt hatte, aber so geht es mir manchmal – obwohl ich weiß, daß ich gewisse Äußerungen hinterher bedaure, tue ich sie dennoch. Bitte, sagte Lone, und trat zur Seite, bitte, kommen Sie doch herein.

So kam ich in ihre helle saubere Dachwohnung, in der es nur wenige Möbel gab, alle weiß, sogar der schmale Schreibtisch und die Bücherregale glänzten in weißer Lackfarbe. Auf dem Tisch stand eine Schale mit Nüssen, daneben hockte eine buntlackierte Nußknackerfigur, die tatsächlich Ähnlichkeit mit Hindenburg hatte. Auf dem Fußboden, in einer Ecke, lagen ein paar zerfledderte Kinderbücher, und über dem Schreibtisch, der mit Wörterbüchern vollgepackt war, hing ein gerahmtes Wort von Pascal, nach dem die Menschen nur deshalb in Schwierigkeiten geraten, weil sie nicht ruhig in ihren Zimmern bleiben können.

Sie bot mir einen Platz an und setzte sich zaghaft mir gegenüber, das Gesicht dem Licht zugewandt, ich konnte deutlich erkennen, wie ihre Unruhe wuchs. Tja, sagte ich, im Grunde ist es eine Lappalie, doch es scheint uns angebracht – uns, sagte ich –, daß Sie es erfahren: Ihr Junge war in unserer Spielwarenabteilung, er hat sich da etwas umgesehen und so, und dabei hat er vergessen, ein Spielzeug zurückzustellen. Eine Lappalie, wie gesagt, doch im Wiederholungsfall – und ich bin hier, um Sie darauf hinzuweisen – könnte es

unangenehme Folgen haben. Sie war sofort erleichtert. Ich weiß nicht, worauf sie gefaßt gewesen war, doch meine Worte erleichterten sie so, daß sie Fritz rief, der sich in die Küche verzogen hatte, und weil das Bürschchen nicht erscheinen wollte, hinging und ihn am Ärmel herauszog. Sie führte ihn dicht vor mich hin und sagte mit sanfter Stimme: Gib es zurück, bitte, gib dem Herrn, was du genommen hast. Fritz holte die Frau-Holle-Kugel aus der Tasche und hielt sie mir hin, und ich hätte sie gewiß genommen, wenn unsere Blicke sich nicht begegnet wären – ich meine: Lones und mein Blick. Ihr Blick enthielt soviel Nachsicht und spöttische Neugier, daß ich zögerte und dann die kleine Hand zurückschob und sagte: Diesmal kannst du die Kugel behalten, diesmal will ich nichts gesehen haben, aber wehe, wenn ich dich noch mal erwische. Wenn Sie uns den Preis nennen, sagte Lone, können wir die Kugel bezahlen. Nein, nein, sagte ich entschieden und fügte blödsinnigerweise hinzu: Davon stürzt doch die Welt nicht zusammen. Nicht der Junge, Lone bedankte sich bei mir und versprach außerdem, das Ihre zu tun, damit so etwas nicht wieder vorkäme. Während sie das sagte, umfaßte Fritz ihre Hüften und schmiegte sein Gesicht an ihren Bauch.
Ich stand auf. Ich sah mich freimütig um, wollte ihr zuerst ein Kompliment über die Wohnung machen, nickte dann aber zu dem Schreibtisch hinüber und sagte zu meiner Entschuldigung: Es tut mir leid, wirklich, wenn ich Sie gestört habe. Sie zuckte die Achseln. Sie sagte: Nur das Übliche, die üblichen Übersetzungsprobleme. Sind Sie Übersetzerin, fragte ich. Ja, sagte sie, aber frei; das meiste mache ich ohne Auftrag, einstweilen. Lächelnd schlug sie nach der Hand des Jungen, der den Aufnäher auf ihrem Pullover befin-

gerte, diesen krummschnabeligen Vogel, den Baumläufer, der auf ihrer Herzgegend saß. Ich konnte mir nicht erklären, was mit mir los war in ihrer Gegenwart, denn ich brachte nur so einen ausgefallenen Satz fertig wie: Anfänge sind wohl immer schwer; und darauf konnte sie nun wirklich nichts anderes tun, als mir zuzustimmen. Immerhin hatte ich noch die Eingebung, zu fragen, aus welchen Sprachen sie übersetzte, und sie sagte: Englisch und Norwegisch. Jetzt erinnerte Fritz sich daran, daß er Kuchen mitgebracht hatte, und er wollte ihn essen, gleich – ein Zeichen für mich, endlich zu verschwinden, und ich wandte mich auch schon zur Tür, als ich zufällig mit einem Blick die Buchrücken streifte und die beiden mageren blaßblauen Bände entdeckte, die ich weiß Gott fast auswendig kannte: Reimunds Novellen. Ich möchte nicht zuviel sagen, wirklich, aber das warf mich um. Nie zuvor hatte ich Reimunds Bändchen auf einem Bücherbord gefunden, keine Buchhandlung hatte sie jemals ins Schaufenster gelegt, oft hatte ich mich gefragt, wohin die Auflage sich wohl verkrümelt hatte, die zwölfhundert Exemplare, die Reimunds Verleger zu drucken kühn genug gewesen war. Herr im Himmel, ich war so überwältigt, sie hier zu finden, daß ich mein Kosmetikpäckchen ablegte, nicht einmal blickweise um Erlaubnis fragte, sondern die beiden Bändchen meines Bruders einfach herauszog, »Der Eremit« und »Die Spender«. Rasch schlug ich die Seite mit der Widmung auf: Meinen Geschwistern in Liebe und mit dem Ratschlag, nicht auf ferne Ziele hereinzufallen. R. B. Das war typisch für Reimund, ich meine, uns den Ratschlag zu geben, nicht auf ferne Ziele hereinzufallen. Kennen Sie ihn, fragte Lone, und weil ich nicht gleich antwortete: Mögen Sie ihn auch? Sicher, sagte ich. Mich erinnert er

sehr an Stig Dagerman, sagte sie, an diesen wunderbaren Schweden; schade, daß beide nicht mehr leben. Den Hinweis auf Dagerman empfand ich als überflüssig, und um es ihr schonend beizubringen, wies ich darauf hin, daß Reimund Bode damals, als seine Novellen erschienen, gleich mit mehreren sehr unterschiedlichen Schriftstellern verglichen wurde. Das war ihr bekannt, denn sie lächelte und nickte und machte eine kleine Geste der Resignation, als wollte sie damit sagen, daß keiner dem Vergleich entgeht.
Beide Titel nebeneinanderhaltend, fragte ich sie, welche der beiden Novellen ihr besser gefalle, und sie sagte sehr vernünftig, daß man sie nicht miteinander vergleichen könne und daß jede auf ihre Art mehr als geglückt sei. Auf einmal hob sie das Gesicht und musterte mich mit so einem verdutzten, prüfenden Blick, und ich wußte gleich, daß ihr jetzt etwas aufgegangen war. Sie heißen doch auch Bode, fragte sie. So ist es, sagte ich, und Reimund ist zufällig mein Bruder – er war mein Bruder. Da tastete sie nach der Stuhllehne, senkte den Blick und schüttelte nur ungläubig den Kopf. Um den Eindruck zu vermeiden, als wollte ich ihre Überraschung auskosten, sagte ich, daß mir »Der Eremit« besser gefalle als »Die Spender«, und ich lieferte ihr auch die Gründe. Zum Beispiel sagte ich, daß an dem jungen Vogelwart, der einsam auf einer Brutinsel lebt und sich entschlossen hat, für alle Zeit da zu bleiben, die Geschichte einer Versuchung dargestellt wird – durch die schiffbrüchige Seglergesellschaft, die da angetrieben wird. Denn kaum getrocknet und gestärkt, bringen die fünf Leutchen ihm unabsichtlich von morgens bis abends bei, was er alles entbehrt, und auf ihre Art tut es besonders dieses Mädchen, diese Brigitte, die ihn so gern zu den Gehegen begleiten will. Lone hatte

den »Eremiten« auch so verstanden, aber sie war nicht bereit, die »Spender« geringer zu bewerten, diese heitere Liebesgeschichte eines jungen Paares, das sich beim Blutspenden kennengelernt hat. Und dann nannte sie Reimund einen ihrer Lieblingsschriftsteller – trotz des schmalen Werks. Gern hätte ich von ihr mehr als nur so knappe Urteile gehört, aber da Fritz nicht aufhörte, zu quengeln, und mit seltsamen Lauten, die sich wie Knurren anhörten, nach seinem verdammten Kuchen verlangte, steckte ich die beiden Bände wieder ins Regal, griff jedoch nicht gleich nach dem Türdrükker, sondern trat noch einmal ans Fenster, als wollte ich nur rasch feststellen, welche Aussicht sich ihnen bot. Als Reimunds Bruder glaubte ich, mir das erlauben zu können. Tief unter mir öffnete gerade der goldbetreßte Ringer einen Wagenschlag und kassierte, ohne hinzublicken, sein Trinkgeld. In einem Hotelzimmer schräg gegenüber flammte ein eiförmiger Kristalleuchter auf, zwei alte Leutchen, die bestimmt noch Waterloo erlebt hatten, traten herein und zogen sich zuerst die Schuhe aus; danach fischte der alte Mann etwas aus seiner Jacke, das wie eine Brieftasche aussah.

Unterhaltsam ist es hier, sagte Lone, mitunter kann man nur staunen. Es ist doch ein sehr gutes Hotel, sagte ich, internationaler Ruf und so. An der Rezeption schon, sagte Lone, und auch im Speisesaal; was in den Zimmern passiert, passiert überall; man kann sich nur wundern. Ohne zu wissen, daß sie unmittelbar hinter mir stand, wandte ich mich um und hätte sie fast zur Seite gestoßen, doch es gelang mir noch, sie an beiden Armen festzuhalten. Sie nahm es mir nicht übel. Sie blickte zur Tür und sagte, daß sie demnächst hier ausziehen müßten, leider, der Hausbesitzer habe Eigenbedarf angemeldet, da sei nichts zu machen. Ein

Zug von Bekümmerung glitt über ihr sommersprossiges, jungenhaftes Gesicht. Obwohl es mir nicht zukam, fragte ich, ob sie schon etwas Neues in Aussicht hätten; darauf hob sie die Schultern und erzählte, daß sie sich dies und jenes angesehen hätten, leere Wohnungen gäbe es ja genug, sogar im Übermaß, aber das, was ihnen gefallen habe, überstiege einfach ihre Möglichkeiten.

Ich eß schon, Lone, rief Fritz plötzlich und erschien neben der halb geöffneten Küchentür; er hielt das Kuchenstück in beiden Händen, schlug seine Zähne mit schnappender Gier hinein und kaute mit verdrehten Augen, den Genuß andeutend, den er empfand. Lone wies ihn nicht zurecht, sie sah ihn nur an, lange, erstaunlich lange, und sagte dann ruhig: Ich bin traurig, Lone ist traurig – worauf das Bürschchen im Kauen innehielt, auf den Boden schaute und langsam die Küchentür hinter sich schloß. Ich war sicher, daß er nicht weiteraß. Er lernt es noch, sagte ich, und sie darauf nachdenklich: Er hat es schwer – nach allem.

Ach, Junge, du mit deiner Angst und Phantasie, die uns manchmal erschreckte. Allmählich erst kriegten wir heraus, daß alles, was du brauchtest, in deinem Kopf vorging; du konntest dir etwas ausdenken und darüber lachen, daß du fast vom Stuhl kipptest, und ebenso konntest du dir etwas einbilden, das dich tagelang in Furcht versetzte und dich veranlaßte, in die ausgefallensten Verstecke zu kriechen. Wie lange es dauerte, bis ich eines Tages die Narben auf deinem Rücken entdeckte und nur durch Zufall merkte, daß du auf einem Ohr taub warst. Vieles nahmst du in Kauf und warst bereit, es auszuhalten, nur eines nicht: daß Lone einen Grund hatte, traurig zu sein.

Als hätte Lone schon zuviel gesagt, hob sie ihr Gesicht

und reichte mir die Hand und dankte für meine Nachsicht, für mein Entgegenkommen. Reimund erwähnte sie nicht mehr. Ihr Versprechen, daß ich nie mehr einen Anlaß zur Klage – sie sagte: Klage – haben würde, hatte etwas so Endgültiges, daß meine Haut sich aufzurauhen begann. Meine Haut rauht sich oft auf, wenn mich etwas beunruhigt oder schmerzt. Während ich noch ihre Hand hielt, sagte ich: Ich weiß nicht, wieviel Ihnen daran liegt und wie dringend es ist, aber es könnte sein, daß ich Ihnen einen Tip geben kann für eine Wohnung. Sie ist nicht so zentral gelegen wie diese hier, ist auch nicht so praktisch gegliedert, dafür aber liegt sie in guter Luft und ist bestimmt erschwinglich. Lone sah mich überrascht an und lächelte und sagte nach kurzem Bedenken: Warum nicht? Anschauen kostet nichts. Eben, sagte ich, aber als ich dann – nach endlich gelungenem Abschied – die Treppe hinabstieg, spürte ich echte Beklommenheit, denn ich sah nicht allein unser Haus vor mir, in dem immer noch zwei Klassenräume und Reimunds Zimmer leerstanden, ich mußte auch an meinen Alten denken, und ich versuchte mir vorzustellen, wie er mich nach meiner Frage anschauen würde, mit diesem Blick, der einem zu jedem weiteren Wort die Lust nahm.

5

Nikolas schickte mich ins Büro. Er sagte nur: Sollst zum Meister kommen, und schlug dann wieder mit berechneten Schlägen den letzten Treibkeil in den Werkstein, um ihn zu spalten. Quer über den Stein, so wie der gewünschte Riß entstehen sollte, hatte er mit dem Schröter eine Nut gezogen, fünf Keile, die im Futter steckten, waren bereits eingesetzt. Großer Gott, wie genau sie das uralte Eruptivgestein trennen konnten, indem sie das natürliche Lager berücksichtigten und die Festigkeit der Minerale kalkulierten. Ich mußte einfach zusehen, wie der Stein, der an der Knickstelle hohl lag, dem Druck der Keile nachgab, und nachdem Nikolas es geschafft hatte, beklopfte er die neuen Flächen mit der Hand, und es wirkte tatsächlich wie eine Geste der Anerkennung. Er lächelte schwach und sagte dann noch einmal: Der Meister wartet auf dich.
Ziemlich sicher, daß ich ihm mal wieder aushelfen sollte, ging ich zu unserem Büro, einem ebenerdigen Bau mit Flachdach, den sie am Rand des Werkplatzes errichtet hatten. Diesmal war ich entschlossen, ihm kein Geld mehr zu leihen, wußte aber gleichzeitig, daß ich am Ende doch nachgeben würde; ich habe wirklich Schwierigkeiten mit meinen Grundsätzen. Vom Plattenweg, den mein Alter selbst gelegt hatte, sah ich, daß er nicht allein war. Ein Mann mit grauem Haarschopf

stand ihm am Tisch gegenüber; da er noch seinen Mantel anhatte, nahm ich an, daß er gerade gekommen war. Ich ging dennoch hinein und war ganz schön überrascht, als mein Vater mich seinem Besucher beinahe förmlich vorstellte, einem schwarzgekleideten, kartoffelsackprallen Mann mit wulstigem Gesicht und der schlaffsten Hand, die mir jemals in meinem Leben gereicht wurde: Mein Sohn – Professor Podworny. Auf meinen fragenden Blick gab mir mein Alter zu verstehen, daß ich ruhig dableiben könne, und forderte mich auch gleich auf, dem Besucher den Mantel abzunehmen und aus der Thermoskanne Tee einzuschenken. Professor Podworny wollte keinen Tee, ließ es jedoch nicht bei knappem Verzicht, sondern gab zu verstehen, daß er gerne etwas anderes trinken würde, worauf ich Kirschwasser und Likör aus dem Schränkchen holte. Mit seiner stark behaarten Hand deutete er auf das Kirschwasser. Nachdem er meinem Vater ernst zugetrunken hatte, erzählte er, daß er in Mailand und Genua gewesen sei und auf den Friedhöfen dort zwei bestimmte Grabdenkmäler gesehen hätte, eine kauernde Frauengestalt und ein Mädchen, das sich mit beiden Händen an einem blühenden Baum festhält; er habe sich – was gar nicht so leicht gewesen sei – nach dem Künstler erkundigt, und schließlich sei es ihm gelungen, Namen und Adresse ausfindig zu machen. Er entschuldigte sich, daß er ohne Anmeldung zu uns gekommen sei.

Mein Alter erinnerte sich sofort; mit einer Handbewegung lud er den Besucher ein, näher an die Wand zu kommen, die ganz bedeckt war mit Zeichnungen und Photographien von Grabreliefs. In mehreren Reihen waren da Familien- und Wandgrabmäler abgebildet, freistehende und liegende Grabsteine, Andachtsskulpturen, Trauerfiguren, Steinbilder des Schmerzes, der Verheißung, der dunklen Wanderschaft, und auf weiteren Tabellen die Berufs- und Heils- und Tierkreiszeichen und all die Symbole, Fisch und Anker und Trauben und Krone und so weiter. Mit dem umwerfenden Gedächtnis, das ein Bildhauer für seine Sachen hat, zeigte mein Alter, ohne zu suchen, zuerst auf das Photo einer kauernden Frauengestalt und dann auf die Wiedergabe des Mädchens am Baum, und Professor Podworny erkannte sie sogleich wieder: Ja, die meine ich. Er blickte auf sein leeres Glas, und ich füllte es. Langsam bewegte er sich an der Wand mit den Abbildungen entlang, eher suchend als wertend, manchmal versteifte er sich, manchmal schüttelte er den Kopf, und vor dem Relief, auf dem ein muskulöser Mann ein hinsinkendes Mädchen auffing und für alle Zeit zu halten schien, begannen seine Lippen zu bibbern, als ob er fröre. Mein Alter schwieg, er unterbrach nie einen Kunden, der sich in die Betrachtung der Abbildungen vertiefte, weil er auf dem Standpunkt stand, daß alles, was er zu sagen hatte, in seinen Arbeiten gesagt war. Erst als Professor Podworny sich uns zuwandte, bot er ihm einen Stuhl an, und der schwere Mann setzte sich und schlug für einen Augenblick die Hände vors Gesicht. Wenn Sie mehr sehen wollen, sagte mein Alter, dort in dem Album sind ein paar frühere Arbeiten, Grabstelen und figürliche Denkmäler. Der Besucher starrte das abgegrabbelte Album an, öffnete es jedoch nicht; allem Anschein nach hatte er genug gesehen und war bereits entschlossen, uns seinen Auftrag zu geben.

Er kippte den Rest des Kirschwassers, wischte sich über seine wäßrigen Augen, zog eine Brieftasche heraus und fand nach einigem Stöbern das Photo, das er meinem Vater mit den Worten zuschob: Thérèse, meine Tochter, sie starb an Leukämie. Ein schlichtes bräunliches Paßbild, vermutlich in einer Photo-Kabine aufgenommen, zeigte das nette Gesicht eines Mädchens mit Igelfrisur; es war kein hübsches Mädchen, aber man sah gleich, daß es nett war. Ihre großen braunen Augen ließen Warmherzigkeit ahnen und die leicht auseinanderstehenden Schneidezähne verliehen ihr einen Ausdruck von Keßheit. Sie hatte Kunsttischlerei gelernt und war im Alter von dreiundzwanzig gestorben. Als Professor Podworny sagte, daß er nie über ihren Tod hinwegkommen würde, schenkte mein Vater ihm noch ein Kirschwasser ein, bediente sich dann auch selbst und hob stumm sein Glas. Er trank sehr selten mit einem Besucher. Dann setzte er seine Brille auf und betrachtete das Photo; ich sah, daß er etwas sagen wollte, nach einigem Bedenken aber darauf verzichtete – wahrscheinlich, weil er sich nicht selbst wiederholen wollte mit seinen Ansichten über Tod und Trauer und all das. Und dabei konnte er darüber schlicht und kundiger und tröstender sprechen als tausend Pastoren, von deren Reden doch nichts anderes in Erinnerung bleibt als salbungsvolles Brimborium. Er sagte nichts über die Kraft der Unversöhnlichkeit, über die Beschaffenheit des Schmerzes, die wir Trauer nennen, über das Gedächtnis als bescheidene Gegenwehr gegen den Tod; diesmal schwieg er und versenkte sich in die Betrachtung des Mädchens. Ich merkte, daß er für seinen Besucher etwas übrig hatte. Auch ich mochte den schweren Mann, der seinen Kummer beherrschte; überhaupt fühlte ich mich schon immer zu Trauernden hingezogen, ich weiß auch nicht, warum.

Bevor sie über Einzelheiten sprachen, hielt Professor

Podworny es für nötig, eine grundsätzliche Frage zu stellen. Er wollte tatsächlich vom Meister selbst hören, ob er einen Auftrag für ein großes Grabdenkmal übernehmen würde, worauf mein Alter es weder bei einem einfachen Ja noch bei einem knappen Nein beließ, sondern sagte, daß er sich bemühen werde, allen Wünschen und Erwartungen gerecht zu werden. Als sei mit dieser Antwort etwas besiegelt worden, streckte darauf der Kunde dem Meister seine Hand über den Tisch hin, und mir entging nicht, daß die Dauer des Händedrucks die Dankbarkeit bezeugen sollte, die Professor Podworny empfand. Ein Zucken überlief sein wulstiges Gesicht, für einen Augenblick schloß er die Augen. Er tat mir verdammt leid, wirklich, als er so saß und dieses Zucken abwartete, das vermutlich von allzu heftiger Erinnerung kam. Dann aber faßte er sich und glaubte zuerst einige Auskünfte geben zu müssen über den Menschen, zu dessen Andenken das Grabmal gemacht werden sollte, und mein Alter, der sonst mit Geduld nicht gerade gesegnet war, nickte in stillem, fast in ergebenem Einverständnis und griff zu Papier und Bleistift, für alle Fälle. Zunächst hatte er jedoch nichts zu notieren, denn Professor Podworny beschrieb seine Tochter so, wie man es sich beinahe gedacht hat, nämlich als bescheidenes, sensibles, einzelgängerisches Kind, das behütet aufwuchs, zur Freude der Eltern. Früh hatte sie sich entschlossen, Kunsttischlerin zu werden, es gab nichts Schöneres für sie, als mit Holz umzugehen; was ihr vorschwebte, war eine Arbeit als Restauratorin. Für sich selbst, einfach nur so, hatte sie eine Rokoko-Konsole angefertigt, die war so elegant und zierlich, daß sie gleichsam auf Zehenspitzen zu stehen schien, und als die Leute im Museum sie sahen, waren sie begeistert und gaben Thérèse die einzige

Lehrstelle. Sie war glücklich. Ihr Geschick und ihr Stilempfinden wurden oft gelobt, man vertraute ihr komplizierte Fälle an, man konnte sich nur wundern, an welche Sachen man ihr Hand anzulegen erlaubte: Kredenzschränke und Chorstühle, italienische Hochzeitstruhen und gotische Faltstühle wurden ihr übergeben, und es gelang ihr, die ausgefallensten Schäden zu beheben. Ich kann verstehen, daß sie die schadhaften Möbel ihre Patienten nannte, denn das tat sie. Mit einem Stück aber wurde sie nicht fertig. Es war ein französischer Schmuckschrank aus der Renaissance, Zinn und Messing waren da eingelegt, die Hölzer waren verschiedenfarbig, und zu ihrer Überraschung entdeckte sie immer wieder neue Geheimfächer. Zwölf Tage hatte der Schrank auf dem Grund des Meeres gelegen, im Bauch des kleinen Schiffes, das bei Korsika untergegangen war, doch diese Zeit schien ausgereicht zu haben, um das kostbare Ding ein für allemal zu verderben; so kunstvoll Thérèse auch zupaßte, schliff und leimte: die alte Form und Ansicht ließen sich nicht wiedergewinnen. Die Leute im Museum wollten ihr den Auftrag nicht wegnehmen, zumal sich während dieser Arbeit die ersten Anzeichen ihrer Krankheit einstellten, und sie versuchte sich weiter an der Restaurierung, so oft es ihr nur möglich war, aber eines Tages mußte sie endgültig aufgeben. Professor Podworny versicherte uns, daß seine Tochter sich noch auf dem Krankenbett gefragt habe, warum es ihr nicht gelungen sei, diesen französischen Schmuckschrank so hinzukriegen, wie er einmal gewesen war.
Nach alldem konnte ich auch ein Kirschwasser gebrauchen; ich angelte mir ein Glas, füllte aber zuerst ihre beiden Gläser und wartete, bis sie sich zugetrunken hatten. Was der Besucher erzählt hatte, hörte nicht auf,

mich zu beschäftigen. Ich sah diesen einmaligen, von Salzen angefressenen Schrank vor mir, an dem das Mädchen wie verzweifelt arbeitete; ich konnte mir gut vorstellen, wie sehr es darunter litt, daß alle Bemühungen vergeblich waren. Wenn man so verflucht viel in eine Sache steckt, möchte man doch zumindest ein kleines Ergebnis für sich verbuchen können. Jedenfalls, nach allem, was ich über dieses Mädchen erfahren hatte, blickte ich mit anderen Augen auf ihr Photo, das immer noch auf dem Tisch lag; um die Wahrheit zu sagen, ich spürte so einen merkwürdigen, unbestimmten Schmerz.

Es erstaunte mich nicht, daß mein Alter noch kein einziges Wort notiert hatte; er hielt seinen Seehundskopf gesenkt, und vielleicht empfand er etwas ähnliches, er, der mit manchen Kunden ganz schön geschäftsmäßig umgehen konnte. Und er blickte auch nicht abschätzig, als Professor Podworny sagte, daß er sich schon mal Gedanken darüber gemacht habe, wie das Grabmal aussehen könnte; sonst nämlich konnte der Meister so kühl und abschätzig blicken, daß ein Auftraggeber seine mitgebrachten Ideen sachte versikkern ließ. Ihm, dem Vater des Mädchens, schwebte etwas vor, daß er auf alten Abbildungen gesehen hatte, etwas aus attischer Zeit, schalenförmige Becken auf schlichten Säulen oder ein marmorner Grabtisch; das Relief, meinte er, könnte zeichenhaft die Dinge darstellen, die Thérèse im Leben soviel bedeutet hatten: das Werkzeug des Kunsttischlers. Aber das seien nur so vage Kopfgeburten, Erwägungen für den Anfang, am Ende werde er, das sei ganz klar, alles dem Meister überlassen, der ja in Mailand und Toulon und wer weiß nicht wo bewiesen habe, welch endgültigen Ausdruck er der Trauer geben konnte, der Trauer und einer

gerechtfertigten Unversöhnlichkeit. Die aber – und das sei sein einziger Wunsch – sollte erkennbar sein, denn was auch geschehe, er werde immer unversöhnt bleiben; für ihn gebe es keine Stille der Natur, keinen erlösenden Schlaf, sondern nur die Gleichgültigkeit des Schicksals.
Der Meister hatte seinen Kunden verstanden, er wußte genau, was von ihm erwartet wurde; mit schnellen, weichen Strichen, die man seinen krummen Fingern kaum zugetraut hätte, entwarf er für das Grabmal einen Sockel und darauf zwei aufrechtstehende Eichenblätter, die eine dicke Eichel zu schützen schienen, und zeichnete darunter übers ganze Blatt – so, als ob Blätter und Eichel aus ihm herauswüchsen –, einen stilisierten Hobel, das Berufszeichen aller, die mit Holz umgingen. Wortlos schob er die Zeichnung Professor Podworny zu; der betrachtete sie ausdauernd, war mehr als zufrieden, fragte nur leise, ob nicht auch ein feiner Spachtel auf dem Grabstein erscheinen sollte, Spachtel und vielleicht auch Pinsel. Mein Alter erwog eine Weile den Vorschlag, konnte sich aber nicht mit ihm abfinden; er gab zu bedenken, daß das klassische Berufszeichen auch über den Tod hinaus vereine, es sei das Symbol einer Bruderschaft, das noch nie verändert oder variiert worden sei, er möchte von Variationen abraten, einfach, weil sie beanspruchen, als etwas Besonderes angesehen zu werden. Nach diesen Worten waren sie sich gleich einig, und mein Vater nahm ein neues Blatt Papier, warf einen Blick auf das Photo und skizzierte zuerst eine Mädchenfigur, die wie zum Abschied eine Hand ausstreckte, verwarf aber bald diese Haltung und zeichnete danach eine davonschreitende Figur, die eine Hand zurückhängen ließ wie in Hilflosigkeit. Ich möchte nicht zuviel sagen, aber schon der

erste Entwurf ließ vermuten, daß das Mädchen gerufen wurde und sich gegen den Ruf wehrte, auch ihre Steifheit und der zurückgewandte Kopf drückten Weigerung aus. Großer Gott, was diesem Mann vor Augen stand und was er hervorbringen konnte mit einem Bleistift; wenn man ihm zusah, konnte man wirklich vergessen, wie er sich sonst gab in seinem ewigen Mißmut. Mit ein paar Wellen und nur angedeuteten Falten gab er dem Mädchen ein fließendes Gewand, und mit halbausgeführten Linien und knapper Schraffur brachte er es auf den Sockel. Ja, sagte Professor Podworny, ja, so könnte das aussehen; aber etwas fehlte ihm noch, es war ihm nicht genug, daß die Davongehende allein ihren sanften Protest ausdrückte, auch der Zurückbleibende hätte ein Recht, beachtet zu werden, in seiner Erbitterung, in seiner Auflehnung. Mein Alter sagte nichts, aber er stimmte ihm auf seine Art zu, indem er den Sockel auszog und eine zweite Figur entwarf, einen hochgewachsenen Mann, der allerdings gar keine Ähnlichkeit mit dem Kunden hatte, es war vielmehr ein schlanker, asketischer Typ, dem man seine Entschlossenheit sofort glaubte. Die Figur also erschien hinter dem Mädchen, sie war offenbar nicht gewillt, der Davongehenden zu folgen, denn die Beine probierten einen Stemm- oder Sperrschritt, und eine Hand legte sich dem Mädchen auf die Schulter. Wie rasch erkennbar wurde, daß der Mann das Mädchen zurückzuhalten versuchte: ein paar Striche nur, und aus der sinnenden Berührung an der Schulter wurde ein entschlossener Zugriff, und danach ein paar winzige Korrekturen im Gesicht, und der Mann ließ die Verzweiflung erkennen, die ihn beherrschte.

Weiß der Himmel, was dieser eilige Entwurf – Grabstein und zwei Figuren – in Professor Podworny hervorrief, ich meine, welche Gefühle und Erinnerungen – jedenfalls begann er auf einmal schwer zu atmen, und seine Hände zitterten so, daß er sie vom Tisch nahm. Bei dem Versuch, sich zu entschuldigen, blieb ihm mitten im Satz die Stimme weg, ich konnte aber noch verstehen, daß es ihn übermannt hatte; dies merkwürdige Wort gebrauchte er tatsächlich: übermannt. Mein Alter heftete ruhig die Skizzen zusammen, stand dann auf und holte aus einem großen, offenen Schrank einen Packen kleiner Schautafeln, aus denen man Farbe und Dichte und das ganze Gefüge der Gesteine erfahren konnte. Er zog seinen Stuhl um den Tisch und setzte sich neben seinen Kunden, und nachdem er versprochen hatte, demnächst zwei größere Entwürfe anzufertigen – er machte immer zwei Entwürfe –, hielt er Professor Podworny ein Täfelchen hin, ausdauernd, ohne ein einziges Wort. Der faßte sich; sein Zittern verging, und das Täfelchen vor den Augen, begann er Interesse zu zeigen für den Stein, der erst bestellt werden mußte. Marmor, für ihn kam nur Marmor in Frage, und das hatte mein Vater auch erwartet; er fischte aus dem Packen die Täfelchen heraus, die Auskünfte über Buntkalke gaben – Marmor ist ja nur ein Sammelbegriff –, und erklärte die Unterschiede. Während er redete, mußte ich wie von selbst an die Zeit denken, in der er mich in das Geheimnis der Steine einweihte, mir von ihrer Entstehung erzählte und von den Dingen, die sie in ihrem Kerker umschlossen hielten. Wie manche anderen Kunden hätte sich auch Podworny am liebsten für Onyx-Marmor entschieden, doch mein Alter wies ihn darauf hin, daß es ein sehr empfindliches Material sei, eine Ausscheidung von heißen, kalkhaltigen Quellen, in seiner Härte nicht zu vergleichen mit Dolomit, der außerdem leichter zu

beschaffen sei und im Transport sehr viel billiger. Darauf sagte der Auftraggeber zum ersten Mal, daß der Preis bei dieser Arbeit keine Rolle spielte, darüber möchte er nicht sprechen, der Meister solle freie Hand haben, in jeder Hinsicht, und falls etwas im voraus bezahlt werden müsse, könnte er es gleich in Ordnung bringen. Mein Alter ging darauf nicht ein, er tat so, als hätte er es überhört – still für mich aber wußte ich, daß er die Kunden am höchsten schätzte, die ihm freie Hand ließen und zu einer Anzahlung bereit waren. Manchmal konnte ich mir einfach nicht erklären, was in meinem Alten vorging; denn anstatt das Angebot anzunehmen, redete er erst einmal vom Dolomit, stellte seine Härte heraus, wies darauf hin, daß die porösen Stellen, die in allen Buntkalken auftreten, bei diesem Stein mit Kalkspatkristallen ausgefüllt sind, erwärmte sich für die graugelbe Farbe und machte auf die schönen dunklen Bänder und Adern aufmerksam. Er empfahl Dolomit, und sein Kunde war einverstanden.
Dann verabredeten sie eine nächste Zusammenkunft, sie sollte in einem Monat stattfinden, wieder bei uns, mein Alter wollte dann die Entwürfe fertig haben und alles. Ein letztes Glas Kirschwasser wollte Podworny nicht nehmen, er wollte auch nicht begleitet oder zur S-Bahn-Station gebracht werden, weil er das Taxi, mit dem er gekommen war, an unserem Tor hatte warten lassen. Als er das so nebenher sagte, konnte ich zunächst nicht glauben, daß man ein Taxi so lange warten läßt; doch als ich hinauslinste, sah ich es wirklich an unserem Tor stehen, und ich sah, daß der Taxifahrer gerade Hund wegjagte, der vermutlich seine Räder bepinkelt hatte. Hund mußte einfach alle neuen Räder markieren, die sich bei uns zeigten, darauf glaubte er ein Recht zu haben. Zum Abschied, schon in

der Tür, nach einem langdauernden Händedruck, nestelte Professor Podworny noch eine Visitenkarte heraus und gab sie meinem Vater mit dem Hinweis, dies sei seine neue Anschrift. Schließlich ging er, und ich mußte ihm einfach nachsehen, wie er mit kurzen, verhaltenen Schritten unseren Werkplatz überquerte, ein paarmal stehenblieb, als müßte er Luft holen, und sich dann schwer auf den Sitz der Taxe fallen ließ.
Mein Alter sah ihm nicht nach; er saß am Tisch und starrte auf die Visitenkarte, und als ich mich ihm zuwandte, fragte er: Was, genau, macht ein Paläontologe? Ein was, fragte ich. Pa-lä-on-to-lo-ge, sagte er, wobei er die Silben dehnte. Ist er das, fragte ich. Es steht auf seiner Visitenkarte, sagte er, und demnach wird er das wohl sein. Wie immer, wenn mir etwas nicht gleich einfiel, suchte ich nach einer Brücke, nach einem Schlüsselwort, ich stöberte kurz in meinem Gedächtnis, und als ich auf die Sintflut kam, wußte ich, was die Paläontologen machen. Sie beschäftigen sich mit vorweltlichen Lebewesen und so, sagte ich, mit den fossilen Zeugnissen der Tier- und Pflanzenwelt von ehedem, mit Fischskeletten zum Beispiel und der ganzen Entwicklungsgeschichte nach katastrophalen Veränderungen auf der Erde. Das reichte meinem Vater, er heftete die Visitenkarte an die Zeichnungen, stierte einen Moment vor sich hin und sagte dann leise – und aus seinen Worten klang Hochachtung: Stell dir vor, wenn alle so wären, wenn keiner sich abfände und den Nacken beugte in Trauer – wir wüßten, gegen wen wir uns zu verbünden hätten, und das ganze Leben sähe anders aus. Dann kappte er mit einer sichelnden Bewegung diesen Gedanken; er stand auf, und an dem listigen Lächeln, das nur in seinen Augenwinkeln erschien, merkte ich, daß er eine Überraschung in petto

hatte. Er zog sein zerknittertes Portemonnaie heraus. Betont langsam zählte er vier Fünfziger auf den Tisch. Da, sagte er, und forderte mich mit einem zufriedenen Blick auf, das Geld zu nehmen. Ich weiß nicht, aber es lag wohl an dieser Zufriedenheit, daß er mir auf einmal verdammt leid tat, und ich sagte: Es muß nicht heute sein, ich kann noch warten, wirklich. Nein, nein, sagte er, nimm schon, den Rest kriegst du auch bald; und dann sah er mich eine Weile an, als prüfte er mich, und sagte: Siebenstern hat gewonnen, als Außenseiter, niemand hat es geglaubt. Siebenstern, fragte ich. Für die meisten ein Lahmarsch, sagte er, aber ich wußte, was in ihm steckt; ich habe oft auf ihn gesetzt, und jetzt hat er sich endlich revanchiert. Das nenn ich Glück, sagte ich, und er darauf knurrend: Hör bloß auf mit Glück, von diesem Mist will ich nichts wissen. Er wollte noch etwas hinzufügen, doch plötzlich kam Jette herein, schüttelte ungläubig den Kopf und fragte, ob wir den Geburtstagskaffee verschwitzt hätten, alle seien schon da und warteten nur auf uns, und wenn wir nicht gleich kämen, müßten sie ohne uns anfangen. So, daß sie es nicht mitbekam, wischte ich die Geldscheine zusammen und steckte sie ein, und hinter meinem Alten, der als erster stumm hinaustrottete, verließen wir das Büro und kreuzten in Dwarslinie zum Wohnhaus hinüber. Obwohl Jette auf dem ganzen Weg nicht aufhörte, uns Vorwürfe zu machen, drehte er sich nicht ein einziges Mal um, und er sagte auch nichts, als meine Schwester uns ermahnte, ein Geschenk mitzubringen; als ob wir ihn nichts angingen, strebte er davon und ließ uns die Haustür selbstverständlich vor der Nase zufallen.

Sie waren tatsächlich alle schon da, und zur Feier ihres Tages trug Betty einmal nicht die ausgebeulten Flanellhosen, sondern ihr gelbes Seidenkleid und dazu halbhohe weiße Schuhe. Obwohl mich schon das Wort deprimiert, aber sie hatte im Ernst etwas Überlegenes; ich konnte sie mir gut als Empfangsdame in diesem Hotel vorstellen, zu dem ich von Lones Fenster aus hinübergesehen hatte. Sie sah sehr gut aus, um auch das mal zu sagen, elegant und frisch frisiert und wie aus einer anderen Welt zu uns hereingeschneit. Unsere Glückwünsche – die offiziellen, denn die ersten persönlichen hatte sie bereits am Morgen kleckerweise bekommen – nahm sie mit heiterer Duldsamkeit entgegen, und bevor wir unsere Küsse an ihrer Wange abstreiften, drückte sie sogar ihre erst zur Hälfte gerauchte Zigarette aus. Ernie, das lange Leiden, umarmte sie nach dem Kuß so stümperhaft, daß beide fast das Gleichgewicht verloren hätten, und Jette umklammerte sie buchstäblich so verzweifelt, wie ein Ertrinkender den Rettungsschwimmer umklammert. Großvater Hinrich ließ es bei einem Händedruck und lieferte auch gleich seinen Briefumschlag mit dem bescheidenen Geldbetrag ab, den er mindestens fünfmal im Jahr überreichte – so oft nämlich gratulierte er Betty in seiner Tüdeligkeit. Mein Gott, wie sie sich über die Geschenke freuen konnte, selbst über mein Kosmetik-Päckchen freute sie sich.

Bei all dem Küssen, Klammern und Glückwünschen war mir zunächst gar nicht aufgefallen, daß mein Alter fehlte; ich wurde es erst gewahr, als einige von uns überrascht zur Tür blickten. Da stand er in gebügeltem Hemd, mit vorgebundener Krawatte; er hatte den dunkelblauen Anzug an, den er schon seit urdenklichen Zeiten besaß, und in dem er uns allen ein bißchen verkleidet vorkam, und als er die überraschten Blicke auf sich fühlte, antwortete er mit einer unwirschen

Geste. Man muß einfach gesehen haben, wie er auf Betty zutrottete, ihr die Hand gab, kaum hörbar alles Gute wünschte und danach schon abschieben wollte, im letzten Augenblick jedoch innehielt und, was keiner von uns erwartet hatte, ein Geschenk aus der Tasche zog. Mir blieb die Luft weg. Er hatte tatsächlich ein Geschenk mitgebracht, und mit einer Beiläufigkeit, die nicht einmal mein Lieblingsschauspieler, ein leicht verlegener James Stewart, hätte nachahmen können, übergab er es Betty und ging dann sofort zu seinem Platz am Tisch. Großer Gott, wie gespannt wir alle waren, wir umlagerten Betty, und jeder versuchte für sich zu tippen, was das schön verpackte Kästchen enthielt. Ich war ziemlich sicher, daß eine Eieruhr oder so etwas drin war, und Jette flüsterte: Ein Tischfeuerzeug, paß auf. Gewiß vermutete sie, daß Betty mit einem Tischfeuerzeug dazu erzogen werden sollte, nicht überall abgebrannte Streichhölzer herumliegen zu lassen. Wir irrten uns alle, denn nachdem sie die Schnur aufgeknotet, das Einwickelpapier mit den Schmetterlingen abgenommen und das Kästchen geöffnet hatte, kam eine Nachttischuhr zum Vorschein, die ganz in Bernstein gefaßt war. Ich will nicht übertreiben, aber es war die herrlichste in Bernstein gefaßte Uhr, die ich jemals gesehen hatte, nicht zuletzt, weil das Leuchtzifferblatt mit einem Ring aus hellen, honigfarbenen Steinen eingefaßt war, der seinerseits mit einem bräunlichen Ring kontrastierte. Wir wunderten uns nur, aber Betty war einfach fassungslos; sie sah abwechselnd auf die Uhr und den Schenker, und schließlich ging sie langsam zu ihm hin, sagte: Danke, Hans, danke, und gab ihm einen Kuß. Danach konnte mein Vater sich nicht schnell genug setzen und Jette die Tasse entgegenhalten, die sie ihm auch bereitwillig füllte, und sie war es auch, die dann jedem ein Stück Käsekuchen zuteilte. Aus ihrem Vorrat an Geschenken hatte meine Schwester einen handbemalten Obstteller ausgesucht, unserm Ernie war ein elektrischer Dosenöffner eingefallen, den er vor der Übergabe überprüft hatte. Betty war so gerührt, daß sie die Uhr vor ihrem Teller stehen haben wollte, doch schon nach kurzer Zeit zog Ernie sie zu sich herüber, weil er unbedingt im Bernstein eingeschlossene Insekten zählen mußte; er fand sieben, die das rinnende Harz für immer gefangengesetzt hatte. Auch Großvater Hinrich wollte sich die Uhr näher betrachten, doch ihn interessierte nicht die Anzahl der Insekten, sondern nur die Uhrzeit, die er zuerst von der Bernstein- dann von seiner Taschenuhr ablas, um schließlich krähend zu verkünden, daß beide die gleiche Zeit anzeigten und deshalb gleich gut seien. Aber meine Uhr zeigt mehr an, Großvater, sagte Betty und tippte auf eine erkennbare, bestimmt tausendjährige Mücke: Auf meiner hast du Zeit und Ewigkeit.

Die Geburtstagsstimmung war wirklich nicht schlecht, jedenfalls herrschte nicht dieses gedrückte Schweigen, in dem wir meistens zusammensaßen, sogar Jette schien sich wieder bei uns wohlzufühlen, und als Ernie nach dem Kaffee seine Klarinette holte und für Betty »Just One Of Those Things« spielte – wobei er sich mitunter zu einem komischen Fragezeichen verzog und uns überhaupt seine Gummigelenke in Aktion vorführte –, konnte man die Feier bereits als gelungen ansehen. Später parodierte Ernie auch einmal sein großes Vorbild Mr. Acker Bilk, und da mußte auch mein Alter lächeln – zumindest wußten wir, die ihn kannten, daß es sich um ein Lächeln handelte, was da auf seinem Gesicht erschien.

Mir war längst klar, daß es für alles gute und schlechte

Augenblicke gibt: derselbe Wunsch, dieselbe Bitte können einem zum Beispiel bei Arbeitsbeginn abgeschlagen, an einem Freitag hingegen, wenn das Wochenende winkt, ohne viel Zaudern und Herumfragen erfüllt werden. In unserem Kaufhaus hatte ich das ganz nebenbei mitbekommen, ich meine, welch eine verdammt wichtige Rolle die Konstellation für das spielt, was man erreichen will. Als daher die Geburtstagsstimmung eine Höhe erklomm, in der sie sich für unsere Verhältnisse nicht mehr steigern ließ, schleppte ich einen Stapel Geschirr in die Küche und wartete dort, bis Betty hinterherkam und wir für einen Moment allein waren. Die Zigarette im Mundwinkel, summte sie »Just One Of Those Things« und zwinkerte mir gutgelaunt zu. Obwohl sie nicht allzu gesprächsbereit wirkte, nahm ich ihr Handgelenk und bat sie, mir nur zehn Sekunden zuzuhören. Sie guckte mich an. Ist was, fragte sie. Vermutlich fürchtete sie, daß ich ihr mit dem, was ich loswerden wollte, den Geburtstag vermiesen könnte. Ich beruhigte sie also und fragte dann, was sie davon hielte, die beiden leerstehenden Räume oder Reimunds Zimmer zu vermieten, ich hätte da jemanden kennengelernt, eine stille, bescheidene Mieterin, die nicht nur prompt zahlen würde, sondern auch gut zu uns paßte. Betty hätte nicht Betty sein müssen, um mit ihrem typischen Schmunzeln gleich zu fragen: Woher weißt du, daß sie gut zu uns paßt? Grundsätzlich, sagte ich, zunächst möchte ich nur mal grundsätzlich wissen, was du von der Idee hältst, die leeren Zimmer zu vermieten. Da haben wohl alle mitzureden, sagte Betty, und feinfühlig, wie nur sie es sein konnte, fragte sie: Dir liegt wohl viel daran, oder? Jedenfalls würdet ihr mir einen großen Gefallen tun, sagte ich und fügte hinzu: einen sehr großen. Dann nahm sie

mich bei der Hand, zog mich an den Geburtstagstisch und verkündete aufgeräumt: Pummel möchte einen Vorschlag machen, der die ganze Familie betrifft, hört mal zu. Zugegeben, ich nahm es ihr im ersten Augenblick übel, daß sie meine Anfrage gleich an die große Glocke hängte, doch ich glaubte aus ihrer Stimme herausgehört zu haben, daß sie selbst nicht allzuviel gegen meinen Vorschlag hatte, und so fiel es mir unerwartet leicht, alles noch einmal zu wiederholen, und nicht nur dies: um meinen Vorschlag zu rechtfertigen, gab ich vor, die betreffende Mieterin schon länger zu kennen; ich lobte ihre Bescheidenheit, ihre Rücksichtnahme, ihre Pünktlichkeit, stellte sie als ein Wesen vor, von dem man nicht viel mehr merkt als gleichbleibende Freundlichkeit. Weiß der Kuckuck, ich glaubte alles, was ich sagte; das tat ich damals, und das tue ich heute noch. Wenn ich mich erst forttragen lasse von den Wörtern, bin ich bald bereit, alles zu glauben, selbst wenn es sich um reine Erfindung handelt. Jedenfalls, was ich an Lone lobte und über sie auftischte, mußte meine Leute zu der Annahme bringen, ich sei mindestens zwölf Jahre heimlich mit ihr verlobt.
Ernie hatte nur eine einzige, wirklich überwältigende Frage übrig; er wollte tatsächlich wissen, ob Lone gut aussähe. Großvater Hinrich interessierte vor allem, womit sie ihr Brot verdiente, und als er erfuhr, daß sie Übersetzerin sei, nickte er in bedachtsamem Einverständnis. Betty wollte Näheres über den Jungen erfahren, der bei Lone lebte, über die Beziehung der beiden zueinander; um mich aus der Klemme zu ziehen, hatte ich keine andere Wahl, als ihr meine eigenen Mutmaßungen zu verkaufen: aufs Geratewohl erzählte ich, Fritz sei das Kind von Lones Verwandten, die ein Unglück heimgesucht hatte; damit der Junge nicht im

Heim aufwachse, habe sie ihn zu sich genommen – so ungefähr. Mein Alter sorgte für die Überraschung des Tages: er war weder dagegen noch dafür, er zuckte einfach nur die Achseln, und was er zu sagen hatte, hörte sich an wie: Tut, was ihr nicht lassen könnt. Jette stellte keine Fragen, sie war von Anfang an auf meiner Seite, ihretwegen hätte ich gar nicht zu erwähnen brauchen, daß Lone Reimund nicht nur mal gelesen hatte, sondern ihn wirklich kannte, ich meine: ihn so kannte, wie man die Arbeiten seines Lieblingsschriftstellers kennt. Doch nachdem ich das erwähnt hatte, stimmte Jette meinem Vorschlag noch entschiedener zu; sie konnte mir allerdings nicht die Frage erlassen, welch ein Verhältnis meine Lone – sie sagte wirklich: deine Lone – zu Tieren hätte, worauf ich ihr sagte, daß Lone nach meiner Einschätzung bestimmt bereit sei, ihr letztes Brötchen mit einer Spatzenbande zu teilen. Betty plinkerte mir verstohlen zu, es sollte nichts anderes besagen als: Na siehst du, es ist doch besser gegangen, als du gedacht hast; zum Schluß jedoch meinte sie: Du hast aber wohl nichts dagegen, daß wir uns die neue Mieterin zunächst einmal anschauen.

So warst du, Betty – wenn etwas beschlossen werden sollte, das alle betraf, hieltest du dich anfangs immer zurück und ließest die anderen reden, nicht aus taktischer Zurückhaltung, gewiß nicht, sondern weil du Wert darauf legtest, daß jeder seine Meinung sagt. Du zwangst uns auf diese Art oft genug, überhaupt eine Meinung zu haben, und manchmal kam es mir vor, als ob du die Meinungsbildung mit uns regelrecht trainiertest, einfach weil du wolltest, daß wir uns über unsere Umwelt Gedanken machten und bewerteten, was sie uns bot. Du lieber Himmel, ich weiß noch, daß du mich irgendwann nach meiner Meinung über das Alter fragtest und dann auch über die Angst und einmal sogar über das Leben; da hätte ich fast Krämpfe bekommen. Es gibt eben Dinge, zu denen ich keine Meinung habe, im Unterschied zu dir und deinen Leuten oben an der Küste, die für alles fertige Meinungen haben. Und weil es so ist, haben einige dir bis heute nicht verziehen, daß du durchbranntest und zu einem angehenden Bildhauer zogst, den du erst ein halbdutzendmal gesehen hattest. Sie frohlockten und sahen sich bestätigt, als du dich von Hans Bode trenntest, weil du seine Launen und Wutanfälle nicht ertragen konntest, und als du zu ihrer Überraschung wieder zu ihm fandest, weigerten sie sich, zu eurer Hochzeit zu kommen. Doch ich muß zugeben, daß du anders bist als die da oben: Du, Betty, warst immer so großzügig, auch zwei Meinungen gelten zu lassen, und du hattest auch nicht viel dagegen, wenn man sich in einem einzigen Satz widersprach.

Am liebsten hätte ich Lone gleich verständigt, doch ich hatte in ihrer Wohnung kein Telefon gesehen; außerdem konnte ich die Geburtstagsfeier nicht einfach verlassen: Jette trug gerade ein Tablett mit Gläsern herein, und je nach Wunsch füllte sie Danziger Goldwasser oder Weizenkorn ein, und Großvater Hinrich forderte uns dazu auf, dem Geburtstagskind zuzuprosten. Dann hielt er eine Rede. Merkwürdig, doch der alte Knabe ließ es sich nicht nehmen, bei jeder sich bietenden Gelegenheit eine Rede zu halten, es drängte ihn einfach danach, und es machte ihm nichts aus, daß er seine Erinnerungen kaum noch sortieren konnte und seine Gedanken einmalige Bocksprünge machten. Es gibt solche Leute, wirklich. Manches, was er zu sagen hatte, kannten wir bereits, und wenn er mitunter stockte, rief Ernie ihm Stichworte zu, die er dankbar aufnahm. Wie sehr ihm alles durcheinandergeriet, wurde spätestens deutlich, als er von seiner bewegten Zeit sprach, die Zeit der allgemeinen Not, unmittelbar nach dem Krieg. Der einzige Reichtum, über den er damals verfügte, bestand in Grabsteinen, die er sich von aufgelassenen oder von Bomben zerstörten Gräbern holte. Nachdem er die alten Inschriften weggeschliffen und die Steine ein wenig behauen und poliert hatte, bot er sie unter der Hand an – im Tausch gegen Naturalien, gegen Kleidung und Heizmaterial. Angeblich war Betty immer dabei, und angeblich war sie es, die bestimmte, wieviel Speck, wieviel Wolle oder Briketts ein Grabstein wert war. Keiner von uns machte ihn darauf aufmerksam, daß alles, was er zu Bettys Lob sagte, gesponnen war, denn in der bewegten Zeit, die dem alten Steinmetz soviel bedeutete, war Betty noch ein Schulmädchen. Wir ließen ihn in seinem Glauben, und wir guckten uns nur an, als er überraschend erklärte, daß er den schönsten Tanz in seinem Leben mit Betty getanzt habe; bei allen Vorzügen, die sie in sich vereinigte, sei sie auch noch eine Tänzerin, die jeden das Schweben lehren könne. Die Wahrheit ist, daß jeder, der mit Betty tanzt, das Gefühl haben muß, das bronzene Standbild der Königin Luise im Arm zu halten. Ich kann machen, was ich will, aber Gelegenheitsreden sind für mich verfluchte Geduldsproben, ganz gleich, ob es Geburtstags- oder Firmenjubiläums- oder Trauerreden sind; etwas kommt dabei immer zu kurz, und das sind die alltäglichen Tatsachen. Betty jedenfalls schmunzelte während der ganzen Rede und dankte Großvater Hinrich mit einem Kuß und tätschelte ihm die schlechtrasierte Wange.

Jette hatte gerade vorgeschlagen, noch einmal alle Geschenke zu bewundern, als an die Tür geklopft wurde;

es war Nikolas. Er kam herein, legte eine flache Pappschachtel auf den Tisch und sagte nur: Wurde abgegeben, von einer Frau. Von welcher Frau, fragte mein Alter. Sie wollte den Meister sprechen, sagte Nikolas und fügte hinzu: Ganz von ferne kam sie mir bekannt vor, war wohl mal bei uns, vor langer Zeit. Sie wußte nicht, daß Geburtstag ist, sie will wiederkommen. Bestimmt ein Geschenk, sagte Ernie, bestimmt für Mama. Während Nikolas, der seine Geburtstagswünsche schon am Morgen abgeliefert hatte, einen doppelten Korn bekam, den er in kleinen Schlucken trank, hob Betty den Deckel des Pappkartons ab und brachte mit zunehmender Ratlosigkeit ein Plastiktütchen und eine Photographie zum Vorschein. Sie betastete das Tütchen, öffnete es, ließ den Inhalt herausrutschen, und jeder von uns sah, daß es ein Rosenblatt war, ein abgebrochenes marmornes Rosenblatt, das an der Bruchstelle schmierig war und von schwärzlichem Grün überzogen. Ich will nicht zuviel sagen, aber wir hielten die Luft an, als Betty das Rosenblatt drehte und ins Licht hielt und dabei immer wieder ungläubig den Kopf schüttelte. In unser Schweigen hinein sagte Nikolas: Wenn mich nicht alles täuscht, war die Frau aus Wien, und nach einer Pause, an meinen Alten gewandt: Kann sein, Meister, es war die Frau von diesem Dirigenten. Darauf schnippte mein Alter mit den Fingern, ließ sich Photographie und Bruchstück zuschieben und brauchte nicht mal eine Sekunde, um seine eigene Arbeit wiederzuerkennen und im Bilde zu sein. Sein Gesicht verdunkelte sich. Er hob das abgebrochene Rosenblatt vor die Augen und betrachtete die Bruchstelle, man konnte ihm ansehen, daß er keine Erklärung fand. Dann zog er die Photographie zu sich heran; auch über den Tisch hinweg erkannte ich, daß sie eine

Arbeit von ihm zeigte, ein Grabdenkmal, das er im Auftrag für einen Wiener Dirigenten gemacht hatte. In der Hoffnung, einen Brief zu finden, riß er das Auslegepapier aus dem Pappkästchen; doch es war kein Brief da. Sie wollte wiederkommen, die Frau, sagte Nikolas, und er, wieder auf das Grabmal starrend: Das kann doch nicht sein, das gibt es doch nicht. Er konnte sich einfach nicht abfinden mit dem, was er sah. Ich stand auf und trat hinter ihn und sah zuerst nur die Gestalt eines Mannes, der eine Hand zu einer dämpfenden Geste erhoben hatte und in der anderen, wie beiläufig, eine Rose hielt. Was ist denn los, fragte Betty, was habt ihr denn? Niemand antwortete ihr. Ich beugte mich etwas tiefer und entdeckte auf einmal, daß das Grabmal beschädigt war, ach, was heißt beschädigt: entstellt war es, versaut, von kleinen unerklärlichen Bruchstellen gezeichnet. Löchrig war die Stirn, eine Wange schien herausgenagt, die einst schön geschwungene Oberlippe war abgeplatzt, was dem Gesicht einen grimassierenden Ausdruck gab, und von der Rose, die der Mann in der Hand hielt, fehlten gleich mehrere Blätter. Der Anblick konnte einem den Rest geben, wirklich. Redet doch schon, bat Betty, was ist denn los? Nur Nikolas war bereit, etwas zu sagen; an meinen Alten gewandt, riskierte er die Frage, die er schon einmal gestellt hatte: Vielleicht ist er doch krank, der Stein. Sieh mal genau hin, Meister – arbeitet da nicht die Krankheit? Ich bin sicher, daß der Stein befallen ist. Der Meister hatte darauf nichts zu sagen, er blickte Nikolas nur düster an, packte Bruchstück und Photo in das Kästchen, grummelte eine Entschuldigung – das immerhin tat er noch –, griff sich das Kästchen und verließ uns. Wir zweifelten nicht, daß er zum Büro hinüberging, um alles unter die Lupe zu nehmen. Vielleicht möchtest du mir jetzt einmal sagen, was eigentlich los ist, sagte Betty zu Nikolas. Der Meister will es nicht glauben, sagte Nikolas, aber der Stein hält sich nicht, weil eine Krankheit ihn befallen hat; er schalt ab, er zerfällt. Jetzt ist es das Grabmal für diesen Wiener Dirigenten. Obwohl Betty noch einen brennenden Stummel vor sich im Aschenbecher liegen hatte, zündete sie sich eine neue Zigarette an und sagte dann: Hab ich richtig gehört, daß der Stein krank ist? Ich glaub es, sagte Nikolas, aber der Meister ist anderer Ansicht, er meint, mit dem Stein ist schon immer allerhand passiert. Na, sagte Betty, dann ist dieser Geburtstag wohl gelaufen.

6

Auch als Hausdetektiv hört man nicht auf, dazuzulernen. Nie hätte ich zum Beispiel in dem Riesen, der mit seltsamem Dauerlächeln durch unsere Lebensmittelabteilung schlenderte, einen faulen Kunden vermutet, einfach, weil ich bis dahin geglaubt hatte, daß alle Leute von einschüchterndem Wuchs und ungeheurer Kraft gutmütig sein müßten und ehrlich, etwas zurückgeblieben vielleicht, aber auf jeden Fall gutmütig. Er erwiderte das Lächeln unserer Mädchen, lächelte aber auch die Konservendosen an, die Pyramide der Weißkohlköpfe, die Brot- und Käselaibe, und ich dachte, daß es nur seine Verlegenheit war, die da aus ihm herauslächelte. Ich hab nun einmal was übrig für Kolosse, die etwas sehr Seltenes vereinen, nämlich Kraft und Sanftmut. Doch ich traute meinen Augen nicht, als er vor einem Regal stehenblieb, nicht verhielt, nicht sicherte, sondern sich ungeniert und wie selbstverständlich zwei mittelgroße Rumtöpfe schnappte und sie in seinen ausgebeulten Jackentaschen verschwinden ließ. Jesus Christus, der Bursche sackte die Waren ein, als wären sie umsonst zu haben – für mich ein ganz neuer Typ. Da er an diesem Tag der erste war, den ich ertappte, ließ ich ihn hochgehen, sobald er sich der Kasse genähert hatte.

Auf das rote Lichtzeichen stürmte Strupp-Schönberg,

unser Abteilungsleiter, aus seinem Glaskäfig, wartete, bis ich bei ihm war und den miesen Kunden identifiziert hatte, und schritt dann sozusagen ein; das heißt, er tippte dem Riesen auf die Schulter, winkte ihn, der sich erstaunt umsah, zur Seite, hielt ihm beide empfangsbereiten Hände hin und befahl: Los, her mit den Sachen. Der Kunde guckte verständnislos, sein Dauerlächeln war wie weggewischt, unwillkürlich suchten seine Beine festen Stand. Um seiner Forderung Nachdruck zu verleihen, stampfte Strupp-Schönberg wieder mal mit dem Fuß auf und beging danach die Unvorsichtigkeit, dem Kunden in die Taschen zu langen, worauf der zupackte und unsern Abteilungsleiter mit einer Hand hochhob – übrigens zur Freude der anderen Kunden; die Leute können einfach nicht genug bekommen von unterhaltsamen Gewalttätigkeiten. Ohne ein einziges Wort zu sagen, hielt der Kunde unseren Abteilungsleiter etwa einen halben Meter über dem Boden, er schüttelte ihn auch ein wenig, hielt es sonst aber für genug, ihn drohend anzusehen. Um meinem Vorgesetzten Erleichterung zu verschaffen, trat ich an den Koloß heran und versuchte es zunächst mit gütlicher Anrede, doch kaum hatte ich mich an ihn gewandt, verpaßte er mir einen Hieb, der mich gegen die Zigarettenständer warf; die Zigarettenständer befanden sich bei uns unmittelbar vor der Kasse. Falls es jemanden interessiert – es war der erste und einzige Niederschlag, den ich bisher einstecken mußte, und weil ich nicht viel mehr wahrnahm als das harte knackende Geräusch von Kiefern, kam ich mir wirklich wie in einem dieser blödsinnigen Filme vor, in denen wortarme Kerle derart gegenseitig ihre Kiefer bearbeiten, daß man glaubt, Kastagnetten zu hören. Gestellt wurde der faule Kunde erst unten am Haupteingang, bei den lachhaften Wind-

mühlen, und wie es hieß, brauchten sie eine halbe Hundertschaft der Bereitschaftspolizei, um ihn gefügig zu machen. Als alles vorbei war, kam Strupp-Schönberg an meinen Arbeitsplatz, um mir mit einem Händedruck für mein beherztes Eintreten zu danken – so nannte er das –, und danach veranlaßte er, daß Doris mir ein Pflaster auf die unbedeutende Platzwunde über der rechten Augenbraue klebte.
Während ich den von der Fischabteilung spendierten Aufmunterungskaffee trank, versuchte ich mir vorzustellen, wie ich mit dem gewalttätigen Kunden verfahren wäre, wenn es keinen Strupp-Schönberg gegeben hätte – ich muß nämlich zugeben, daß ich alles andere bin als tapfer, also unbedacht. Vermutlich hätte ich zu dem Riesen gesagt, was man uns im Psychologiekursus beigebracht hatte: Entschuldigen Sie, mein Herr, aber offenbar ist Ihnen eine kleine Unachtsamkeit unterlaufen; und wenn der mich daraufhin mit drohend glimmendem Blick gemustert hätte, hätte ich vielleicht hinzugefügt: Eine Lappalie, die jedem passieren kann. Hätte er dann mit gespielter Entrüstung gesagt: Was willst du Scheißer eigentlich? – so wäre ich einen Schritt zurückgetreten und hätte ihn, so höflich wie möglich, darauf hingewiesen, daß er sich leider bei den verdorbenen Rumtöpfen bedient hätte, die brauchbaren seien ein Regal weiter zu finden und außerdem im Angebot zu haben, die Ersparnis betrüge eine Mark und zehn Pfennig pro Topf. Wahrscheinlich hätte ich sein Versehen unserem Personal angelastet. Wäre er dann auf mich zugetreten und hätte nichts anderes zu sagen gehabt als: Du willst mich wohl verarschen, du? – dann hätte ich ihn ganz ruhig darauf aufmerksam gemacht, daß wir in keinem Fall für die Folgen aufkommen würden, die nach dem Genuß dieses Rumtopfes

auftreten könnten. Ich bin beinahe sicher, daß er mir nach diesem Hinweis die Töpfe wütend ausgeliefert hätte.
Der Kaffee möbelte mich auf, das Brennen über der Augenbraue wurde schwächer, und während ich die langweilige Prozession ehrsamer Kunden beobachtete, spielte ich mit dem Gedanken, zu Hause anzurufen. Nach meiner Berechnung nämlich müßte dort inzwischen eine Entscheidung gefallen sein; ich konnte mir nicht vorstellen, daß Lone länger als eine Stunde brauchte, um sich die Wohnung bei uns anzusehen. Sie war allein hinausgefahren. Ich hatte ihr den Rat gegeben, sich gleich an meine Mutter zu wenden und gegebenenfalls nur mit ihr Mietpreis, Einzugstermin und so weiter auszumachen. Daß Betty ihr entgegenkommen würde, daran zweifelte ich nicht; was mich beunruhigte, war die Vorstellung, daß sie an meinen Alten geraten könnte, der vielleicht schon vergessen hatte, womit er an Bettys Geburtstag halbwegs einverstanden gewesen war. Ich kann es ruhig mal sagen: was ihn selbst betraf, das vergaß er sein Leben lang nicht; was aber andere anging, dafür hatte er mitunter ein ziemlich poröses Gedächtnis. Um also Gewißheit zu bekommen, wie die Besichtigung ausgegangen war, hätte ich verdammt gern Betty angerufen, aber die einzige Telefonzelle in unserer Abteilung war immer besetzt, meist von stämmigen, schwerbepackten Frauen, die wohl Erfolgsmeldungen nach Hause durchgeben wollten. Außerdem fürchtete ich aber auch, mir das frische Wohlwollen von Strupp-Schönberg zu verscherzen, denn Telefonieren während der Arbeitszeit quittierte er mit noch vorwurfsvollerem Blick als einen Gang zur Toilette. Ich beschloß, mich bis zum Feierabend zu gedulden, um dann von Lone selbst zu erfah-

ren, wie alles gelaufen war – bei unserer ersten richtigen Verabredung übrigens, für die ich das Dachrestaurant unseres Kaufhauses vorgeschlagen hatte. Meine Einladung hatte sie übrigens nicht allzusehr überrascht, sie mußte sich nur kurz bedenken, bevor sie mit einem unergründlichen Lächeln zustimmte.
In der letzten Arbeitsstunde widmete ich dem Kundenverkehr nur gemäßigte Aufmerksamkeit, denn ich hatte einigermaßen zu tun, einen Plan für den Abend zu machen. Dabei dachte ich an Willi, meinen Arbeitskollegen; von ihm habe ich nämlich etwas gelernt, das man nicht ernst genug nehmen kann. Als ich mich einmal mit seiner Schwester Elsbeth verabredet hatte, fragte er mich, was wir denn zusammen machen wollten, und als ich darauf antwortete: Weiß ich nicht, mal sehn, da sah er mich ziemlich mitleidig an, nachsichtig und mitleidig, und mit seiner turmhohen Erfahrung erklärte er: Wenn du dich mit einem Mädchen triffst, mein Junge, darfst du nichts dem Zufall überlassen, du mußt dir etwas überlegt haben, mußt ihr Vorschläge machen können, klar? Ein Plan ist das, was sie erwarten. Komm ihnen bloß nicht mit der Frage: Und was machen wir nun? Da bist du gleich unten durch, mein Junge. Mädchen wollen erkennen, daß du dich auf die Begegnung mit ihnen vorbereitet hast, sie sind nun einmal so. Darum streng dich an und zeig ihnen, daß du Einfälle hast.
So machte ich also einen Plan, dachte mir ein Begrüßungsgetränk aus – Johannisbeersaft mit Sekt –, legte die Vorspeise fest – gebratener Tintenfisch mit Oliven – und entschied mich für ein Hauptgericht, das man in unserem Dachrestaurant bestellen konnte, ohne es zu bereuen: Wildgulasch mit Makkaroni. Nach dem Essen sah ich einen nicht zu ausschweifenden Atelierbesuch

bei einem gewissen Theo Kreutzer vor; er war kein umwerfender Maler, weiß Gott, aber er konnte Anekdoten erzählen wie kein anderer und hielt darauf, daß bei ihm der Brauch der »offenen Tür« galt. Für den Atelierbesuch setzte ich eine gute Stunde an, danach plante ich einen Besuch im Kellerlokal »Die Muschel«, mit dessen Wirt, Bernhard Sulzer, ich am selben Tag das Examen bestanden hatte. Bei ihm wurde man nicht von lungrigen Kellnern gestört, die alle zwei Minuten nach neuen Wünschen fragen, bei Bernhard konnte man sich stundenlang an einem Glas Bier festhalten, reden und gedämpftem Klavierspiel zuhören.
Während ich den Plan entwarf, beobachtete ich einige Kinder, die sich von ihren Müttern entfernt hatten und an den Regalen entlangstreiften. Ich ließ es ihnen durchgehen, daß sie Waren in die Hand nahmen, sie beklopften und untersuchten, auch wenn sie in eine Konservendose bissen oder ein Senfglas beleckten, schaltete ich mich nicht ein; ich achtete nur darauf, daß alles wieder an seinen Platz gelegt wurde. Du lieber Himmel, wie peinlich berührt manche Mütter sein konnten, wenn ihr Kleinkind triumphierend einen Tortenboden in Alufolie anschleppte, sie schimpften und warnten und rissen den Kleinen fast die Arme aus und bestanden darauf, daß der Übeltäter eigenhändig die vermeintliche Beute zurückbrachte; manche Mütter wissen wirklich nicht, daß Kleinkinder einen besonderen Eigentumsbegriff haben.
Kurz vor Feierabend kippte ich fast vom Stengel, denn plötzlich entdeckte ich Lone. Sie kam in einem Pulk von ausgepumpten jungen Frauen, die alle so aussahen, als hätten sie gerade einen Lauf über vierhundert Meter Hürden hinter sich, und wenn nicht gleich dies, so

veranschaulichten sie doch die wettkampfmäßigen Bedingungen, unter denen man bei uns die letzten Besorgungen machen muß. Lone aber machte keinen verhetzten Eindruck. Gemächlich scherte sie aus, stand einen Augenblick verträumt da und schien über sich selbst zu lächeln. Sie trug weder ihren Parka noch den Pullover mit dem Baumläufer als Aufnäher; sie hatte ein blauweiß gestreiftes Kleid an, zu dem sie eine Wildlederjacke trug und halbhohe blaue Schuhe; bekannt an ihr war mir nur ihre Tasche aus ledernen Herbstblättern. Sie sah wirklich verflucht gut aus, im Ernst, und ich konnte verstehen, daß man ihr mit den Blicken folgte; sogar unsere Mädchen, die im Endspurt lagen, wurden von ihrer Erscheinung abgelenkt und sahen immer wieder zu ihr hin. Um die Wahrheit zu sagen: ich war begeistert, als ich sie so unvermutet in unserer Abteilung entdeckte; aber die Begeisterung legte sich bald, denn nach einer Weile der Unschlüssigkeit schritt Lone auf die Selbstbedienungsregale zu. Ich hielt die Luft an. Noch war nicht erkennbar, was sie vorhatte; ohne eine Ware zu berühren, glitt sie an den Regalen entlang, auf der Suche nach etwas Bestimmtem. Falls sie sich heimlich bedienen wollte, das war klar, hätte ich sie hochgehen lassen müssen; ich ließ nur jeden Dritten laufen, und an diesem Tag wäre Lone Nummer zwei gewesen. Einfach hinzugucken kostete schon mehr Kraft, als ich aufbringen konnte, und mir wäre es bestimmt recht gewesen, wenn die elektronische Kamera ausgefallen wäre. Lone wußte zwar, daß ich im Kaufhaus arbeitete, doch sie wußte nicht, daß ich der jüngste Hausdetektiv war und jeden ihrer Schritte bewachte, und als ich mir vorstellte, welche Folgen es haben könnte, wenn sie etwas verschwinden ließe, versuchte ich tatsächlich, sie mit Hilfe von Gedankenübertragung zu beeinflussen. Es gibt Augenblicke, in denen ich nahe daran bin, durchzudrehen, und das war solch ein Augenblick. Ich beschwor sie in Gedanken, heute keiner Versuchung nachzugeben, und auf einmal ging sie rascher, strebte blicklos an der Backwarenabteilung vorbei, umrundete den Gemüsestand und trat vor die Spirituosenregale. Gewiß wollte sie von Anfang an dorthin, denn sie begann, die tausend Marken durchzumustern, Weine und Liköre und all die harten Sachen, unter denen sich kaum noch Kenner zurechtfinden. Jesus Christus, wie viele Räusche waren da in den Flaschen gefangengesetzt? Je ratloser Lone wurde, desto ruhiger wurde ich, denn daß sie nach einem Getränk für mich suchte, war mir gleich klar, ich dachte, daß sie ihren eigenen Plan gemacht hatte, einen Plan, der vorsah, daß wir nach allem noch zu ihr hinaufgingen, um einen letzten Schluck zu trinken und so weiter. Sekt hielt sie wohl für etwas, das mir nicht angemessen war, auch Türkenblut und Weißherbst mochte sie mir nicht zudenken, und die Liköre würdigte sie keines Blickes. Wie sie mich einschätzte, wurde mir klar, als sie sich für eine Flasche Doppelkorn entschied, der Nebelhorn hieß und so ziemlich das Stärkste war, das wir anzubieten hatten. Nebelhorn – großer Gott! Sie blieb bei ihrer Wahl, trug die Flasche gut sichtbar zur Kasse, und ich sage nicht zuviel, wenn ich behaupte, daß mir gleich mehrere Rohblöcke vom Herzen fielen. Vermutlich hatte Lone für die Kassiererin ein gutes Wort übrig, denn das üppige Mädchen mit der Spezialbrille lächelte ihr überrascht zu und schenkte ihr eine verstärkte Plastiktüte für die Flasche. Junge, war ich erleichtert!

Als endlich der verdammte Feierabend anbrach, fuhr

ich mit dem Warenaufzug in den obersten Stock und stieg von dort die Marmortreppe zu unserem Dachrestaurant hinauf, das über die Verkaufszeit hinaus geöffnet blieb. Obwohl ich fest damit gerechnet hatte, daß Lone schon da war, konnte ich sie nirgends in dem überfüllten Laden entdecken. Auf der Suche nach einem Platz – Reservierungen wurden nicht angenommen – schlenderte ich an den Tischen vorbei und mußte wahnsinnig aufpassen, daß ich nicht über die Pakete und Beutel und Einkaufstaschen fiel, die die Leute einfach abgesetzt hatten; manche hatten sogar Sperrgut gegen die Stühle gelehnt, Skistöcke und Bandsägen und was nicht sonst noch. Ich war so deprimiert, daß ich am liebsten umgekehrt wäre und Lone am Eingang abgefangen hätte, aber schließlich fand ich einen Tisch, an dem noch zwei Stühle frei waren. Auf den beiden anderen, blaß und in ihre Mahlzeit vertieft, saßen in ihren kleidsamen Uniformen zwei weibliche Angehörige der Heilsarmee. Sie aßen Currywurst. Vor ihren Tellern standen die beiden Sammelbüchsen, und zwischen ihnen, an die Tischkante gelehnt, ruhte sich eine Gitarre aus. Nachdem sie mir sehr freundlich erlaubt hatten, mich zu ihnen zu setzen, wünschte ich ihnen einen gesegneten Appetit; sie dankten mir mit warmem Lächeln und kauten weiter – mit einer Langsamkeit, die mich verblüffte. Nie im Leben habe ich Menschen so langsam kauen sehen, und auf ihre Würste blickend, die sich kaum verkürzten, begann ich mich zu fragen, wieviele Stunden ihre Mahlzeit noch dauern würde.

Die ältere der beiden Frauen nahm meinen Blick auf, und weil sie wohl glaubte, daß ich unschlüssig sei, empfahl sie mir die Currywurst, sie sei tadellos gewürzt und mache Appetit auf mehr, jedenfalls

schmecke sie sehr viel besser als alle Currywürste, die man unten in der Hafengegend bekäme. Ich hatte keine Lust, darauf einzugehen, ich hielt Ausschau nach Lone, und beim Hin- und Herrutschen auf dem Stuhl merkte ich, daß ich auf einer blöden Zeitschrift saß, die wohl ein vergeßlicher Kunde auf dem Stuhl liegengelassen hatte. Kaum hatte ich sie hervorgezogen, verdeckte ich auch schon das Titelblatt, auf dem tatsächlich sechs Mädchenpopos abgebildet waren, übrigens unglaublich verschiedenartige Popos, die wie von selbst die Überschrift beantworten sollten: Was uns an Mädchenpopos fesselt. Du lieber Himmel, mir war es peinlich, und ich blätterte wahllos weiter, fand die Kolumne des Hausarztes, in der sich ein hagerer bebrillter Mann unter der Schlagzeile: »Eine Krankheit kommt wieder« über die Gicht ausließ. Ich ließ mich darüber aufklären, daß die Krankheit vorzugsweise gute Esser und Trinker befällt, die sich wenig Bewegung verschaffen, lernte, daß, bevor die brennenden Schmerzen im ersten Gelenk der großen Zehe einsetzen, ein Gefühl der Abgespanntheit auftritt, daß man unruhig schläft und unter Beengung leidet und dergleichen. Da gab es keinen Zweifel mehr, daß die Gicht schon zu mir unterwegs war. Manchmal kommt es mir wirklich so vor, als wäre ich für jede Krankheit anfällig, über die Hausärzte sich ausbreiten.
Lone ließ auf sich warten. Es war mir unangenehm, daß ich die alte Kellnerin, die zweimal nach meinen Wünschen fragte, vertrösten mußte. Ohne sonderliches Interesse blätterte ich in der Zeitschrift und blieb an einer Photomontage über berühmte Wallfahrtskirchen hängen, und während ich die Bildunterschriften überflog, fragte die ältere Frau: Ist sie nicht wunderbar, diese dreischiffige Basilika? Ich sah sie wohl etwas zu

erstaunt an, denn die Frau entschuldigte sich gleich und meinte, es sei nur ein spontanes Bekenntnis gewesen. Um nicht allzu unhöflich zu erscheinen, gab ich ihr halbwegs recht, sagte aber auch, daß alte Wallfahrtskirchen mich noch nie vom Stuhl gerissen hätten, einfach wegen der unbeholfenen Architektur. Sie tauschte einen Blick mit ihrer Begleiterin, kaute eine Weile und fragte dann plötzlich: Aber ist es nicht gerade ihre unbeholfene Dürftigkeit, die uns soviel Vertrauen einflößt? Sie bringt doch nichts anderes zum Ausdruck als den Wunsch der Seele nach Verehrung. Ich blickte in ihr offenes, gütiges Gesicht; es erinnerte mich sehr an Bettys Freundin Hannah, die Botaniklehrerin war und nichts so sehr liebte wie das Unscheinbare. Sicher, sagte ich, wenn man es so sieht, ist Unbeholfenheit ein Ausdruck der Glaubwürdigkeit. Wir lächelten uns zu, und unser Lächeln besagte, daß wir unser kurzes Gespräch bei diesem Ergebnis belassen sollten.
Endlich erschien Lone, ich sprang auf und winkte ihr, und nachdem sie mich entdeckt hatte, schlängelte sie sich durch das Restaurant, ihre Plastiktüte mit beiden Händen in Brusthöhe haltend. Zu beschäftigt, um ihren Weg zwischen Stühlen und all dem Sperrgut zu finden, verriet ihr Gesicht nicht, wie die Verhandlung draußen bei uns abgegangen war; erst als sie vor mir stand und als erstes Wort: Danke, sagte, wußte ich, daß sie sich einig geworden waren. Lone grüßte freundlich unsere Tischnachbarn, fächelte sich mit schnellen Handbewegungen Luft zu und sagte, nachdem sie sich gesetzt hatte: Es hat geklappt, wir brauchten nicht einmal eine halbe Stunde, um alles zu besprechen; ich weiß nicht, wie ich Ihnen danken soll. Und, fragte ich, wofür haben Sie sich entschieden? Für die beiden

ehemaligen Klassenräume, sagte Lone, eine Verbindungstür gibt's ja schon, die hat wohl noch Ihr Bruder einsetzen lassen. Ich habe die Räume ausgemessen, an Quadratmetern haben wir sogar mehr als in der jetzigen Wohnung, und die Möbel gestellt habe ich auch schon, ich meine, in der Phantasie. Ich glaube, wir werden uns wohl fühlen da draußen. Ziemlich spät entdeckte sie das Pflaster über meiner rechten Augenbraue und fragte bekümmert: Was ist denn passiert? Ein Unfall? So ungefähr, sagte ich und fügte hinzu: Hab nur wieder mal vergessen, Abstand zu halten. Auf Abstand sollte man achten, sagte Lone. Das ist eben mein Fehler, sagte ich, was auch passiert – ich bin immer zu nahe dran.
Lone lächelte, sie hatte so eine Art, nach innen zu lächeln, aus Scheu oder Zaghaftigkeit, ich weiß es nicht, jedenfalls mochte ich es gern, wenn sie so versonnen dasaß und lächelte. Ich hatte ihr nichts mitgebracht. Sie aber fischte aus ihrer Tasche ein Bändchen mit Dagermans Erzählungen heraus, ein ziemlich zerlesenes Exemplar, wie ich sagen muß, das sie mir zögernd zuschob, ungewiß, ob ich mich noch an unser Gespräch über Reimund und Dagerman erinnerte und an den Vergleich, den sie gezogen hatte. Über dieses Mitbringsel freute ich mich nicht nur, ich nahm mir auch gleich vor, die Erzählungen so bald wie möglich zu lesen. Die ältere Heilsarmistin, die sich an Lone regelrecht festgesehen hatte, versuchte unbedingt mitzubekommen, welchen Titel das Buch hatte; um ihr das Entziffern zu erleichtern, hielt ich ihr das Büchlein einen Augenblick hin und kassierte dafür ein dankbares Nicken. Manche Leute haben das Wort Zurückhaltung noch nie gehört, wirklich.
Da sich die alte Kellnerin zum dritten Mal einen Weg

zu mir bahnte, flüsterte ich Lone rasch zu, was ich vorhatte, für uns zu bestellen, also Johannisbeersaft mit Sekt und dann gebratenen Tintenfisch als Vorspeise und als Hauptgericht Wildgulasch mit Makkaroni; ich war sicher, daß sie meinem Vorschlag zustimmen würde; ich erwähnte, daß mich die genannten Speisen in unserem Dachrestaurant noch nie enttäuscht hätten. Als dann aber die Kellnerin mit ihrem Bestellblock neben uns stand, bat Lone nur um ein Glas Tee und ein Käsebrötchen, mehr konnte sie angeblich nicht essen. Sie bestärkte mich in meiner Wahl, wollte nur für sich eben nichts andres als ein Glas Tee und ein Brötchen, und zu allem, was ich ihr sonst noch vorzuschlagen hatte, schüttelte sie nur sanft den Kopf. Weil sie mich dazu auch noch ansah, gab ich es auf, sie zu etwas anderem zu überreden; nun aber war mir klar, daß ich nicht bei meinem ursprünglichen Plan bleiben konnte, mich vielmehr der Bescheidenheit ihres Wunsches angleichen mußte, und in dem Gefühl, um eine Freude gebracht zu werden, bestellte ich ziemlich lustlos ein Bier und eine verdammte Currywurst. Darauf guckten mich die beiden Heilsarmisten so voller Begeisterung an, als hätten sie meine Seele gerettet.
Mein Gott, wenn Betty gehört hätte, welch ein Loblied Lone auf sie sang; vermutlich wäre sie sich zu schade für uns vorgekommen und hätte mit dem Gedanken gespielt, uns alle umzutauschen. Unwahrscheinlich entgegenkommend, so nannte Lone Betty; sie attestierte ihr außerdem Einfühlsamkeit und Witz und eine ansteckende Fröhlichkeit, und mit grüblerischem Ausdruck – wohl erwägend, ob es ihr zustand, dies zu sagen –, bekannte sie, daß sie am liebsten noch länger bei uns geblieben wäre, einfach um Betty zuzuhören, ihr nur zuzuhören. Betty hatte tatsächlich einen länger

wirkenden Eindruck hinterlassen, das überraschte mich nicht, doch ich wollte es mir auch nicht zunutze machen. Um Lones Lob ein bißchen abzuschwächen, sagte ich, daß meine Mutter bei allen Vorzügen leider zuviel rauche, in der Küche, zwischen den Mahlzeiten, sogar im Bad unentwegt rauche und die Kippen ziemlich großzügig im Haus verteile. Lone war das gar nicht aufgefallen. Sie schwärmte nur und freute sich besonders auch für Fritz, weil sie glaubte, daß es bei uns draußen für den Jungen viel zu entdecken geben müßte, auf dem Werkplatz, im Wäldchen, unten am Strom. Er wird aufblühen nach allem, meinte sie und wurde sehr ernst und war auch wohl bereit, mehr zu sagen, aber erst einmal schwieg sie, denn unsere Tischnachbarinnen standen auf und zupften und strichen ihre Uniformjacken glatt. Die ältere Heilsarmistin wies auf die leeren Teller und glaubte mir versichern zu müssen, daß ich mit der Currywurst eine gute Wahl getroffen hatte. Während die jüngere der beiden Frauen sich die Gitarre umhängte, zog Lone plötzlich ihr Portemonnaie aus dem Täschchen – es war bestimmt die zierlichste Geldbörse der Welt, in der nur ein paar Münzen drin waren und ein zusammengefalteter Zwanziger. Sie nahm zwei Markstücke heraus und fütterte damit die beiden Sammelbüchsen, schnell, als sollte niemand es bemerken. Da blieb mir nichts anderes übrig, als auch mein Portemonnaie herauszuziehen; leider fand ich keine Markstücke, nur Groschen, und die in den Schlitz zu werfen – ich meine, nach Lones großzügiger Spende –, glaubte ich mir nicht leisten zu können; also kniff ich einen gottverfluchten Zehner zusammen und steckte ihn in eine der Büchsen. Es kam mir übertrieben vor, aber ich tat es. Die Frauen dankten uns mit Handschlag, nahmen ihre Bons und gingen zur Kasse.

Die Gefahr, daß sich ein neues Paar an unseren Tisch setzte, bestand nicht mehr, denn mehr als die Hälfte aller Gäste – typische Schnellesser – hatte das Restaurant verlassen, und es waren genügend Tische frei. Ich machte noch einen Versuch, Lone zu einem herzhaften Getränk zu überreden, doch sie blieb bei Tee mit Zitrone. So sanft sie war, so scheu und zögerlich, sie war einfach nicht rumzukriegen und wußte bei allem, was ihr entsprach.
Nachdem die Kellnerin uns das Essen gebracht hatte, fragte ich Lone, ob sie etwa auch mit meinem Vater gesprochen hätte, als sie draußen bei uns war. Sie schüttelte den Kopf. Sie war nur einem Mann begegnet, der sie ziemlich mürrisch darauf aufmerksam gemacht hatte, daß sie genau unter dem Lastkran stand, an dem gerade ein Steinklotz hing. Der Mann fragte sie nicht nach ihrem Wunsch, forderte sie nicht auf, wegzugehen, er machte sie nur darauf aufmerksam, daß gerade ein Rohblock über ihr schwebte. Ob er ein Bein nachschleifen ließ, konnte sie nicht sagen, sie konnte sich nur daran erinnern, daß er ziemlich mißvergnügt und einsilbig war und sie nach seiner Warnung einfach stehenließ. Da bescheinigte ich ihr, daß sie den alten Griesgram persönlich kennengelernt hatte. Ehrlich gesagt, war ich froh, daß er Lone nicht nach dem Grund ihres Erscheinens gefragt hatte, denn wie ich schon erwähnt hatte, wußte man bei ihm nie, woran er sich noch erinnern wollte und woran nicht.
Ach, mein Alter, die meisten, die dir zum ersten Mal begegneten, konnten nicht nur, sie mußten einfach annehmen, daß du schon unzufrieden auf die Welt gekommen bist, mißmutig und gereizt. Du machtest keinen Hehl daraus, daß du an allem littest, was dich umgab, und wenn nicht gleich littest, so doch mit allem

zerworfen warst. Nichts, nichts durfte in deiner Gegenwart gelobt werden, und tat einer es doch mal, dann nahmst du ihn gleich grummelnd und knarzend an und schüchtertest ihn mit jenem gewissen Blick ein, der jedem die Lust nahm zu einem weiteren Wort. Aber ich – und nicht nur ich allein – kenne noch einen anderen Hans Bode, den zuversichtlichen Anfänger, der trotz seiner ewigen Übermüdung für gute Laune sorgte. Nie werde ich vergessen, wie du dich freuen konntest über die Arbeiten von Moore und Seitz, und welch ein Selbstvertrauen dich erfüllte, als du die ersten Aufträge bekamst; und mir wird ganz elend, wenn ich daran denke, welche Hoffnung du auf mich setztest als Begleiter oder Zeuge oder ich weiß nicht was. Du hattest mich an dich gezogen, du wolltest, daß ich dir zusah und zuhörte und dabei war, wenn etwas entstand, und für mich allein hattest du im kleinen Anbau hinterm Büro die Steinsammlung angelegt, so einen brockigen Kalender.

Meine Sammlung! Da war nichts fein und glasgeschützt und unberührbar; alles konnte man in die Hand nehmen, konnte das Gefüge bestimmen und mit den Quarzkörnern im Granit die Härteprobe auf Glas machen. Hier konnte man auch erfahren, warum der Sandstein rot ist und wie die Erzlager entstanden, und wer wollte, der konnte sich eins der Werkzeuge nehmen, die über dem dickplattigen Tisch hingen – den Finnhammer, das Zahneisen oder die Handsäge –, und mit seiner Hilfe den Stein bearbeiten. Weiß der Himmel, was alles du mit mir vorhattest und wovon du träumtest in den Jahren des Aufbruchs; ich weiß nur, daß du ein anderer warst damals.

Lone bedauerte tatsächlich, daß sie sich meinem Alten nicht vorgestellt hatte, als er sie unter dem Lastkran anfuhr, sie meinte, sie hätte die Chance nutzen müssen; ich tröstete sie damit, daß sie demnächst ja jede Menge Chancen haben würde, bestimmt schon am Tag des Einzugs. Vermutlich sagte ich das ein bißchen gequält und mit so einem blöden Unterton, denn sie hielt im Kauen inne und sah mich fragend an, gerade als schuldete ich ihr eine Erklärung. Sie war besorgt, sie war auf einmal auch unsicher, und um sie zu beruhigen, sagte ich nur, daß mein Vater mitunter sehr wortknapp sein konnte, wortknapp und eigensinnig, mehr sagte ich nicht über ihn, einfach weil ich fürchtete, Lone könnte noch im letzten Augenblick schwankend werden. Um ihr erstmal ihre Besorgnis zu nehmen, fiel mir nichts anderes ein, als sie mit meinem Plan für den weiteren Abend bekanntzumachen. Da sie, was vorauszusehen war, von dem Maler Theo Kreutzer noch nie gehört hatte, schlug ich ihr einen Atelierbesuch bei ihm vor, ich nannte ihn einen Freund, bescheinigte ihm nicht nur Talent, sondern auch eine große Zukunft, und verstieg mich zu der Behauptung, in Theos Bildern werde der Beweis dafür geliefert, daß wir alle in verschiedenen Wirklichkeiten lebten. Ich wußte, daß alles übertrieben, wenn nicht gar geschwindelt war, doch so ging es mir manchmal: wenn ich etwas erreichen wollte, ohne daß es einem anderen schadete, dann tischte ich mächtig auf. Lone biß kleine Happen von ihrem Käsebrötchen ab und sagte nichts zu meinem Vorschlag, und sie schwieg auch, als ich ihr vom Kellerlokal »Die Muschel« vorschwärmte, in das ich sie nach dem Atelierbesuch mitnehmen wollte. Weder der einmalige Jazzpianist, den ich in höchsten Tönen rühmte, noch das sagenhaft gute Bier, das ich ihr versprach, schienen Eindruck auf sie zu machen. Langsam entstand ein bekümmertes Lächeln auf ihrem Ge-

sicht, und da merkte ich schon, daß alles, was ich mir ausgedacht hatte, für die Katz war. Sie hörte sich zwar alle Vorschläge an, nickte einmal sogar anerkennend, aber zustimmen, das konnte sie nicht. Sie schüttelte den Kopf und war wirklich betrübt, als sie mir beibrachte, daß sie noch einen Arbeitsbesuch erwarte – sie gebrauchte tatsächlich das Wort Arbeitsbesuch –, bei dem sich allerhand für sie entscheiden könnte. Ich muß zugeben, daß sich meine Laune nicht gerade hob, denn ich glaubte zunächst, daß Lone nur sagte, was die meisten Leute sagen, wenn sie einen sitzenlassen, nämlich daß sie irgendwo hinmüssen, wo gleich eine lebenswichtige Entscheidung fällt.
Vermutlich hat sie mir meine Enttäuschung angesehen; man sieht mir ja so ziemlich alles an, was in mir vorgeht, zumindest in den ersten Augenblicken. Sie legte das Brötchen auf den Teller. Sie berührte meinen Arm. Und dann bat sie mich mit leiser Stimme, Verständnis zu haben für ihre Lage; sie müsse einfach die Verabredung einhalten. Auf den Teller hinabsprechend, sagte sie, daß sie eine Probeübersetzung zurückerwarte, drei Romankapitel, die ein Fachmann geprüft und korrigiert habe aus reiner Gefälligkeit. Ich sah ein, daß dieser Arbeitsbesuch wichtig für sie war, und ich sagte es ihr auch, allerdings muß ich es ziemlich säuerlich gesagt haben, denn Lone wandte mir ihr Gesicht zu und sah mich bittend an und sagte nach einer Weile, daß es da noch einen anderen Grund gäbe, warum sie meinen Vorschlag nicht annehmen könnte. Ich hielt die Luft an, um die Wahrheit zu sagen. Gern hätte ich die alte Kellnerin herangewinkt, um zuerst einmal einen doppelten Korn zu bestellen, aber Kellner lassen sich ja nie blicken, wenn man sie wirklich braucht. Während Lone nach einem Anfang suchte,

machte ich mich auf alles mögliche gefaßt, aber was ich befürchtete, es traf nicht zu. Lone hatte nur etwas versprochen, sie hatte dem Jungen, hatte Fritz versprochen, ihm immer zu sagen, wohin sie ging und wo er sie finden könnte zur Not. Nur wenn er wußte, wo Lone gerade steckte, hielt er es allein in der Wohnung aus. Er verläßt sich auf mich, sagte sie, er weiß, daß ich mein Versprechen halte. Ich fragte sie, ob der Junge auch wußte, wo sie jetzt sei, und sie sagte: Ja, oh ja, und wie um sich zu entschuldigen, fügte sie hinzu: Aber er wird nicht kommen, um das zu überprüfen; das hat er noch nie gemacht.
Es gelang mir, Lone zu einem zweiten Glas Tee zu überreden, und für mich bestellte ich Bier und Korn. Sie klagte leise über ein Ziehen in den Schläfen und strich von Zeit zu Zeit mit zwei Fingern über die Stirn und schloß dabei die Augen. Und auf einmal fragte sie, ob ich mich nicht schon darüber gewundert hätte, daß der Junge bei ihr lebte, und ich sagte: Sicher, das tut man doch wie von selbst, oder? Darauf schwieg sie ziemlich lange; offenbar beriet sie sich mit sich selbst – manche Mädchen können sich ausdauernd mit sich selbst beraten, ehe sie einem eine Antwort geben. Aber endlich sagte sie: Ja, so ist es, und sprach dann stockend weiter, nicht so, als ob sie mir wer weiß was anvertraute, sondern als hätte ich nun, da sie bald bei uns wohnen würde, ein Recht darauf, unterrichtet zu werden. Es warf mich ganz schön um, als ich erfuhr, daß Fritz das Kind von Lones Schwester war – Margit hatte sie geheißen, sie war Informatikerin bei einer Elektrofirma gewesen –, die nach einer Betriebsfeier auf der Heimfahrt von einem Kieslaster überrollt wurde. Überrollt hört sich vielleicht zu harmlos an; in Wahrheit war das kleine, leichte Auto von dem Kieslaster

plattgedrückt und, weil der betrunkene Fahrer verzögert reagierte, eine ganze Strecke mitgeschleift worden. Margit und ihr Mann, der als Psychologe in der Personalabteilung dieser Elektrofirma arbeitete, waren sofort tot. Seltsam, aber etwas ähnliches hatte ich mir vorgestellt und es auch meinen Leuten gesagt, als sie mich nach Lones familiären Verhältnissen gefragt hatten; einer kann glauben, was er will, aber allzu viel Einfälle hat das Leben nun mal nicht; wenn man's genau nimmt, strickt es immer nach den gleichen gottverfluchten Mustern, wirklich. Jedenfalls, nach dem plötzlichen Tod seiner Eltern hatte Lone den Jungen zu sich genommen. Zuerst hatte sie gedacht, daß sie nur das Kind ihrer Schwester zu sich nahm, aber nach und nach mußte sie erfahren, daß es eine Riesenaufgabe war, die sie da übernommen hatte.
Weil ich spürte, daß sie nicht mehr sagen wollte als dies, fragte ich auch nicht weiter nach. Ich dachte an das staksige, schnaufende Bürschchen, erinnerte mich, wie er mit einem Stock das Ehrenmal der Handelsmarine bearbeitete und sich von Lone füttern ließ, ich hörte auch noch seine wimmernde Stimme, als er »nicht schlagen« sagte – bitte, nicht schlagen. An der Art, wie er es damals sagte, war mir schon aufgefallen, daß er einiges hinter sich hatte. Insistierend, wie ich es leider manchmal sein kann, schlug ich Lone vor, nun aber einen Korn mit mir zu trinken, doch sie lehnte wieder ab, winkte indes die alte Kellnerin an unseren Tisch heran. Um die tröstliche Schwere zu erhalten und der alten Frau einen Weg zu ersparen, bestellte ich gleich einen doppelten. Sie können wohl viel vertragen, sagte Lone lächelnd. Wer mich kennt, behauptet das jedenfalls, sagte ich und ärgerte mich sogleich über die wichtigtuerische Antwort, die ich unbewußt irgendwo

aufgeschnappt hatte. Lone war das gewiß gar nicht aufgestoßen, doch selbst wenn es der Fall gewesen wäre, hätte sie mir gewiß im selben Moment verziehen, denn worüber ich mir bei Lone rasch im klaren war, war dies: daß sie eine Menge verzeihen konnte. Ich witterte das einfach.

Je mehr ich trank, desto fühlbarer legte sich meine Enttäuschung; es genügte mir, mit Lone in unserem Dachrestaurant zu sitzen; an Theo Kreutzers Atelier und an das Kellerlokal »Die Muschel« dachte ich überhaupt nicht mehr. Ich kann einfach nicht sagen, was Lone an sich hatte – einfach neben ihr zu sitzen, steigerte schon die Freude und weckte eine wohlige Unruhe, im Ernst. Warum ich mir mehrmals vorstellte, daß wir beide im Sommer an der Ostsee wären und ich ihren Körper mit Sand bedeckte, kann ich mir nicht erklären, aber ich tat es. Ich erzählte ihr von unserem Leben draußen vor der Stadt und erwähnte gerade die Sonnenuntergänge an der Elbe, die sie von ihrem Zimmer aus würde beobachten können, als eine Mädchenstimme laut rief: Ente, guck mal! Da sitzt doch Ente! Ich wußte sofort, wer hier gemeint war, denn ich hatte längst spitz bekommen, daß die Mädchen in der Lebensmittelabteilung mich Ente nannten, offenbar wegen meines Watschelgangs, den die langbeinige Doris so umwerfend nachmachen konnte. Und sie war es auch, Doris, die neben einem modisch gekleideten, mehr als zweifelhaft aussehenden Typ im Haupteingang des Restaurants stand und mit ausgestreckter Hand auf mich zeigte. Ehrlich gesagt, ich nahm es Doris übel, nicht, daß sie meinen Spitznamen gerufen hatte, aber daß sie mit der Hand auf mich zeigte. Der Typ, der wahnsinnig gelangweilt wirkte, blickte nur müde über uns hinweg, schüttelte seine Kunstlocken –

er hatte eine solche Menge davon, daß mindestens drei Mäusefamilien darin Unterschlupf gefunden hätten – und steuerte den entferntesten Ecktisch an. Daß Doris mir, bevor sie ihm folgte, anspielungsreich zuzwinkerte, hielt ich für ganz und gar überflüssig, und meine Stimmung stieg nicht gerade bei dem Gedanken, daß sie uns von ihrem Ecktisch aus im Blickfeld hatte.
Was Diskretion heißt, Doris hätte es von Lone lernen können, die nicht ein einziges Mal fragte, ob das Freunde oder Bekannte von mir wären, und die auch so tat, als hätte sie das wirklich happige Angriffszeichen übersehen, das Doris mir noch im Abdrehen gab. Ich war derart deprimiert, daß ich mir noch einmal einen Doppelten bestellte. Nach langem Schweigen sagte ich: Vor Bekannten ist man wohl nirgendwo sicher, man kann sein, wo man will. Und um das zu belegen, erzählte ich, wie mein Kollege Willi einmal mit einem Postschiff die norwegischen Fjorde abklapperte und im nördlichsten Hafen, wo es eigentlich nur Möwen gab, den Spitzbuben wiedertraf, dem er vor Jahren seinen Trainingsanzug geborgt und nie von ihm zurückbekommen hatte. Lone schmunzelte und sagte: Das bleibt wohl nicht aus; wenn man viele Kollegen hat, trifft man sich schon wieder. Ich wollte darauf antworten, aber plötzlich legte sich so ein verdammter Metallring um meinen Kopf, und für einen Augenblick hatte ich das Gefühl, daß sich die Tische in der Nachbarschaft hoben und senkten wie in leichter Dünung. Herr im Himmel, ich hatte ganz schön geladen, was mir auch mein Magen bestätigte, der anscheinend mit einem Lift nach oben wollte. Ist Ihnen nicht gut? fragte Lone. Es geht schon wieder, behauptete ich und lenkte ihren Blick auf den Ecktisch und flüsterte: Eine Verkäuferin, aus meiner Abteilung. Sind Sie bei den Spielwaren?

Lebensmittel, sagte ich, bei den ehrlichen Lebensmitteln. Warum ich das nun wieder sagte, begriff ich selber nicht, aber damals hatte ich den Eindruck, daß ein anderer aus mir redete; ich überlegte zwar alles, aber ein anderer redete. In gewisser Weise ist mir die ganze Lebensmittelabteilung anvertraut, hörte ich mich sagen. Darf ich raten? fragte Lone. Was raten? Welche Waren Sie verkaufen? Mit unseren Waren, sagte ich, komme ich gar nicht in Berührung; ich achte nur darauf, daß sie keine Beine bekommen. Keine Beine? fragte Lone. Daß sie nicht heimlich verschwinden, sagte ich. Sind Sie vielleicht Hausdetektiv? So ist es, sagte ich, der jüngste Hausdetektiv in diesem ganzen Laden.
Der Korn und die Currywurst mußten wirklich etwas gegeneinander haben, denn in meinem Magen war so viel los, daß mir der Schweiß ausbrach. Junge, war mir schlecht. Ich bekam kaum noch mit, was Lone murmelte, doch ihre Frage, wie man Hausdetektiv wird, verstand ich, und ich antwortete so deutlich wie möglich: Zuerst macht man sein Junglehrerexamen, nicht wahr, danach erholt man sich eine Zeit, und wenn man wieder bei Kräften ist, macht man einen Kurs in Psychologie und danach einen in Warenkunde und so weiter, und wenn man alle Kurse überlebt hat, wird man Hausdetektiv. Ich ahnte, daß Lone gleich sagen würde: Ein aufregender Beruf, und sie sagte es auch tatsächlich. Leider konnte ich das nicht bestätigen, weil ich wie verrückt zu schlottern anfing. Wenn ich richtig betrunken bin – ich war es zweimal in meinem Leben –, fange ich zu schlottern an, daß einem angst und bange werden kann, ein Veitstänzer wirkt dagegen totenstarr. Kein Wunder, daß Lone mich nicht nur ratlos, sondern auch furchtsam ansah und auf keinen

anderen Gedanken kam, als mir ihr Taschentuch zuzustecken, mit dem ich mir den Schweiß von Stirn und Nacken wischte. Am liebsten hätte ich mir ein Glas Milch bestellt, Milch half mir immer, aber ich schämte mich, es jetzt vor Lone zu tun; außerdem klapperten meine Zähne so fürchterlich, daß ich Angst hatte, das Glas zu zerbeißen. Ich entschuldigte mich bei Lone an die sieben Mal und äußerte den Verdacht, daß mich eine Virusinfektion erwischt haben könnte; da sie mich ungläubig musterte, versicherte ich ihr, daß Viren schon immer ein leichtes Spiel mit mir hatten und, anders als bei anderen, blitzartig auf mich wirkten. Dann stand ich auf und mußte mich gleich am Tisch festhalten, denn der ganze Laden schlingerte wie bei Windstärke zwölf. Mich selbst ermahnend, schätzte ich den Weg zur Toilette ab, rechnete mir, um die Wahrheit zu sagen, die Schritte aus, die ich würde nehmen müssen, und nach einer formellen Geste, mit der ich Lone um Verzeihung bat, segelte ich los und kam tatsächlich an die richtige Tür.
Jesus Christus, war das eine Wohltat, als ich den Kopf unter den kalten Wasserstrahl hielt; das Wasser floß mir über Nacken und Hals, mein Hemd wurde naß, die Jacke wurde naß – es machte mir kaum etwas aus. Ich will nicht zuviel sagen, aber kaltes, fließendes Wasser ist das Beste, das man sich in gewissen Augenblicken verordnen kann. Das Schlottern hörte auf. Meine Zähne klapperten nicht mehr. Mit einer ganzen Lage von Papiertüchern versuchte ich, mein Haar trockenzurubbeln und überlegte dabei krampfhaft, wozu ich Lone für den Rest der Zeit, die sie noch hatte, animieren könnte. Ich spürte, daß etwas danebengegangen war; um es genau zu sagen: ich kam mir ziemlich belämmert und elend vor und wußte einfach nicht, was

ich Lone noch sagen sollte. Auf einmal, ich prüfte gerade mein Gesicht im Spiegel, tauchte ein andres Gesicht hinter mir auf, das ich nun am allerwenigsten erwartet hatte; es war der zweifelhaft aussehende Typ, den Doris angeschleppt hatte. Als ob es mich überhaupt nicht gäbe, sah er ruhig über mich hinweg und begann seine Kunstlocken nachzukämmen, zu ringeln, fein zurechtzulegen. Mit wieviel Ausdauer sich dieser Halunke begutachten konnte – einfach jämmerlich. Nach dem Kämmen führte er so eine Art Lippengymnastik vor, Spitzmund, Pfiffmund, breiter Grinsmund, das gab mir fast den Rest, und ich sagte: Noch schöner wirst du nicht. Er überhörte meine Worte, er tat so, als gäbe es mich gar nicht, nur zum Schluß, beim Rausgehen, sagte er über die Schulter: Jetzt kannst du weiterbaden, du Breitarsch. Komisch, aber es gibt viele Leute, die andere übersehen oder ihnen beibringen, daß sie das Letzte sind.
Von plötzlicher Sorge beherrscht, daß Lone fortgegangen sein könnte, stürmte ich ins Restaurant zurück. Lone war noch da. Sie guckte mich nicht entgeistert an oder gar mißbilligend, sondern nur mit schmerzlichem Lächeln. Zaghaft deutete sie auf eine Tablette, die sie neben ihr Teeglas gelegt hatte, eine Kopfschmerztablette. Nachdem ich die Tablette mit dem Rest des Tees genommen hatte, versprach sie mir baldige Besserung. Daß einige Gäste wie hypnotisiert zu uns herüberglotzten, machte ihr nichts aus, sie war wirklich überwältigend, und weil sie wohl merkte, daß meine Bewegungen reichlich groß gerieten und daß die Tischplatte meinen Kopf anzuziehen begann, übernahm sie es, aus meinem Portemonnaie die Rechnung zu bezahlen. Als wir gingen, durfte ich mich auf sie stützen. Rascher als Lone konnte niemand ein Taxi auftreiben,

ein Wink von ihr, und es war da, aber der Taxifahrer wollte mich zuerst nicht in seinen verfluchten Wagen einsteigen lassen, er berief sich darauf, daß es keine Beförderungspflicht für Betrunkene gibt und so weiter – in Wahrheit hatte er Angst, daß ich mich auf seine Polstersitze übergeben könnte –, aber Lone gelang es schließlich, ihn zu überreden. Sie war es auch, die ihm das Ziel nannte, und dann winkte sie mir nur noch vom Bordsteig bekümmert zu, wie in Zeitlupe.
Nie im Leben habe ich mich so jämmerlich gefühlt wie nach der ersten Verabredung mit Lone, während der ganzen Fahrt herrschte zwischen mir und dem Fahrer eisiges Schweigen, und als wir am Strom entlangfuhren, merkte ich, daß es immer noch ganz schön von mir tropfte und näßte. Da stellte ich mir wirklich vor, daß ich eine Lungenentzündung bekommen und dran sterben würde und daß meine Leute sich nicht darüber einigen könnten, was auf meinem Grabstein stehen sollte.

7

Warum ich Nikolas unbedingt begleiten sollte, verstand ich zuerst nicht; so oft wir einander begegneten, redete er davon, wie froh er wäre, wenn ich mitkäme und welchen Gefallen ich ihm täte, wenn ich ihm die paar Stunden opferte. Später bin ich darauf gekommen, daß er seine eigenen Befürchtungen hatte und es einfach für ratsam hielt, meinem Alten nicht allein sagen zu müssen, was sie über den Zerfall des Steins herausgefunden hatten – dort in der Nebenstelle des Geologischen Instituts, wohin er die abgeplatzten und abgesandeten Bruchstücke und das abgebrochene marmorne Rosenblatt gebracht hatte. Von sich aus hätte mein Alter den Bruch bestimmt nicht zur Untersuchung gegeben, doch Nikolas hatte es ihm so oft und so hartnäckig vorgeschlagen, daß er schließlich sagte: Na, meinetwegen, dann mach mal – insgeheim davon überzeugt, daß nichts dabei herauskäme außer wissenschaftlichem Brimborium und so weiter.

Um Nikolas auch mal einen Gefallen zu tun, begleitete ich ihn also, das heißt, in Wahrheit begleitete ich ihn, weil er mir verdammt leid tat, unser uralter Geselle. Wir wanderten zur Endhaltestelle des Busses hinauf, von Hund begleitet, der, als das Gekeife aus den Reihenhäusern zu uns drang, mehrmals warnend hinüberbellte und sich dann, noch ehe der Bus kam, auf seinen Warteplatz unter den Busch legte. Es spricht für ihn, daß er noch nie versucht hatte, hinter dem Bus herzurennen. Fast wären wir nicht gefahren, denn weil wir statt durch die Vordertür durch die Mitteltür einstiegen, schickte dieser stiernackige Busfahrer uns tatsächlich noch einmal hinaus. Kerle wie der können einem tatsächlich Magenkrämpfe verursachen; jedes bißchen Macht, das man ihnen verleiht, nutzen sie aus, um Leute herumzukommandieren. Ich war so gereizt, daß ich Nikolas vorschlug, den nächsten Bus zu nehmen, doch er mit seiner antrainierten Ergebenheit winkte ab und zog mich zur Vordertür. Als wir schließlich vorne einstiegen, sagte dieser verfluchte Busfahrer wirklich mit zufriedenem Lächeln: Na bitte. Es war zum Platzen. Im allgemeinen bin ich nicht allzu reizbar, aber bei Typen, die ihre Macht ausnutzen, kann ich regelrecht hochgehen. Nikolas beruhigte mich, indem er meine Schulter tätschelte und mich auf riesige Schwärme von Wildgänsen aufmerksam machte, die in Einserformationen elbabwärts flogen.

Selten ist mir Nikolas so redselig vorgekommen wie damals im Bus, er hörte überhaupt nicht auf. Er erklärte mir den Stil des dänischen Architekten Hansen, der sich mit etlichen sahnefarbenen Villen verewigt hatte; er erzählte von Erlebnissen auf großen Hafenrundfahrten und zeigte mir die weißlackierte schwimmende Kneipe, in der er mit meinem Alten vor wer weiß wie vielen Jahren ein Wiedersehen gefeiert hatte. Ich denke, er mußte einfach soviel reden, um die Spannung ertragen zu können. Als wir aber am mächtigen, viertürigen Depot der Berufsfeuerwehr vorbeifuhren, da schwieg er plötzlich und verdrehte sich fast den Hals, weil er von einer kniehohen, sockelartigen

Erhebung nicht losfand. Auch ich kam von dem dunklen Sockel nicht los, denn auf ihm hatte einmal der »Fackeltöter« gestanden, die, wenn man von seinem »Wächter« absieht, sprechendste Figur, die der Bildhauer Hans Bode in öffentlichem Auftrag geschaffen hatte. Ich war ziemlich begeistert, als ich den »Fackeltöter« zum ersten Mal sah. Wie der »Wächter« war er aus kristallinem Kalkstein genommen, keine einschüchternde, monumentale Gestalt, sondern ein eher kleinwüchsiger und flachbrüstiger Zeitgenosse, ein unscheinbarer Held. Er stand leicht gebückt und stieß mit einer Hand die Fackel in ein paar kleine stilisierte Wellen, mit der andern schützte er sein Gesicht vor der Glut oder vor den Teufelsschwaden, die gleich aufsteigen würden. Seltsam, daß ich es jedesmal zischen hörte, wenn ich den »Fackeltöter« ansah. Auf seinem ausgezehrten Gesicht lag der Ausdruck einer bestimmten Freude, es war die Freude über einen geglückten Einsatz, der wie jeder andere damit endete, das letzte Flammennest zum Erlöschen zu bringen mit Hilfe des wirkungsvollsten Feindes.

Großer Gott, wie sie sich erregten und lästerten, als der »Fackeltöter« enthüllt wurde! Einigen erschloß sich angeblich der sogenannte Sinngehalt nicht, anderen kam die Figur zu bedröppelt vor; ein Strolch von Leserbriefschreiber meinte, der »Fackeltöter« erinnere ihn an einen verwirrten Prometheus für Minderbemittelte, und ein Stellvertreter des Einsatzleiters der Berufsfeuerwehr taufte das Kunstwerk glatt »Brandmeister Fiete«. Mein Alter ließ sich darauf ein, in einer halböffentlichen Diskussion, die im Feuerwehrdepot stattfand, sein Werk zu erläutern, einfach weil er damals noch glaubte, Kunst und dergleichen müsse nun mal ausgelegt und vermittelt werden. Kunstinterpretation – wenn ich das schön höre! Es nützte nichts. Man bewies ihm nur, daß am Ende jeder seine eigene Meinung von Kunst haben wollte, und nicht nur dies: offenbar reizte der »Fackeltöter« einige Leute so, daß sie sich regelrecht an ihm vergingen. Sie setzten ihm einen Feuerwehrhelm mit steifem Nackenleder auf, banden ihm eine Gasmaske vor oder schnallten ihm den extrabreiten Feuerwehrgurt um, an dem mindestens dreißig Karabinerhaken baumelten; mein Alter nahm es nur deprimiert hin. Die Grenze seiner Duldsamkeit aber war erreicht, als irgend jemand – er vermutete Feuerwehrleute – den »Fackeltöter« einschwärzte, mit matter Farbe einschwärzte, so daß er aussah, als hätte er sich glücklich aus Rauch und Ruß gerettet. Mein Alter war darauf kurz vor dem Explodieren, aber immer, wenn er soweit ist, bemächtigt sich seiner eine unheilvolle Ruhe, und von dieser Ruhe erfüllt, fuhr er mit einem Kleinlaster bei Dunkelheit zum Feuerwehrdepot, trennte seinen »Fackeltöter« vom Sockel und transportierte ihn ab. Einen anderen hätte es vielleicht zusätzlich geschmerzt, daß kaum Nachforschungen angestellt wurden nach dem Verbleib der Figur; ihn nicht. Er war fertig mit allem; er warf das Handtuch und gab auf. Betty versuchte oft, ihm die frühe Resignation auszureden, doch es gelang ihr nicht, ihn umzustimmen; er blieb bei seinem Entschluß. Etwas war durchgebrannt bei ihm, etwas, das ich mir anfangs unbedingt erklären wollte, doch je länger ich darüber nachdachte, desto überflüssiger kamen mir Erklärungen vor; ich habe überhaupt wenig Lust, mir gewisse Ereignisse zu erkären.

Als wir den Bus mit dem machtbesessenen Fahrer verließen, wollte Nikolas von mir wissen, wieviel Geld

ich bei mir hätte. Jetzt, jetzt erst kam er darauf, daß die Untersuchung der Bruchstücke etwas kosten könnte. Wir klemmten uns also in einen Hauseingang und zählten durch, was wir bei uns hatten – unter den argwöhnischen Blicken von Passanten, die uns wer weiß was zutrauten. Man braucht auf der Straße nur mal sein Geld nachzuzählen – übrigens wissen die wenigsten Menschen genau, wieviel sie bei sich haben –, und schon gerät man in Verdacht, wirklich. Mit den gut achtzig Mark jedenfalls, die wir, wenn es sein mußte, zusammenlegen würden, hofften wir, das Gutachten bezahlen zu können.
Dann trotteten wir los zu der Nebenstelle des Geologischen Instituts, das Nikolas nicht von sich aus aufgesucht hatte, sondern auf den Rat eines Denkmalpflegers, den er schon lange kannte. Es war ein ziemlich anspruchsloser Neubau, in dem die Nebenstelle untergebracht war, der Pförtnerkäfig war unbesetzt, kein einziges Hinweisschild sagte einem, wo wer zu finden war; auf dem kilometerlangen Korridor, zwischen nackten Wänden, kam man sich wirklich verloren vor. Nikolas wußte aber noch, an welche Tür wir klopfen mußten, es war die vorletzte. Doktor Blöcker, Steinpathologe, begrüßte uns sachlich und bot uns die beiden Besucherstühle an. Man mag es glauben oder nicht, doch er sah genau so aus, wie ich mir einen Steinpathologen vorgestellt hatte: grauer Anzug, randlose Brille, asketisches Gesicht und ein gepflegter Bart, in dem sich mindestens drei Farben stritten. Seine Stimme war wohlklingend, sein Gedächtnis eindrucksvoll, denn nach einem vergewissernden Blick auf Nikolas sagte er: Die Sache Bode, nicht wahr? Damit trat er auch schon an ein Eckregal heran, suchte kurz unter Tüten und Schälchen und Plastikbeuteln, fand unsere eingeliefer-

ten Proben und legte sie auf seinen Schreibtisch. Während er das zusammengerollte Gutachten herausnestelte, sah ich mir die beiden Fotos an, sie waren billig gerahmt und stellten den einzigen Wandschmuck dar. Auf dem einen Foto war die »Rote Anna« auf der Insel Helgoland abgebildet, dieser von Witterung und Zeit begnabbelte Felsen aus Buntsandstein; das andere zeigte den sogenannten Teufelstisch im Dahner Felsenland, ein Meisterstück des Steinfraßes, bei dessen Anblick man sich darüber wundern mußte, daß der verwitterte Felsstempel den tischartigen Riesenbrocken immer noch trug.
Der Steinpathologe überflog das Gutachten und nickte für sich, er war nicht die Bohne beteiligt oder bekümmert, er war zweifellos der sachlichste Mensch, der mir im Leben begegnet ist. Immer nur zu Nikolas, nie zu mir sprechend, versicherte er zunächst, daß die Untersuchung nichts Überraschendes erbracht habe – für ihn war es tatsächlich nichts Überraschendes.
Fortgeschrittene Steinzersetzung: die bot er uns als allgemeinen Befund für den Anfang an. Dann schüttete er den Inhalt unserer Plastiktüte auf eine Glasplatte, nahm das abgeplatzte marmorne Rosenblatt in die Hand, drehte es ein bißchen und sagte dann ohne jede Spur von Erregtheit: Die Zersetzung ist biologischer Art, soviel scheint sicher. Nikolas, besorgt und auf Gewißheit aus, fragte da, ob der Stein demnach krank sei, hoffnungslos krank, worauf Doktor Blöcker ihm freistellte, Zerfall als Krankheit anzusehen; er selbst wollte sich nicht festlegen. Diese Typen wollen sich ja nie festlegen, um mal die Wahrheit zu sagen; die reden so, als könnte jedes eindeutige Wort zu einer Schadenersatzklage führen oder zu einer Selbstmordepidemie. Immerhin fand Nikolas seine Vermutung halbwegs

bestätigt: der Stein war sozusagen krank. Ich weiß nicht, warum, aber dieser Steinpathologe in seinem kargen Büro reizte mich auf einmal, ich meine, seine verflucht sachliche Art ging mir auf die Nerven, und da Nikolas schwieg und wohl gerade überlegte, was er meinem Alten beibringen würde, erkundigte ich mich nach den Ursachen der Zersetzung, genauer: ich fragte ihn, ob der Stein vielleicht besondere Feinde habe, so wie die Blattlaus zum Beispiel oder die Feldmaus. Selbstverständlich , sagte er, und wiederholte gleich: Selbstverständlich. Solche Leute haben es sich angewöhnt, vieles zweimal zu sagen. Er legte das marmorne Rosenblatt auf den Tisch, nahm ein paar Brocken auf, die von dem Marine-Ehrenmal stammten, und fing an, mehr zu sich selbst als zu uns zu sprechen. An diesen Sandsteinbrocken, so murmelte er, könne man klar die zersetzende Arbeit der Krustenflechte erkennen, eines interessanten Doppelwesens, teils Pilz, teils Alge, das sich von einem Luftstaub ernährt, der in unseren Augen schadhaltig ist. Sie selbst, diese kaum sichtbaren Krustenflechten, so fuhr er fort, produzieren ätzende Säuren, Salpetersäure, Zitronensäure; die dringen in das Gestein ein und zersetzen es. Unvorstellbar ist die Geschwindigkeit ihrer Vermehrung: innerhalb eines halben Jahres wachsen sie um das Hundertfache. Der Steinpathologe kratzte an einem Scheibchen mit dem Fingernagel und meinte: Unter dem Mikroskop, bei zwanzigtausendfacher Vergrößerung, wird deutlich, daß neben der Krustenflechte auch andere Mikroorganismen an der Zersetzung des Steins beteiligt sind, Bakterien zum Beispiel und eine Pilzart, die verwandt ist mit den Schimmelpilzen, die sich auf alter Marmelade entwickeln. So sicher, als hätte er sie selbst gezählt, behauptete er, daß in einem Gramm Naturstein

hunderttausend Pilze zu finden sind. Das warf mich um, im Ernst. Ich versuchte, mir das Gedränge in einem Gramm Naturstein vorzustellen, und fragte mich unwillkürlich, wie viele dieser nimmersatten Mikrowesen gleichzeitig an einem mannshohen Denkmal knabbern mochten, etliche Billionen bestimmt.
Nikolas, den offenbar eine andere Sorge erfüllte, erkundigte sich, ob es schon Mittel gäbe gegen Steinfraß, und Doktor Blöcker bedauerte – trotz emsigen Forschens sei es noch nicht gelungen, die überall zu beobachtende Zersetzung des Steins aufzuhalten; noch erwiesen sich die Mikroorganismen als zu widerstandsfähig. Aber der Granit, sagte Nikolas, der Granit ist doch sicher vor ihnen. Der Granit ist ebenso befallen wie der Sandstein, sagte der Steinpathologe und fügte hinzu: Das gesamte Naturgestein ist gefährdet, und das heißt konkret alle dreihundertvier Hamburger Baudenkmäler. Nikolas wollte nichts mehr wissen, er stand auf, faßte mich am Ärmel, um mich fortzuziehen, ihm konnte es offenbar nicht schnell genug gehen, nach Hause zu kommen; aber ich war noch nicht so weit. Ich fragte den Steinpathologen, wem wir denn das alles zu verdanken hätten, die Zersetzung der Steine und dergleichen, ich fragte sogar, wem er, mit all seinen Kenntnissen, die Schuld geben würde, und da zuckte er zum ersten Mal die Achseln und zeigte uns die Behutsamkeit des Wissenschaftlers. Es war vorauszusehen, daß er meine Frage als schwierig bezeichnen würde, und tatsächlich tat er es auch nach einer Weile; dazu ließ er noch durchblicken, daß die Schuldfrage vermutlich nie würde beantwortet werden können, die sogenannte Schuldfrage, sagte dieser Spezialist. Weil ich nicht aufhörte, ihn erwartungsvoll anzugucken, fühlte er sich aber gedrängt, doch noch etwas anzuhän-

gen, und leicht zur Frage angehoben, wollte er uns zu bedenken geben, ob nicht die Allgemeinheit schuld sei, also wir alle.

Das hatte ich an die fünfzigtausendmal gehört, in diesen blödsinnigen Diskussionen, nach denen ich immer ganz deprimiert bin. Allgemeinheit ist das beste Versteck. Wer die Allgemeinheit beschuldigt, meint niemand Bestimmtes; er ist einfach unbelangbar. Jesus Christus, mir fiel da nichts anderes mehr ein, als nach der Rechnung zu fragen, und Doktor Blöcker erklärte, die würde uns in absehbarer Zeit, computergeschrieben, ins Haus geschickt. Nikolas nahm die Plastiktüte, in der das eingerollte Gutachten steckte, an sich. Bestimmt wird es niemanden wundern, daß unser Dank nur kurz ausfiel. Als ich von der Tür noch einmal zu ihm zurückblickte, sah ich, wie er eine Aspirintablette nahm, sie rasch in den Mund steckte und ohne Wasser runterschluckte. In diesem Augenblick hatte ich eine etwas freundlichere Meinung von ihm.

Während wir den kilometerlangen Korridor zum Ausgang hinabgingen, sprachen wir kein Wort miteinander. Erst als wir draußen waren, hob Nikolas den Plastikbeutel vors Gesicht und murmelte: Man möchte es nicht glauben, Jan, aber du hast es selbst gehört – das gesamte Naturgestein ist befallen. Und nach einer Pause sagte er: Wie sollen wir es dem Meister beibringen, wie nur ... Sorgenfalten zeigten sich auf seiner buckligen Stirn, ein scharfer Zischlaut drang zwischen seinen Lippen hervor.

Ach, Nikolas, du mit deiner Ergebenheit und mit all deiner Anhänglichkeit! Längst hättest du deinen eigenen Meisterbetrieb haben können, einen Steinmetz wie dich gibt es nicht alle Tage, man hat dir Angebote genug gemacht in den verflossenen Jahren, sogar Wirtz

& Brunner wollten dich haben für ihren Betrieb beim Ohlsdorfer Friedhof. Einheiraten hättest du auch einmal können, in Mühlmanns Grabsteingeschäft, wo du vorübergehend gearbeitet hast, nachdem ihr euch wieder mal getrennt hattet, du und mein Alter. Großer Gott, niemand hat mitgezählt, wie viele Male er dir gekündigt hat und wie oft du von dir aus gegangen bist, aus Enttäuschung, in kurzlebiger Wut. Es gehörte mitunter ja nicht viel dazu, daß ihr aneinandergerietet – eine kleine Unzufriedenheit von ihm, eine bescheidene Eigenmächtigkeit von dir, und schon hattet ihr einen Grund, euch dermaßen zu erregen, daß nur noch die Trennung übrigblieb. Nach ein paar Tagen aber merktet ihr beide, daß euch etwas fehlte, jeder brauchte den andern, und wenn du nicht zurückkehrtest und wortlos die Arbeit aufnahmst, ging er zu dir, holte dich aus dem flachen Haus mit dem schönen Garten und vergaß nie, deiner Mutter, die mit dem kleinsten Wortschatz der Welt auskam, etwas mitzubringen, ein Tuch oder Süßigkeiten oder so. Hatte die Zeit der Verbitterung mal länger gedauert, dann hieltet ihr es für nötig, Wiedersehen zu feiern, im »Mastkorb« oder in dieser schwimmenden Kneipe, ich hab nie herausbekommen, wie es dabei zuging, ich weiß nur, daß wir euch abschreiben mußten für vierundzwanzig Stunden. Und wenn ihr dann wieder in der Werkstatt wart, konntet ihr miteinander reden, als sei überhaupt nichts gewesen. Das warf mich um, wirklich; vielleicht machte es mich auch neidisch, einfach, weil man euch anmerken konnte, daß ihr einander nichts nachtragt. Um ehrlich zu sein: ich bin nämlich verdammt nachtragend, ich kann mir noch soviel Mühe geben, gewisse Erlebnisse und Dinge zu vergessen – bei den unpassendsten Gelegenheiten stoßen sie mir wieder auf.

Nikolas und ich, wir redeten nicht viel auf der Heimfahrt; er hielt den Plastikbeutel auf seinem Schoß und befingerte fortwährend die Steinbrocken, und wahrscheinlich legte er sich die Worte zurecht, mit denen er dem Meister berichten würde – und sicher nicht nur berichten. Was uns dieser Steinpathologe aufgetischt hatte mit seinem Gutachten, enthielt ja auch ein Urteil, ich meine, über die Zukunft des Naturgesteins und so weiter, und wer nur ein bißchen Phantasie hatte, mußte sich wohl oder übel seine Gedanken machen. Ich will nicht zuviel sagen, aber dieser sachliche Spezialist hatte erreicht, daß ich auf einmal einen anderen Blick bekam; denn als wir, durch eine Umleitung gezwungen, in die Nähe des Rathauses kamen, mußte ich unwillkürlich daran denken, wieviele Krustenflechten, Algen und Pilze, die mit unserem Marmeladenpilz verwandt waren, sich an dem geschwärzten Sandstein gütlich taten. Während oben im großen Saal vielleicht gerade ein Senatsempfang zu Ehren von siegreichen Hammerwerfern und Hürdenläufern stattfand, wimmelte es in den Mauern von kaum sichtbaren Zerstörern, die in lautlosem Gelage verputzten, was für die Dauer errichtet war. Ich konnte diesen Gedanken einfach nicht loswerden; auch als wir an der Börse vorbeifuhren, stellte ich mir vor, wie die winzigen Fresser ihren Appetit am Stein stillten, und später am Bismarckdenkmal, das, obwohl es ziemlich kompakt ist, gleichfalls nicht für alle Ewigkeit den Proviant liefern konnte. Wie, so fragte ich mich, wäre wohl den Leuten zumute, wenn ihr Rathaus eines Tages skelettiert, die Börse durchlöchert, das Bismarckdenkmal bis auf einen trostlosen Stumpf zernagt wäre? Und welche Unruhe, so fragte ich mich auch, müßte sich der Leute bemächtigen, wenn eines Tages die Grabsteine und Denkmäler auf

den Friedhöfen Opfer des Steinfraßes sein würden? Ich muß zugeben, diese Gedanken heiterten mich nicht gerade auf, und ich war regelrecht bedrückt, als ich an meinen Alten und seine Arbeit dachte; ich war sogar verzweifelt.
Als wir an der Endstation ausstiegen, bekam ich einen Heidenschreck, denn Hund lag nicht in seinem Versteck unter dem gewohnten Strauch, und ich fürchtete schon, daß so ein gottverfluchter Hundefänger ihn geschnappt haben könnte. Diese Halunken hatten wirklich ausgepichte Fangmethoden: zuerst warfen sie dem Hund einen Köder hin, ein rohes Kotelett oder so, und während er kaute, legten sie ihm eine Schlinge um den Hals und zerrten ihn in einen Kleinlaster mit lauter vergitterten Verschlägen. Später verkauften sie ihn in Länder, in denen Hunde als Leckerbissen gelten oder zu Stärkungsmitteln zerkocht werden, im Ernst. Ob man es mir glaubt oder nicht: für meine Beherrschung kann ich immer garantieren, es mag kommen, was will – nur wenn mir mal ein Hundefänger in die Hände fallen sollte, dann könnte ich für nichts mehr garantieren. Jedenfalls, nachdem ich mehrmals erfolglos gerufen und gepfiffen hatte, stapften wir den Sandweg hinab, ungeduldig und ganz schön verschattet; die Stimmung, in der wir uns befanden, hätte man uns von weitem ansehen können. Wir waren gerade auf der Höhe des schütteren Laubwäldchens, als – hol's der Teufel – Hund zwischen den Stämmen auftauchte. Er hielt etwas im Fang, er hielt eine Saatkrähe im Fang, deren einer Flügel abgespreizt war und schleifend die Erde berührte. Schwanzwedelnd kam er zu mir und bat mit seinem gewissen Blick, die Krähe als Zeichen der Freundschaft anzunehmen. Der Vogel lebte. Seine Brustfedern waren verklebt von Hunds Geifer. Am

Flügelansatz war ein wenig getrocknetes Blut; offenbar hatte einer der Burschen aus den Reihenhäusern die Krähe angeschossen. Als ich die Hand ausstreckte, hackte sie nach meinem Zeigefinger und hielt ihn mit ihrem angesplitterten Schnabel fest; es tat nicht weh, und ich ließ ihr den Finger und trug sie nach Hause, von Hund, der nur auf Lob bedacht war, wie verrückt umsprungen.

Nikolas ging gleich ins Büro hinüber, ich versprach ihm, nachzukommen, sobald ich die Krähe untergebracht hätte. Hund, der mich sonst nur bis zum Hauseingang begleitete, blieb diesmal bei mir, und erst als wir vor Jettes Tür standen, war er bereit, zurückzutrotten, nachdem er einen ganzen Sack voll Lob bekommen hatte. Da ich auf mein Klopfen keine Antwort bekam, trat ich in Jettes Zimmer und schloß sogleich die Tür hinter mir, damit all die kleinen Patienten nicht entwischten. Du lieber Himmel, war das ein Aufruhr, als ich die Saatkrähe in das Rekonvaleszentenzimmer brachte und sie vorsichtig neben der Trinkschale niedersetzte! Das König-Karls-Hündchen verkroch sich unter Jettes Bett und winselte, der Papagei zeterte auf der Gardinenstange, zwei Meerschweinchen fiepten, nur ein alter fleckiger Kater mit geschienter Pfote, offenbar ein Neuzugang, blieb auf dem Kopfkissen sitzen und betrachtete den schwarzen Vogel aus glimmenden Augenschlitzen. Obwohl die Krähe bestimmt Durst hatte, wagte sie nicht zu trinken; verteidigungsbereit sperrte sie den Schnabel so weit auf, daß man ihr in den korallenroten Schlund hineinsehen konnte. Ich zweifelte nicht, daß meine kleine Schwester sie sofort in ihre Obhut nehmen, sie aufpäppeln und gesundpflegen würde. Nachdem ich das Zimmer verlassen hatte, lauschte ich noch einen Augenblick an der Tür, bereit,

einzugreifen, falls die Bande auf die Krähe losgehen sollte, doch wie auf ein Kommando legte sich plötzlich der Lärm; vielleicht hatte der Kater mit der geschienten Pfote ein Machtwort gesprochen.
Im Büro – das sah ich schon von draußen – waren nur Nikolas und mein Alter, sie redeten miteinander, ohne sich ins Auge zu fassen. Nikolas saß am Besuchertisch, auf den er den Inhalt des Plastikbeutels geschüttet hatte, und der Meister stand vor seinem angeschrägten Zeichenpult, den Seehundskopf in ständiger leichter Bewegung. Sie wandten sich nicht einmal um, als ich hereinkam; Nikolas sprach gegen den Rücken des Meisters, und der antwortete auf das großflächige Blatt hinab, nicht ratlos oder außer sich, sondern gesammelt, ein bißchen stockend vielleicht, aber gesammelt. Ich bekam mit, daß mein Alter das Gutachten des Steinpathologen gelesen hatte, verstand auch, daß er das Ergebnis der Untersuchung nicht in Zweifel ziehen wollte; dennoch glaubte er nicht, daß das Naturgestein überall und ganz allgemein bedroht sei. Er glaubte es einfach nicht. Einmal sagte er: Ein Stein ist doch kein Kadaver, Nikolas. Ein andermal sagte er: Das Gefüge, Nikolas, du weißt doch selbst, daß es auf das Gefüge der Steine ankommt, auf das Körnige beim Granit, auf das Klastische beim Sandstein, auf das Schiefrige beim Gneis; da ist nix befallen oder krank, zumindest nicht bei uns. Nikolas zögerte eine Weile, sagte dann aber doch: Am Anfang nicht; aber nach sechs Monaten, Meister, da steckt er voll von diesen Mikroorganismen; im Gutachten steht, daß in jedem Rohblock, der aus dem Steinbruch nach Hamburg gebracht wird, diese Mikroflora schon nach einem halben Jahr um das Hundertfache gewachsen ist.
Es ging so hin und her zwischen ihnen, leiser Sorge

antwortete unbeirrbare Zuversicht, wiederholte Skepsis wurde von lebenslanger Erfahrung gedämpft, doch auf einmal – Nikolas wollte und wollte nicht aufhören mit seinen Bedenken – wandte mein Alter sich zu ihm um und sagte: Gut, also der Stein wird zersetzt, gut; er wird gesprengt, vom Steinfraß kaputtgemacht, alles gut. Aber was sollen wir tun? Möchtest du vielleicht einen Vorschlag machen? Sollen wir alles hinschmeißen? Sollen wir jedem Gedenkstein die Warnung einmeißeln: Nur begrenzt haltbar? Ich stell mir einen netten Hinweis auf der Rückseite vor: Zerfällt in gleichem Maße, in dem Erinnerung verblaßt. Nun, wozu rätst du? Da Nikolas schwieg, fuhr mein Alter, nun aber in versöhnlichem Ton, fort: Ich weiß, was für ein Mist sich auf alles niedersenkt, auch auf den Stein, ich weiß es, Nikolas; mir ist auch bekannt, daß nichts verschont bleibt, unsere Haut nicht, die Erde nicht, und auch nicht der Stein. Aber wenn du mich fragst, zu wem ich trotz allem das größte Zutrauen habe, dann muß ich dir sagen, es ist immer noch der Stein. Seit es ihn gibt, ist er natürlichem Zerfall ausgesetzt gewesen. Immer wirkten an ihm Kräfte der Zerstörung. Er hat überdauert, und – da kannst du sicher sein – er wird auch uns überdauern. Die Expertise jedenfalls, die sie mir aus dem Steinbruch geschickt haben, kann uns beruhigen. Lies sie mal, Nikolas, es lohnt sich. Wenn du zu Ende gelesen hast, wirst du nicht mehr fragen, ob wir weitermachen sollen.

Mein Alter nickte ihm zu – er tat es wirklich – und widmete sich wieder seiner Arbeit; tief beugte er sich über sein Zeichenpult, trat zurück und gleich darauf entschlossen wieder vor und setzte den Stift an. Nikolas scharrte die Steinbrocken zusammen und ließ sie über die Tischkante in den Plastikbeutel fallen. Dann

wollen wir mal, sagte er und ging zur Werkstatt hinüber. Zugegeben: mehr als »dann wollen wir mal« wäre mir nach allem wohl auch nicht eingefallen.
Ich ging etwas näher an das Zeichenpult heran und sah auf das großflächige Blatt. Ich erkannte sofort den Grabstein mit den zwei Figuren wieder, ich meine, den Entwurf für das Grabmal, das Professor Podworny in Auftrag gegeben hatte. Warum mein Alter die Arbeit vorgezogen hatte, wußte nur er allein, aber er hatte es getan und war gerade dabei, dem Mann einen neuen Umriß zu geben, der das Mädchen am Fortgehen zu hindern suchte, diese Thérèse, diese Kunsttischlerin. An die Stelle des hochgewachsenen asketischen Typs, dem man seine Entschlossenheit glaubte, hatte er nun einen alten, hilflosen Mann gesetzt, dem man seinen Kummer ansah, und der das Mädchen – einfach weil er wußte, daß alles umsonst war – nicht gewaltsam, sondern nur reflexhaft zurückzuhalten versuchte –; also keinen Stemmschritt und dergleichen, sondern nur eine angedeutete Geste. Hatte mich schon die erste schnelle Skizze beeindruckt, dieser Entwurf ging mir verflucht nahe, um die Wahrheit zu sagen. Was Gram heißt und was Kummer: man konnte sich ihrer vergewissern vor diesen beiden Figuren. Ich muß wohl etwas gesagt haben, so ein Wort der Bewunderung, jedenfalls drehte mein Alter sich um und fragte: Ist was? Da sagte ich: So muß es sein, das Denkmal; worauf er nur sagte: Meinst du? und dann gleich weiterarbeitete.

8

Zuerst wollte mir Strupp-Schönberg den Dienstag nicht freigeben. Mein Grund – Arztbesuch – genügte meinem Abteilungsleiter einfach nicht; mißtrauisch, wie er war, mußte er unbedingt wissen, warum ich zum Arzt wollte. Sein Vorgänger Umbach hätte mir sofort freigegeben und hätte bestimmt noch teilnahmsvoll gefragt: Hoffentlich ist es nichts Ernstes? Strupp-Schönberg hingegen musterte mich skeptisch und veranstaltete dann ein regelrechtes Verhör. Wo es denn bei mir haperte, erkundigte er sich wörtlich. Ob man den Arztbesuch nicht auf den Feierabend legen könnte, fragte er. Und schließlich glaubte er auch noch wissen zu müssen, wie lange ich schon unter dieser hartnäckigen Migräne litt, die angeblich meine Wachsamkeit beeinträchtigte. Es konnte einem schlecht werden, wirklich. Weil Migräne aber zu den Leiden gehört, die sich am wenigsten nachweisen lassen, mußte der Halunke mir am Ende doch den Dienstag freigeben; er tat es indes erst, nachdem ich ihm vorgeschlagen hatte, mir den Tag vom Jahresurlaub abzuziehen. Warum ich dann aber doch noch am Dienstag morgen zu einem Arzt ging, um mir tatsächlich irgendein verdammtes Mittel gegen Migräne verschreiben zu lassen, konnte ich mir nie erklären, ich tat es einfach und bewahrte das Rezept in meiner Brieftasche.

Jedenfalls kam ich noch rechtzeitig nach Hause, um vom Fenster aus den dreirädrigen Kleinlaster beobachten zu können, der hochbeladen durch unser Tor rumpelte, wie übermütig über die Bodenschwellen schlingerte, den Berg von Abfallgestein elegant umrundete und direkt vor dem Hauseingang hielt. Ich ging nicht gleich nach unten; zunächst sah ich nur zu, wie ein Kerl mit verschossener Lederjoppe ausstieg, zuerst Lone und dann Fritz aus dem Führerhaus half und, ohne einen inspizierenden Blick auf das Haus zu werfen, die Stricke zu lösen begann, mit denen das Umzugsgut festgezurrt war. Großer Gott, es waren gewiß siebenhundert Meter Strick, die er da aufknotete, durch Schlaufen zog, in immer weiteren Buchten über die Ladung warf, und dabei mußte er Fritz anscheinend ein paarmal verwarnen, der unbedingt auf die Fracht hinaufwollte. Um ehrlich zu sein, ich hatte kein allzugutes Gefühl, als ich hinter dem Fenster stand und auf das Umzugsgut hinabsah; so selbstverständlich ich sonst stehenblieb und ausdauernd zusah, wenn irgendwo etwas abgeladen wurde – an Umzugswagen versuchte ich nicht nur rasch vorbeizukommen, sondern wandte auch nach Möglichkeit meinen Blick ab. Ich meine, es gehört sich einfach nicht, für die transportable Habe von Leuten ein übermäßiges Interesse zu zeigen, für Lampen, Bettzeug, Gardinenstangen und dergleichen. In dem Augenblick, in dem Lone ins Haus trat, verließ ich daher meinen Beobachtungsposten, ging ihr entgegen und hieß sie mit knappen Worten bei uns willkommen. Den Willkommensstrauß hatte ich in eine alte kupferne Milchkanne getan, die ich einfach auf den Fußboden des künftigen Wohnraums gestellt hatte. Lone dankte mir auf ihre Weise, indem sie, nach einem warmen Händedruck, die Milchkanne aufs Fenster-

brett setzte, sich über den Strauß beugte und zart einige der Nelken und Gladiolen berührte.
Gerade hatte sie aus der Handtasche die Bleistiftskizze hervorgekramt, auf der den Möbeln ihre Plätze angewiesen waren, als es an der halboffenen Tür klopfte und Betty hereinkam, in einer Hand eine Zigarette, in der andern einen Pott mit Fleißigen Lieschen. Betty, die sich noch nie im Leben dafür entschuldigt hatte, daß sie irgendwo hineinplatzte, entschuldigte sich wahrhaftig zum ersten Mal; sie wollte nur Glück wünschen, Glück unter dem neuen Dach. Hilfsbereit und offenherzig, wie sie es oft genug sein konnte, bot sie sodann ihre Hilfe an – falls es irgendwo an etwas fehlen sollte –, überreichte das bescheidene Blümchen und durchschritt die leeren Räume, gerade als müßte sie von ihnen Abschied nehmen. Und auf einmal, weiß der Kuckuck, spürte ich, daß sie etwas bedrückte, bekümmerte, ihr hallender Schritt fiel zögernd, sie vermied jeden Blickaustausch und vergaß, an ihrer Zigarette zu ziehen, doch nach einer Weile sammelte sie sich und trat an Lone heran und nickte ihr sehr freundlich zu. Ich merkte ihr an, welche Anstrengung es sie kostete, sich zu beherrschen. Auf gutes Zusammenleben, sagte sie leise und fügte lächelnd hinzu: Jan wird gern mit anpacken, nicht wahr, Jan? Es gab mir zu denken, daß sie mich nicht Pummel nannte, so wie sie es sonst auch Fremden gegenüber tat, sie nannte mich Jan, und das allein ließ darauf schließen, daß irgend etwas mit ihr los war. Auch Lone entging es nicht, denn nachdem Betty uns verlassen hatte, sah sie mich fragend an, wohl in der Erwartung, daß ich ihr den Stimmungsumschwung meiner Mutter erklären würde; doch ich konnte ihr nichts erklären, und selbst wenn ich es gekonnt hätte, wäre ich stumm geblieben, denn allzu prompte Erklä-

rungen sind fast immer ungerecht. Statt ihr irgendwelche Vermutungen aufzutischen, schlug ich vor, den Kleintransporter abzuladen, ich behauptete, zufällig meinen freien Tag zu haben, und um ihr das unaufhörliche Danken zu ersparen – sie setzte gerade wieder dazu an –, ging ich nach draußen.
Der Kerl mit der Lederjoppe hatte offenbar Verstärkung bekommen, er beratschlagte sich mit einem dunkelgekleideten Mann, der mit einem verdreckten Motorrad gekommen war; an der Lenkstange baumelten Sturzhelm und Brille. Lone machte uns miteinander bekannt, der Kerl mit der Lederjoppe hieß Krubs oder Trubs, der Motorradfahrer Niels Sjöberg, und wen dieser Name erstaunt, dem möchte ich gleich sagen, daß er einem der beiden Pastoren von der Norwegischen Seemanns-Mission gehörte. Dieser Sjöberg war der langbeinigste Pastor, den ich in meinem Leben getroffen habe, er erinnerte mich verflucht an Gary Cooper, und so gehemmt, wie der sich in »High Noon« bewegt hatte, bewegte sich auch dieser Norweger. Nachdem er uns ziemlich klebrige Honigbonbons angeboten hatte, lud er mir Lones Rundtisch auf den Rücken, schnappte sich selbst zwei schwere gepolsterte Stühle, die schon reichlich durchgesessen waren, und forderte mich auf, vorauszugehen und ihm den Weg zu zeigen; dieser Krubs oder Trubs begnügte sich damit, eine Stehlampe ins Haus zu tragen. Kaum hatten wir die ersten Sachen abgesetzt – also noch nicht planvoll zusammengestellt, sondern nur abgesetzt –, spürte man auch schon, wie sich der Raum veränderte, wie die Sachen ihre eigentümliche Herrschaft auszuüben begannen. Rundtisch, Stühle und Lampe genügten tatsächlich, um dem leeren Zimmer, wenn nicht gleich Charakter, so doch einen Anflug von Wärme zu geben;

man erkannte sofort, daß es in Besitz genommen war. Unbekümmert hereingeschneit wäre man hier wohl nicht mehr, ich meine, formlos und ohne anzuklopfen. Ich vermute, das liegt auch an der zeichenhaften Bedeutung der Sachen. Bernhard Sulzer, mit dem ich am selben Tag das Junglehrer-Examen bestand, hat mich einmal zum Besuch eines modernen Theaterstücks überredet, in dem ein heruntergekommener, alter Kerl die Hauptrolle spielte, dessen Behausung ein riesiger Pappkarton war. Mir leuchtete es ein, daß sein einziger Besucher, der noch mehr heruntergekommen war, immer sehr höflich anklopfte und sich achselzuckend trollte, wenn er aus dem Pappkarton keine Antwort bekam.

Während der Seemannspastor die Räume begutachtete und die Aussicht auf den Werkplatz und die ferne Elbe lobte, trug Fritz einen kleinen, wohl nicht allzuschweren Koffer herein, ein ziemlich durchgescheuertes Ding, für das er sofort ein Versteck suchte; da Rundtisch und Stühle, unter denen er den Koffer leicht hätte verbergen können, ihm nicht ausreichten, trug er ihn wieder hinaus, schnaufend und enttäuscht. Sjöberg fand alles güt, sehr güt – er meinte natürlich gut, doch wie die meisten Norweger sprach er das u wie ü aus, und wie alle seine Landsleute hatte er so einen singenden Tonfall, an dem man sich nicht satthören konnte. Vergeblich versuchte ich, sein Alter zu schätzen; wenn er am Fenster stand und die Sonne ihn traf, kam er mir wie dreißig vor; ging er gehemmt vor mir her, mußte ich ihn für achtunddreißig halten; ich konnte mich einfach nicht festlegen. Daß ihn eine besondere Beziehung mit Lone verband, wurde mir klar, nachdem wir gemeinsam ihren bescheidenen Schreibtisch hereingeschleppt und in die vorgesehene Ecke bugsiert hatten:

probesitzend stellte er fest, daß einem an diesem Platz die Wörter kommen müßten – er sagte wirklich: die Wörter kommen müßten. Probesitzen war wohl überhaupt seine Leidenschaft: ich habe miterlebt, wie er sich wahrhaftig nacheinander auf jede Sitzgelegenheit niederließ und prüfend wippte, rutschte und stemmte, sogar eine kleine mit Kacheln eingelegte Blumenbank ließ er nicht aus. Dabei war er unerwartet sympathisch, dieser Sjöberg, jedenfalls hätte ich lieber mit ihm einen Urlaub verbracht als mit diesem Krubs oder Trubs, der immer den Eindruck machte, als wollte er um Himmelswillen nicht angesprochen werden. Kein einziges Mal fragte Krubs oder Trubs, in welchen Raum er die Sachen tragen sollte, alles schleppte er wortlos an, setzte es ab oder stellte es an die Wand und verschwand. Das einzige, was man ihm zugute halten mußte, war seine Ausdauer.

Ich riß mich nicht darum, die sperrigen Lasten – Schrank und Küchentisch und ein klotziges Sofa – mit ihm zu transportieren, ich richtete es immer so ein, daß Sjöberg gerade frei war, und mit ihm als Vorder- oder Hintermann machte das Schleppen und Einrichten sogar Freude. Zu erleben, wie aus nackten, öden Räumen eine Wohnung wurde, mit anzusehen, wie aus beliebiger Leere etwas entstand, das Zuflucht und Geborgenheit und dergleichen versprach, regte mich ganz schön auf, ich meine, es regte mich freudig auf, besonders weil die Wohnung nach und nach allerhand Wissenswertes über ihren Bewohner preisgab. Lones Möbeln konnte man gleich ansehen, daß sie aus allen möglichen Zeiten und Himmelsrichtungen stammten, und am stümperhaften Pinselstrich konnte man erkennen, daß ein Laie sie angestrichen hatte. Für Zusammengehörigkeit sprach wirklich nur die Farbe; dennoch hatte ich den Eindruck, daß man sich wohlfühlen konnte zwischen ihren Sachen. Allerdings, wer versucht hätte, sich an Hand der Möbel ein abschließendes Urteil über Lone zu bilden, wäre wohl nicht sehr weit gekommen.

Ihr Rundtisch zum Beispiel stand wie auf Zehenspitzen, die gepolsterten Stühle hingegen, die um ihn gruppiert waren, schienen speziell für füllige Gäste gemacht zu sein, das Bett war hart und flach – Sjöberg federte überhaupt nicht hoch, als er sich zur Probe draufplumpsen ließ –, das klotzige Sofa hatte eine mordsmäßige Sitzkuhle, dem Nachtschrank, der zwischen ihnen stand, fehlte die Schublade, so daß man glauben konnte, das Ding gähnte in einem fort. Mehr als sehenswert war Lones Schrank: niedrig, schmalbrüstig, wie für eine Liliputanerfamilie angefertigt, reichte er mir nur bis zur Kinnspitze. Ihr Schreibtisch gefiel mir, er hatte mir schon gefallen, als ich ihn zum ersten Mal sah: er war nicht ausladend, nicht kühl sachlich, sondern erstaunlich schmal und intim und schien seinen Benutzer zu besonderer Konzentration zu verpflichten; jedenfalls mußte ich bei seinem Anblick immer an das Bild »Die kleine Briefschreiberin« denken: der Schreibtisch des Mädchens, das da in warmem Lampenlicht sitzt, beinahe aufgeht im Licht, glich verdammt genau dem von Lone.

So, wie die Bleistiftskizze es vorschrieb, stellten und rückten und schoben wir alles an seinen Platz, und Lone, die unermüdlich leichtere Sachen hereintrug – Kissen und Gardinen und all das – lächelte uns bei jeder Begegnung dankbar zu. Manchmal, wenn ich erstaunt oder allzu verblüfft auf etwas starrte, das sie hereintrug, blieb sie unwillkürlich stehen und erklärte mir, woher die Sache stammte, und sogar, was sie ihr bedeutete. Dabei konnte sie sich auf so entrückte Art freuen. Ob es eine hölzerne handgeschnitzte Trinkkelle war, die sie einmal einem alten Lappen abgekauft hatte; ob es ein glotzäugiger, aus Ton geformter Fisch war oder diese kratzige isländische Schlafdecke, unter der gut und gern fünf Schläfer Platz gefunden hätten – an allem hing für sie eine Erinnerung, die ihr Freude bereitete. Es war einfach umwerfend, wie selbstverständlich jedes Ding ihr einen Anlaß bot, sich zu erinnern, sich zu freuen. Eine Trittleiter hatte Lone nicht, von Hammer und Nägeln hatte sie zwar schon mal gehört, war aber ganz sicher, sie nicht zu besitzen. Um ihre Bilder aufzuhängen, holte ich also das Nötige von uns und forderte Sjöberg auf, mir zu helfen; Lone bestimmte Platz und Höhe. Ich möchte nicht zuviel sagen, aber es waren die aufschlußreichsten Bilder, die ich jemals in einer Wohnung erlebt habe, und ich meine: wirklich erlebt. Da war zum Beispiel diese Fjordlandschaft mit steilen mausgrauen Felswänden, von fernher näherte sich unter einem Gewitterhimmel eine Fähre, sie war noch sehr weit und wurde von einer jungen Frau erwartet, die allein in weißem Kleid auf einer Holzbrücke stand, hoch aufgerichtet und wie zu etwas entschlossen. Oder dies andere Bild, das den Titel »Turnier« hatte: nur getragen von Leidenschaft und Wut bewegten sich da zwei mächtige, nadelspitz auslaufende Lanzen aufeinander zu, die Träger waren nicht einmal schemenhaft zu erkennen, lediglich im Vordergrund zeigte sich eine Frau, die gefaßt und mit unverhülltem Blick den Ausgang des Turniers abzuwarten schien. Wer weiß, ob es Lone selbst überhaupt aufgegangen war, doch auf all ihren Bildern herrschte Erwartung, ich meine, eine gewisse Art von Erwartung. Das galt auch für das kleine Ölbild «Arztbesuch«: aus dem Krankenzimmer ihres Kindes winkte da eine Mutter einem altmodisch gekleideten Mann zu, der sich mit so einer typischen Landarzttasche durch großflockiges Schneetreiben heranmüht. Und schließlich möchte ich auch das Aquarell erwähnen, das Sjöberg, der es längst kannte, als sein Lieblingsbild bezeichnete; es hieß »Erwartung« und zeigte die Rückenansicht von etwa siebzig Personen, die aus grünlicher Dämmerung zum Himmel aufblickten, an dem sich gerade etwas verfärbt hatte. Über das, was Lone zu ihren Bildern sagte, mußte ich nicht nur einmal nachdenken, denn sie sagte, daß sie in den Bildern zu Hause sei. Weiß der Kuckuck, nachdem ich von der Trittleiter gestiegen war und mir die Bilder aus mittlerer Distanz ansah, hatte ich die Empfindung, daß Lone gut in sie hineinpaßte, ich meine, daß sie ebenso die Frau am Fjord wie die Zuschauerin beim Turnier und so weiter abgeben konnte. Vorstellen jedenfalls konnte ich es mir.

Mein jüngster Bruder Ernie, der uns mit vielen Grüßen von Betty Kaffee und Kekse brachte, fand die Bilder »nicht übel«; das überraschte mich nicht; denn wenn ihm etwas gefiel, reichte es bei ihm nur zu »nicht übel«. Er schenkte Lone zum Einzug eine Schallplatte, selbstverständlich eine Klarinettennummer seines Halbgotts Mr. Acker Bilk, und nachdem er sich in der Wohnung reichlich freimütig umgesehen hatte, fragte er, ob er hier von Zeit zu Zeit üben dürfe, Klarinette. Lone war vollkommen perplex, hilflos sah sie mich an, gerade als könnte nur ich die Erlaubnis zum Üben geben. Ich bat ihn, uns zunächst einmal Kaffee einzuschenken und von den Keksen anzubieten, und während wir tranken und knabberten, betrachtete er noch einmal die Bilder und schien auch jetzt mit fast allem einverstanden zu

sein. Nur an dem Bild »Erwartung« sah er sich länger fest und wollte plötzlich wissen, ob die vielen Leute nur deshalb nach oben guckten, weil sie dort, wo die Himmelsfarben brodelten, Jesus vermuteten. Warum nicht, sagte Sjöberg rasch, möglich ist es doch. Da müssen sie wohl ziemlich viel Ausdauer mitbringen, sagte Ernie. Warum, fragte Sjöberg, und Ernie darauf: Weil Jesus sich eine Menge Zeit läßt nach meinen Informationen. Er selbst, sagte Sjöberg, bestimmt den Augenblick seines Erscheinens, nur er selbst. Klar, sagte Ernie, er ist ja sein eigener Chef, aber wahnsinnig zu tun gab es schon oft für ihn. Wenn unsere Erwartung ausreicht, wird er kommen, sagte Sjöberg und verblüffte uns dann mit dem Bekenntnis, daß für ihn kein Tag vergehe ohne Erwartung. Da erkundigte sich Ernie tatsächlich, ob man diese Erwartung auch auf dem Motorrad haben könnte, vor einer Verkehrsampel oder so, und Sjöberg, dem man beinahe alles glaubte, sagte im Ernst: Vieles ist möglich.
Gerade wollte ich Ernie bitten, seine Kunstbetrachtung abzuschließen, als Lone plötzlich für ihn Partei ergriff. Mit leiser Stimme wandte sie sich an Sjöberg. Sie nannte ihn beim Vornamen. Sie meinte, daß Erwartung sich mit der Zeit abnutzt, daß sie sich jedenfalls nicht beliebig strecken läßt. Sie sagte: Lieber Niels, wenn nicht eintritt, was man erwartet, selbst in zweitausend Jahren nicht, dann ermüdet man doch, oder? Im Gegenteil, sagte Sjöberg, ganz im Gegenteil; wenn nicht eintritt, was man erwartet, dann ermüdet man nicht, sondern beginnt selbst zu handeln, und zwar im Sinne dessen, auf das man wartet. Dann, sagte Lone, ist Erwartung vielleicht nur eine Erfindung oder eine Anleitung, uns auf uns selbst zu besinnen. Bestimmt wollte sie noch mehr sagen, doch da kam dieser Trubs

oder Krubs herangekeucht, er keuchte unter der Last der letzten Bücherkiste, die er auf dem Buckel trug und vornübergebeugt mit beiden Händen festhielt. Wie der Inbegriff eines Lastträgers erschien er mir. Merkwürdig, daß es keinem von uns in den Sinn kam, ihm beim Absetzen des Zentnergewichts zu helfen, wir sahen nur zu, wie er sich an die Wand stellte und ächzend in die Knie ging, um die Kiste abgleiten zu lassen – und dabei passierte es. Es ist mir übrigens auch selbst einmal passiert, als Willi und ich ein metallenes Verkaufsregal aus unserer Lebensmittelabteilung herausschleppten, aber das war bescheiden im Vergleich zu dem, was Krubs oder Trubs uns bot. Im Augenblick größter Anspannung nämlich ließ er einen Furz los, den man einfach gehört haben muß. Mir war es wahnsinnig peinlich, und ich wagte gar nicht, zu Lone hinzusehen, und ein Wort fiel mir auch nicht ein. Ernie aber brachte es fertig, in unser erschrockenes Schweigen hinein »Prost Mahlzeit« zu sagen, und danach pfiff er seelenruhig »Just One Of Those Things«.

Krubs oder Trubs hatte wohl gar nicht mitbekommen, was ihm passiert war, er hatte es eilig, wie all diese Umzugsunternehmer, große und kleine, und mich erstaunte es überhaupt nicht, daß er, ohne auch nur einen Moment zu verschnaufen, eine fertige Rechnung aus der Tasche zog und sie Lone hinstreckte, wortlos. Es gelang mir, einen Blick auf die Rechnung zu werfen, einen oberflächlichen Blick, aber der reichte aus, um zu erkennen, daß dieser Strolch mindestens fünfundzwanzig Posten und Vorgänge addiert hatte, von der Anfahrt bis zur Abfahrt. Vielleicht hatte er, wie viele andere, die Stunde in sechs Arbeitseinheiten unterteilt – Arbeitseinheiten, daß ich nicht lache! Lone dankte für den Wisch und bat den Umzugsunternehmer freundlich ins

Nebenzimmer, wo sie ihm seinen Lohn vorzählte, bestimmt ohne Prüfung und Nachfrage. Alles, was sie von ihm wissen wollte, war, ob er zufällig den Jungen gesehen hätte. In der Werkstatt, sagte er darauf, bei dem Alten. Gottseidank verließ er uns schnell. Er gehörte zu den Leuten, die einem auf Anhieb die Laune verderben können.

Eine eigene Küche hatte die Wohnung nicht, aber in einem Raum gab es ein paar Steckdosen, einen Ausguß und die Anschlüsse, die Reimund hatte legen lassen, und nachdem wir Lones Elektroherd und ihren kleinen Kühlschrank an die vorgesehenen Plätze geschleppt hatten – Ernie packte nicht an, Ernie gab nur Anweisungen –, wollte der Seemannspastor gleich selbst alle Geräte anschließen. Er lachte nur, als ich vorschlug, einen Installateur zu holen. Wozu haben wir wohl den guten alten Schwedenschlüssel, fragte er und sah mich dabei so auffordernd an, daß mir gar nichts andres übrigblieb, als zu uns hinüberzugehen, um aus dem Werkzeugkasten diesen Schwedenschlüssel zu holen.

Bei uns stand der Werkzeugkasten in der Küche, und als ich die Tür öffnete, glaubte ich im ersten Augenblick wahrhaftig, daß sich da ein Schwelbrand oder so entwickelte, es herrschte dort ein beängstigender Hecht. Mitten in den wabernden Rauchschleiern saß Betty, ihre brennende Zigarette lag auf einer Untertasse, auf der schon ein Dutzend Kippen ausgedrückt waren. Sie protestierte nicht, als ich das Fenster öffnete, sie hob nicht einmal das Gesicht; grüblerisch und in sich versunken saß sie da, und erst als ich ihr beide Hände auf die Schultern legte, regte sie sich und sah mit traurigem Lächeln zu mir auf. Ist was, fragte ich, und, da sie mich nur anstarrte: Ist was passiert? Sie schüttelte den Kopf, seufzte, stand mühsam auf und schaltete die Herdplatte aus, wo das Wasser im Kessel wie verrückt kochte. Obwohl es mich ganz krank machte, wenn zwischen Betty und mir etwas Ernstes unausgesprochen blieb, verzichtete ich diesmal darauf, ihr mit weiteren Fragen zuzusetzen; als ich Reimunds gerahmtes Photo auf dem Fensterbrett entdeckte, wußte ich genug – Reimunds Photo, das ihn vor einem Lessingdenkmal zeigte, stand sonst immer auf der Kommode im Wohnzimmer. Ich kramte aus der Werkzeugkiste den Alleskönner unter den Patentschlüsseln heraus, wog ihn probeweise in der Hand, schraubte ein bißchen, machte die Backen mal enger, mal weiter, bis Betty endlich zur Kenntnis nahm, weshalb ich gekommen war. Wir wollen die Geräte anschließen, sagte ich. Du? fragte sie und brachte es schon wieder fertig, ein einziges Wort so auszusprechen, daß man belustigte Skepsis heraushören konnte. Liebe Betty, sagte ich, es gehört zu den schicksalhaften Erfahrungen, daß man von den eigenen Leuten ständig unterschätzt wird. Sie lächelte. Sie wischte mir übers Haar. Und dann sagte sie: Ach, Pummel, es ist nicht das schlechteste Los, unterschätzt zu werden. Ich lud sie ein, hinüberzukommen und sich selbst davon zu überzeugen, wieviel schon stand und hing und aufgestellt war, doch sie winkte ab; erst einmal winkte sie ab. Warum sie mich so amüsiert ansah, weiß ich nicht genau, doch ich vermute, daß es mein Eifer gewesen sein wird oder einfach die Tatsache, daß ich zum ersten Mal im Leben diesen Schwedenschlüssel in der Hand hielt. Schließ mal alles schön an, sagte sie und zwinkerte mir zu.

Auf dem Korridor lief ich leider Armin Prugel in die Arme, und obwohl er sah, daß ich den Schwedenschlüssel in der Hand hatte, entging ich nicht seiner Umklammerung und den beiden schlecht gezielten

Schmatzküssen, die er mir schon verabfolgt hatte, als ich noch ein kleiner Junge war. Daß mich seine hundertzwanzig Kilo noch nicht erdrückt hatten, war wirklich ein Wunder. Er war ein Freund meines Alten, das heißt, sie waren sehr eng befreundet in der Zeit, als beide noch zur Akademie gingen und dann auch im ersten halben Jahr ihrer Tätigkeit. Später trennten sich ihre Wege. Armin Prugel war mein Patenonkel. Mit seinem breiten Gesicht und dem übertriebenen Schnurrbart erinnerte er mich immer an einen Wels; um ehrlich zu sein: an einen freßgierigen Wels. Als Bildhauer hatte er einen geradezu sagenhaften Erfolg, ich meine, man riß sich um ihn und betete alles an, was aus seiner Werkstatt kam. Manche sagten, daß er von dem Rotwein, auf den er nicht einen einzigen Tag verzichten konnte, verblödet war, doch das war nur eine der typischen üblen Nachreden, die sich jeder gefallen lassen muß, der einen Erfolg hat wie Onkel Prugel. Jedenfalls paßte es mir gar nicht, daß er an Lones Umzugstag hereinschneite, und bevor er zu uns ging, um die süße Betty zu begrüßen – er sagte tatsächlich immer nur: die süße Betty –, mußte ich ihm versprechen, mich noch einmal anschauen zu lassen.
Sjöberg brauchte unseren Schwedenschlüssel nicht mehr, er hatte bereits sämtliche Geräte angeschlossen, hatte auch die Wasserleitung in Ordnung gebracht, mit Hilfe eines einfachen Schraubenschlüssels, den er im Karton mit Lones Schuhputzzeug gefunden hatte. Lone selbst konnte sich nicht erklären, woher der Schraubenschlüssel stammte, sie war sicher, ihn nie zuvor gesehen zu haben. Sie dankte mir für meine Hilfsbereitschaft, und um mir vor Augen zu führen, welche Überraschungen solch ein Umzug einem bereiten konnte, deutete sie auf eine Buddel, in der das

Modell eines Wikingerschiffes steckte, mitsamt vierundzwanzig grimmigen Wikingern, die auch beim Rudern ihre gehörnten Helme trugen. Monatelang hatte sie das Buddelschiff nicht mehr gesehen – sie hatte es schon aufgegeben, abgeschrieben und sich an den Gedanken gewöhnt, es für immer verloren zu haben –, da brachte der Umzug es wieder zum Vorschein. Das Ding hatte in einer alten Einkaufstasche überwintert; wie es in die hineingeraten konnte, war Lone rätselhaft. Sie brachte sich nicht um vor Freude, daß das Buddelschiff – ein Geschenk ihres Vaters – wieder aufgetaucht war, und sie war auch keinesfalls verzweifelt, als sich herausstellte, daß ein schmiedeeiserner Leuchter verschwunden war. Dem Seemannspastor schien wahnsinnig daran gelegen zu sein, den Leuchter zu finden, er kramte und mutmaßte und stöberte, als hinge wer weiß was von ihm ab; mit seiner lachhaften Suche konnte er einem ganz schön auf die Nerven gehen. Als seine Stimme einmal sogar einen fast jammernden Ton annahm und er darauf hinweisen zu müssen glaubte, daß es sich um einen handgeschmiedeten Leuchter handelte, kniff Lone mir ein Auge und wandte sich ab und schmunzelte. Das begeisterte mich. Ihr komplizenhaftes Zeichen begeisterte mich einfach, und ich hatte beinah den Eindruck, mich selbst sprechen zu hören, als Lone sanft feststellte: So ist es eben, einiges findet sich, andres geht verloren. Was weg war, bedeutete ihr nichts mehr. Für mich galt das schon immer als ein Ausdruck wahrer Unabhängigkeit, ich meine: wenn einer die Überlegenheit aufbringt, sich mit dem Verlust von Sachen abzufinden. Wenn ich nur daran denke, was mir alles in den letzten drei Jahren verlorengegangen war. Andere hätten geklagt oder gelitten oder hätten womöglich eine Trauerzeit eingelegt;

ich brauchte jeweils nur etwa zehn Sekunden, um einen Verlust zu verschmerzen, im Ernst. Dieser Sjöberg indes kam offenbar nicht darüber hinweg, daß der verdammte Leuchter unauffindbar blieb; ich vermute, daß er es war, der ihn Lone geschenkt hatte.
Über ihn wunderte ich mich nur, mein Bruder Ernie aber brachte mich regelrecht in Weißglut. Ihm, dem sonst gutmütigsten Menschen der Welt, kam es überhaupt nicht in den Sinn, sich nützlich zu machen, er verfiel nicht einmal auf die Idee, die leeren Kartons zu stapeln oder auch nur mit dem Handfeger herumzuwieseln; er saß nur da und beobachtete Lone. Er kam überhaupt nicht von ihr los. Freimütiger kann man sich nicht blickweise an einem anderen festsaugen, auch ausdauernder nicht. Weiß der Teufel, was in seinem Kopf vorging. Hob sie sich mal auf die Zehenspitzen, dann schraubte auch er gleich seinen Körper empor; hockte oder kniete sie sich hin, dann machte auch er sich unwillkürlich klein; indem er sozusagen ein Echo aus Gesten und Bewegungen produzierte, gab er unfreiwillig zu, daß er mit seinen Gefühlen und dergleichen rettungslos an Lone verloren war. Ich möchte nicht wissen, wieviele Löcher er ihr mit seinen Blicken in den Pullover gebrannt hat. Lone konnte es nicht entgehen, daß er sie unablässig anstarrte – mit offenem Mund übrigens –, und einmal fragte sie ihn vergnügt, ob er vielleicht Studien für einen Klassenaufsatz unter dem Titel »Der Umzug« machte. Mir gefiel die Frage und die schön verkleidete Kritik; Ernie indes schien nichts kapiert zu haben, denn als Antwort bot er ihr das Du an. Alle sagen du zu mir, meinte er, und da ich Sie nett finde, könnten auch Sie du zu mir sagen. Das warf mich um, wirklich. Ehrlich gesagt, verblüffte mich auch Lone, denn sie nahm gutgelaunt Ernies ausge-

streckte siebzehnjährige Hand und sagte: Ich bin Lone. Es hätte nur noch gefehlt, daß Ernie jetzt mit seiner verfluchten Klarinette angekommen wäre, um zur Feier des Tages einen Umzugs-Blues oder sowas zu spielen. Offenbar fiel ihm nichts anderes ein, als »Indian Summer« zu pfeifen und »Smoke Gets In Your Eyes«. Er pfiff sehr gut, das mußte man ihm lassen, und im allgemeinen irritierte es mich auch nicht, aber diesmal, beim Einstellen von Lones Büchern, störte es mich wahnsinnig, und ich sagte zu Ernie, daß ich ihm ewig dankbar bleiben würde, wenn er aufhörte, in einer fremden Wohnung so kindisch herumzupfeifen. Junge, wie er mich daraufhin fixierte! Ein Wort fiel ihm nicht ein, doch mit seinen Blicken sagte er ungefähr: Freu dich, daß du mein Bruder bist, Pummel, ich würde sonst die Luft aus dir rauslassen. Tödlich beleidigt aber war der gute Ernie nicht, denn bevor er sich trollte, ließ er Lone wissen, daß es schon jetzt irre gemütlich bei ihr sei; mir buffte er im Vorbeigehen sacht in den Bauch.

Bald nachdem Ernie gegangen war, brach auch Sjöberg auf, er mußte in seine Seemanns-Mission, versprach jedoch, am Abend wiederzukommen, eventuell wiederzukommen. An der Art, wie sich Leute voneinander verabschieden, merke ich sofort, wieviel sie verbindet und was der eine für den andern übrig hat; schon als Kind haben mich Abschiede wahnsinnig interessiert: die Dauer eines Händedrucks, die Küsse, Umarmungen und die letzten Worte vor dem Auseinandergehn und all das. Zwischen Lone und Sjöberg, das bewies mir ihr Abschied, bestand nichts anderes als Freundschaft, ich meine, ein unerklärter Beistandspakt, der sich auf Sympathie gründete. Als er sich dafür entschuldigte, daß er ein drittes Kapitel immer noch nicht

habe korrigieren können, ging mir auf, daß er es war, der Lone bei ihren Übersetzungen half, und für den sie in der Lebensmittelabteilung die Flasche »Nebelhorn« gekauft hatte. Mir gab er nicht die Hand; mir klopfte er nur lässig auf die Schulter und schob dann ab mit seinem Gary-Cooper-Gang. Daß er draußen darauf verzichtete, ein paar blöde Hupsignale zu geben – die Motorradfahrer, die ich kannte, taten das alle –, habe ich ihm hoch angerechnet.
Mit Lone allein, fuhr ich fort, ihre Bücher ins Regal zu stellen. Es war kein einziges Gesamtwerk darunter, nur einzelne ihr zugeflatterte Bände, und in fast jedem Band steckten Notizzettel oder Lesezeichen, die meisten in Hamsuns »Segen der Erde«. Auch in Reimunds blaßblauen Bänden steckten ein paar Lesezeichen mit Notizen, sie segelten auf den Boden, als ich die Bücher Spagat machen ließ, und noch bevor ich sie aufheben und lesen konnte, näherte sich Lone mit einer ovalen hölzernen Schachtel. Sie schüttelte die mit Rosen bemalte Schachtel ein wenig und lächelte und sagte: Meine Leute – ich hoffe, sie haben den Umzug gut überstanden. Dann holte sie nacheinander einige gerahmte Fotografien heraus und stellte sie auf das brusthohe Regal – nicht rasch und geschäftsmäßig, sondern pausenreich und sehr bedachtsam. Es genügte ihr nicht, daß die Fotos da einfach auf dem Regal standen; allem Anschein nach mußten sie in besonderer Weise zueinander stehen, das heißt, einige der Abgebildeten sollten sich wohl bemerken können, andere aber nicht; deshalb gruppierte sie sie immer wieder um. Lones Schwester Margit und deren Mann hätte jeder sofort erkannt, zumindest auf dem Foto, das auf einem Kinderspielplatz aufgenommen war: beide standen am Ende einer Rutsche und wollten gerade Fritz abfangen,

der jauchzend und mit emporgeworfenen Armen heruntergesaust kam. Von Margit gab es mehrere Fotos, erstaunlicherweise lächelte sie auf keinem, auch auf dem Paßbild nicht, das noch den Teil eines Stempels trug. Selbstverständlich hätte ich von mir aus kein übertriebenes Interesse für die Fotos gezeigt, ich meine, ich hätte mich zurückgehalten, wie es sich gehört, doch da Lone sie mir zeigte und erklärte, konnte ich nicht einfach wegsehen.
Auch von ihren Eltern hatte sie mehrere Fotos, alle waren auf einem Balkon aufgenommen, zu verschiedenen Jahreszeiten übrigens, so daß man glauben konnte, die alten Leutchen wohnten auf diesem Balkon, der vom Liegestuhl bis zum Teewagen alles trug, und dessen Gitter mit Blumenkästen behängt waren. Der weißhaarige Mann mit der knochigen Brust, ihr Vater, hatte neben seiner Teetasse – deutlich erkennbar – ein Fläschchen mit Nasentropfen stehen, seine Augenbrauen waren unnatürlich hochgezogen, als müßte er gleich niesen. Gegen meine Gewohnheit fragte ich Lone, was ihr Vater so machte, und ohne aufzublicken sagte sie: Er ist Lehrer, Geschichtsprofessor, im tiefen Mittelalter zu Hause. Meine Frage erstaunte sie überhaupt nicht. Warum Lones Mutter mich rührte, weiß ich nicht, ich weiß nur, daß ich schon auf den ersten Blick etwas für diese zarte, grauhaarige Frau übrig hatte, die sich entweder an den Geschichtsprofessor anschmiegte oder bewundernd zu ihm aufsah. Im Unterschied zu andern sehe ich es nämlich gern, wenn alte Leute Hand in Hand gehen oder sich für einen Augenblick aneinander anschmiegen; es ist doch nur ihr gottverdammtes Recht und so weiter; schließlich darf man seine Zuneigung über die Zeit bringen.
Auf einmal glaubte ich, mich verhört zu haben. Lone

hatte gesagt: Mein Mann. Sie hatte ein Foto etwas weggerückt, so daß es mehr für sich stand, und mit sachlicher Stimme festgestellt: Mein Mann. Jeder muß mir einfach glauben, daß ich auf alles mögliche vorbereitet war, nur nicht auf diese Eröffnung. Da mir kein Wort einfiel, erlaubte ich mir, das Foto in die Hand zu nehmen und mir ihren Mann etwas genauer anzusehen. Ohne Zweifel, der Bursche, der mit übereinandergeschlagenen Beinen auf einer Parkbank saß, sah sehr gut aus – kurzes, blondes Haar, hohe Stirn, ein energisches Kinn, wie es angeblich Erfolgreiche haben, und dennoch, so schien mir, ging in seinem glatten Gesicht kaum etwas vor. Er erinnerte mich stark an einen Burschen, den meine Schwester Jette einmal angeschleppt hatte – er war Segler und konnte drei Stunden lang in einen Sonnenuntergang starren, ohne sich etwas zu denken; etwas Langweiligeres gab es nicht noch einmal. Offenbar machte es ihm Freude, fotografiert zu werden. Mir sieht man auf jedem Foto eine gewisse Abwehrhaltung an – ihm machte es gar nichts aus.

Mit gespielter Gleichgültigkeit stellte ich das Foto an seinen Platz zurück, und ich nickte Lone nur einmal zu; und dabei sah ich, daß sie lächelte, aus Verlegenheit lächelte. Wir leben getrennt, sagte sie. Julian und ich leben getrennt. Sie sagte es in einem Ton, als hätte sie sich mit der Trennung selbst zwar abgefunden, ohne indes die Gründe zu verstehen, die zu ihr geführt hatten. Kopfschüttelnd blickte sie das Foto an, ein Ausdruck des Bedauerns erschien auf ihrem Gesicht, dann ein flüchtiges, schmerzhaftes Verwundern, und in diesem Moment tat sie mir zum ersten Mal leid. Ich wußte noch nicht, daß Julian Steiner Lone nur deshalb vorübergehend verlassen hatte, weil er, Herr im Himmel, auf sogenannter Selbstsuche war, und ich wußte

auch noch nicht, daß er nach zehnmonatiger Umkreisung seines Mittelpunkts in einem Meditationszentrum in Baden-Baden – in Baden-Baden! – gelandet war, wo er unter der Oberleitung eines Spitzbuben, der sich Zamba Zogul nannte, schon eigene Kurse gab. Lone tat mir leid, weil sie ratlos war und weil das, was sie nicht begreifen konnte, sie immer noch schmerzte. Sie kam mir, ehrlich gesagt, so hilflos vor, so festgefahren im Grübeln, so verzagt vor etwas Unerklärlichem, daß ein Gefühl des Bedauerns sich wie von selbst regte. Gleichzeitig war ich aber auch deprimiert. Ich weiß nicht, ob es andern auch so geht, aber zu gewissen Zeiten konnten mich mehrere Gefühle gleichzeitig beherrschen. Jedenfalls war ich so deprimiert, daß ich auf einmal nur den Wunsch hatte, mit mir allein zu sein, eine Weile zumindest. Die gröbste Arbeit war ohnehin getan.
Den Buchkarton, den ich bereits geöffnet hatte, packte ich noch aus und stellte die Bände ins Regal. Grußlos konnte ich nicht verschwinden, also ging ich zu Lone, die gerade in der Küche Gläser und Geschirr einräumte, und sagte ihr, daß mein Patenonkel mich erwartete, leider. Lone wußte nicht, wie sie mir danken sollte. Sie sah mich lange an, mit einem Blick, der mich fast verwirrte, und ich war schon darauf gefaßt, daß sie mir einen Kuß geben würde, so einen Dankeskuß, aber letzten Endes entschied sie sich doch für einen Händedruck. Großer Gott, wieviele Hände habe ich nicht gehalten, harte und feuchte, heiße und sogar klebrige, mitunter empfand ich auch etwas, doch nie zuvor erlebte ich es bei einem Händedruck, daß ich zu zittern begann. Um es genau zu sagen: es war kein Schlottern oder so ein blödsinniges Beben, sondern ein ganz feines, kaum merkbares Zittern, im Ernst.

9

In der Werkstatt war niemand mehr, auch das Büro war wie ausgestorben, nur zwischen den Spalieren der auf Vorrat gefertigten Grabsteine bewegte sich eine kleine Gestalt, machte ein paar Schritte und verharrte, trat zum nächsten Stein und verharrte wiederum, gerade als sei sie in schwerwiegende Betrachtung vertieft.
Es war Fritz, der da mit einem Stöckchen in der Hand zwischen den noch unbeschrifteten Steinen umherging, ernst und staunend, aber auch rätselnd. Ich fragte ihn, wohin der Meister gegangen sei, und er deutete mit seinem Stöckchen in Richtung Elbe, zum »Mastkorb« hinunter, über dem schon ein paar Locklichter blinkten. Einen Augenblick überlegte ich, ob ich ihm nachgehen und ihn da herausholen sollte – den »Mastkorb« beehrte er in der Regel nur dann, wenn er sich rasch betanken wollte –, doch ich gab den Plan gleich wieder auf. Mir war nämlich klar, daß mein Alter sich nur verdrückt hatte, weil er sich die Erfolgsbilanz meines Patenonkels Armin Prugel nicht anhören wollte; dem genügte es wirklich nicht, diesen sagenhaften Erfolg zu haben, er mußte ihn auch noch bis zum Erbrechen erwähnen und bei jeder Gelegenheit ins Spiel bringen. Bis zu einem gewissen Grade konnte ich meinen Alten verstehen – ich meine, seinen Überdruß an einem Gespräch, bei dem er daran erinnert wurde,

daß er nur deshalb nicht weitergekommen war, weil ihm Starrsinn und Unbeirrbarkeit und all das fehlten. Großer Gott, wie viele wurden nicht schon durch ihren Starrsinn und ihre Unbeirrbarkeit ins Abseits geführt, und schließlich: was für einen gilt, muß ja nicht für alle gelten.

Jedenfalls schlug ich Fritz vor, mit mir ins Haus zu gehen; ich mußte melden, daß mein Vater plötzlich verschwunden oder – von mir aus – dringend abgerufen worden war; doch der Junge kam noch nicht von den Grabsteinen los. Er betrachtete sie, er überlegte und druckste, und auf einmal wollte er wissen, wozu wir all die Steine sammelten und aufstellten, diese schweren Dinger, die doch kein Mensch bewegen könnte. Es sind Grabsteine, sagte ich, Grabsteine, weißt du; sie stehen am Kopfende von Gräbern. Warum, fragte er, warum stehen sie an den Gräbern? Zum Andenken an die Toten, sagte ich. Er dachte darüber nach und fragte dann: Was heißt das, zum Andenken? Na, zum Erinnern oder so, damit wir die Toten nicht vergessen, sagte ich. Sind die im Himmel? Sicher, im Himmel oder nebenan, wo man ausruhen kann. Aber warum müssen die Steine so schwer sein? Damit sie lange an ihrem Platz bleiben, sagte ich, damit keiner sie umkippen kann, der Wind nicht, die Zeit nicht. Verkauft ihr die, fragte er, und ich darauf: Wenn einer gestorben ist, dann kommen seine Leute und suchen sich einen Stein aus und bezahlen dafür. Viel? Manchmal viel, manchmal weniger, sagte ich. Lone will auch einen Stein kaufen, sagte er plötzlich. Ich weiß noch nicht, wann, aber sie will einen kaufen, am liebsten einen weißen. Hier gibt es auch weiße, sagte ich, aber nun wollen wir Lone nicht warten lassen, sie macht sich bestimmt schon Sorgen. Ich umspannte seinen mageren Nacken

und schob ihn vor mir her, und als er Lone am Fenster herumturnen sah – sie stand auf dem Fensterbrett und versuchte, etwas Pendelndes zu greifen –, befreite er sich aus meinem Griff, rannte voraus und rief und winkte, und alles, was er eben noch bebrütet hatte, war vergessen.
Auch bei Jette brannte schon Licht; seit sie gedroht hatte, uns zu verlassen, kam sie immer früh nach Hause und kümmerte sich zuerst um ihre kleinen Patienten. Wir trafen sie auf dem Korridor. Sie hatte ein Zwergkaninchen, das offenbar ausgebrochen oder nur vor seinen Mitpatienten geflohen war, in eine Ecke getrieben, wo sie es leicht aufheben konnte. Fritz blieb sogleich stehen und beobachtete mit verengten Blicken das schwarzweiß gefleckte Tier, das die Ohren anlegte und sich tief in Jettes Armbeuge drückte. Komm, sagte Jette mit ihrer umwerfenden Freundlichkeit, komm, du kannst es streicheln. Der Junge rührte sich nicht. Du bist bestimmt Fritz, sagte Jette und streckte ihm eine Hand hin und fügte hinzu: Auf gute Freundschaft. Zögernd nahm Fritz ihre Hand, ohne das Kaninchen aus den Augen zu lassen; er wagte es einfach nicht, das Tier zu berühren, und als Jette es ihm auf den Arm setzen wollte, wich er zurück. Hast du Angst vor ihm, fragte Jette. Der Junge antwortete nicht, und um eine endgültige Weigerung auszudrücken, nahm er die Hände auf den Rücken. Jette ließ sich nie schnell entmutigen, mit vielsagendem Lächeln lud sie ihn ein, in ihr Zimmer zu kommen, und stieß auch gleich die nur angelehnte Tür auf. Sie stellte ihm frei, ein anderes Tier anzufassen, den Kater mit der geschienten Pfote oder ein Meerschweinchen oder den Papagei. Schau mal, sagte sie, schau mal, wer hier alles wohnt und dich gern begrüßen möchte. Fritz trat dicht neben mich,

faßte nach meinem Arm und riskierte einen Blick in Jettes Zimmer, in dem es plötzlich huschte und hoppelte und flatterte, und nicht nur dies: als hätte das Königs-Karls-Hündchen einen winselnden Einsatz gegeben, fielen die anderen Rekonvaleszenten wie verrückt ein und produzierten eine Lärmnummer, die sich wirklich hören ließ; daß unser Dach nicht wegflog, war ein reines Wunder. Der Junge versteckte sich hinter mir, und Jette nahm es ihm nicht übel, daß er nicht zu ihr hineinwollte. Behutsam setzte sie das Zwergkaninchen ab und schnippte mit den Fingern, zum Zeichen, daß wir warten sollten, danach kramte sie im Schrank, dort, wo ihr Geschenkvorrat lag, und konnte offenbar nicht finden, was sie suchte, aber schließlich fand sie doch etwas, ein Päckchen, in dem zwei gelbe Trinkbecher lagen, die mit Fischen bemalt waren, aus deren Mäulern Blasen aufstiegen. Bevor sie dem Jungen die Becher schenkte, hielt sie sie ihm zur Ansicht hin und fragte ihn, ob sie ihm gefielen. Sie gefielen ihm. Ungläubig nahm er sie in Empfang, dankte stumm, nur mit Handschlag, und rannte mit seinem Geschenk weg, zu Lone.

Meine Schwester wollte unbedingt, daß ich noch einen Augenblick zu ihr hereinkäme, sie wollte mir tatsächlich zeigen, welchen Appetit die Saatkrähe unter ihrer Obhut entwickelt hatte. Ob man es glaubt oder nicht, der Appetit, den die Saatkrähe anscheinend wiedergewonnen hatte, machte sie glücklich. Obwohl ich Jette nie einen Wunsch abschlagen konnte, diesmal mußte ich es tun. Ich sagte ihr, daß Onkel Armin mich händeringend erwartete, worauf sie mich schmollend musterte und feststellte: Ihr seid beide rohe Plumpsäcke, damit du es genau weißt. Wie so vieles, ließ ich auch das auf mir sitzen, ich kann mitunter soviel ein-

stecken, daß die Leute sich nicht nur ärgern, sondern regelrecht in Weißglut geraten.
Armin Prugel war enttäuscht, weil ich meinen Alten nicht mitbrachte. Nicht einmal, dreimal mußte ich ihm sagen, daß er unvermutet abberufen wurde, von einem bedeutenden Kunden, der von weither angereist war. Es verbessert nicht gerade meine Laune, wenn Leute etwas dreimal gesagt bekommen wollen. Mein Patenonkel konnte sich anscheinend mit dieser Nachricht nicht abfinden, vielleicht hatte er sich irgend etwas vorgenommen, ich weiß es nicht, ich weiß nur, daß er sein breites Welsgesicht buchstäblich in Falten legte und Betty anstarrte, ziemlich ausdauernd, wie ich erwähnen muß, und gerade als erwartete er von ihr eine Entschädigung dafür, daß mein Alter einem Kunden den Vorzug gegeben hatte. Betty bot ihm Kaffee an, doch er lehnte ab; ohne hinzusehen, bediente er sich statt dessen aus der Keksschale, und aus dem entschlossen mahlenden Geräusch seiner Kiefer und dem kleinen Krachen und Platzen des Gebäcks glaubte ich Erbitterung herauszuhören; ich meine, er aß so, wie ein erbitterter Mensch ißt, mit dieser rücksichtslosen Verbissenheit, die sich den Teufel um den Genuß schert. Neben der Keksschale, wie hingeworfen, lag ein Ausstellungskatalog, das Umschlagbild zeigte Armin Prugel bei der Arbeit inmitten einer Gruppe witzig stilisierter Marabus, die bei den Gedanken, die sie gerade dachten, zu frösteln schienen. Als Betty den Katalog an sich nahm, lächelte Armin Prugel, es war ein ironisches Lächeln, und nachdem er auch den letzten Keks gegessen hatte, gab er vor, meinen Alten ganz und gar zu verstehen. Ein Kunde ist eben ein Kunde, sagte er, und ein bedeutender Kunde ist ein bedeutender Kunde. Für mich klang das ungefähr so, als hätte es einer seiner

Marabus gesagt, zumindest was die Weisheit dieser Feststellung betraf. Da aber Betty mit ihrer bewährten Hellhörigkeit wohl einen bissigen Unterton heraushörte, wies sie ihn sachlich darauf hin, daß es wahrhaftig Leute gäbe, die auf Kunden angewiesen seien. Sie sagte: Wie du dich vielleicht erinnerst, haben wir ein Geschäft. Mein Patenonkel nickte, selbstverständlich wüßte er, wieviel vom Kunden abhängt, er hätte auch nichts gegen bedeutende Kunden, das müsse man ihm wohl abnehmen. Ganz mechanisch langte er in die Keksschale und wunderte sich nicht die Bohne, daß sie leer war.

Er grabbelte aus seiner Jackentasche eine Pfeife heraus, deren Mundstück zerbissen war, fahndete in der andern Jackentasche nach Tabakkrümeln, die er auch, mit Stoff-Fusseln angereichert, im Überfluß fand, und begann zu stopfen. Herr im Himmel, was da daneben ging und auf seine mächtigen Oberschenkel fiel. Immerhin, sagte er, habe ich ja in der Werkstatt ein paar Worte mit Hans gesprochen, und unterbrochen von rhythmischem Anpaffen sagte er auch: Immerhin weiß ich nun, daß es euch noch gibt. Betty legte den Katalog wieder auf den Tisch und fragte: Wieso soll es uns nicht mehr geben? Armin Prugel hob bekümmert die Schultern. Immerhin freue ich mich, daß es bei Hans noch gut läuft. »Immerhin« war wohl sein neues Lieblingswort.

Man hört so allerlei, sagte er, und erzählte dann von seiner Schwester, die in einer Friedhofsverwaltung arbeitete und offenbar die Hand am Puls der Zeit hatte. Von ihr hatte er erfahren, daß immer weniger Menschen Wert auf einen Grabstein legten, sie wollten auch keine Rede am Grab und keine Trauerfeier und all das; immer mehr Leute liebäugeln mit einer praktischen

Urne, die in einem Gemeinschaftsgrab versenkt wird. Die Schwester meines Patenonkels, die nebenbei stellvertretende Vorsitzende einer »Arbeitsgemeinschaft Friedhof und Grabkultur« war, konnte angeblich haufenweise Belege dafür geben, daß die hergebrachten Formen der Trauer verschütt gingen und daß die Darstellung der Trauer immer weniger gefragt war. Schlichter Abgang war ihrer Ansicht nach die Devise, Sehnsucht nach Anonymität und schmucklosem Nichts. Sie, diese Schwester, mußte täglich erleben, wie Leute sang- und klaglos begraben wurden, ohne daß auch nur ein einziger Trauernder dem Sarg folgte, und aus beinahe täglichen Gesprächen mit Steinmetzen wußte sie, daß sich die Aussichten für diesen alten Beruf langsam aber sicher verdunkelten. Traditionelle Grabkunst war einfach nicht mehr gefragt; so mancher Steinmetz mußte sich damit begnügen, im Auftrag der Behörde Gedenksteine anzufertigen, einfallslose Dinger, die zu Recht »Sozialkissen« genannt wurden und nicht größer waren als ein Ziegelstein.
Wörtlich sagte mein Patenonkel: Wenn man den Zeichen der Zeit trauen kann, liebe Betty, dann ist im Steinmetz-Beruf bald nichts mehr zu holen. Betty bezweifelte das; zwar meinte sie, daß eine gewisse Sorte von Steinmetzen vielleicht in Bedrängnis kommen könnte – also die, die gerade im Stande sind, Namen, Geburts- und Sterbedatum auf den Stein zu bringen – doch für Hans sah sie keine magere Zeit voraus. Sie sagte: Es ist klar, daß die Sitten sich verändert haben, aber es gibt immer noch genug Leute, die ihrer Trauer auf besondere Art Ausdruck geben wollen. Und die kommen zu ihm. Sie kommen von weither zu Hans. Verständlich, sagte Armin Prugel, ist mir sehr verständlich; immerhin bedient Hans sie künstlerisch. Was

meinst du damit, fragte Betty und legte ihre Zigarette auf die Untertasse und sah ihn fordernd an; uns beiden war nicht entgangen, daß er vor dem Wort »künstlerisch« eine Pause gemacht hatte, aus der man schon heraushören konnte, wie er über die Arbeit meines Alten dachte. Aus Pausen läßt sich mitunter mehr heraushören als aus Wörtern, wirklich. Bevor er antwortete, langte er wieder in die leere Keksschale, ich stand gleich auf und wollte sie nachfüllen, doch Betty wollte, daß ich ihm vorerst den Riesenteller mit Bruchnüssen und Salzmandeln hinsetzte, die ich aus der Lebensmittelabteilung mitbrachte. Er schaufelte sich gleich eine Handvoll von dem hustenfördernden Zeug zwischen seine Welslippen und sagte dann: Nichts für ungut, Betty, aber ich frage mich, ob Hans ausgefüllt ist von seiner Arbeit, ob ihm gemäß ist, was er tut. Du weißt, daß ich zu seinen frühesten Bewunderen gehörte, ja, Bewunderern. Eine Zeitlang – du erinnerst dich bestimmt – war er sogar mein Vorbild. Schön, sagte Betty, und was weiter? Alle waren wir beeindruckt von seinen ersten Arbeiten, sagte mein Patenonkel, von seinem großen Thema: der einzelne im Konflikt mit seinen Erfahrungen. Wie rhythmische und tektonische Gestaltung sich ergänzen: ich hab's, du wirst es kaum glauben, von ihm gelernt; desgleichen dieses Wechselspiel zwischen plastischer und ausgehöhlter Materie. Die Einzelfigur – an der Einzelfigur zeigte sich seine Meisterschaft. Jede bestätigte – und darin lag ihre Sinndeutung –, daß Erfahrung ein Besitz ist, der uns zum Handeln verpflichtet. Betty blies den Rauch ihrer Zigarette gegen ihn und sagte kühl: Du wirst dir noch einen Bruch heben; wenn du so weiterredest, wirst du dir einen Bruch heben – an deinen Wörtern. Am liebsten hätte ich da Beifall geklatscht,

denn Betty hatte genau das festgestellt, was ich empfand. Ich bekomme Magenkrämpfe, wenn jemand sich über Sinndeutung und dieses ganze Brimborium verbreitet.
Überrascht blickte Armin Prugel meine Mutter an, vielleicht hatte er aus ihren Worten die verborgene Warnung herausgehört, jedenfalls grinste er und gab es auf, sein einstiges Vorbild Hans Bode direkt zu erwähnen. Stattdessen versuchte dieser Plumpsack uns auf einem Umweg beizubringen, warum er meinen Alten nicht mehr bewundern konnte, sondern ihn für einen Gescheiterten oder Abtrünnigen hielt. Noch einmal ließ er seine Schwester auftreten, er erzählte von einem gemeinsamen Gang über den Friedhof und davon, was ihm persönlich aufgefallen war. Es wunderte mich nicht, daß er von der ganzen Grabmalkultur – er redete von der bürgerlichen Grabmalkultur – nichts wissen wollte; er fand sie stumpfsinnig und sentimental und passé, und vorgeblich war ihm sogar elend geworden beim Anblick von geborstenen Säulen und einfallslosen Sensenmännern. Die gesenkten Fackeln mochte er ebensowenig wie die betenden Hände, und den trauernden, kauernden und schlafenden Engeln hätte er gern Regenmäntel verpaßt – er war nämlich bei Regen auf dem Friedhof gewesen. Junge, wie treffsicher Armin Prugel vom Leder zog und wie unbesorgt gegenüber Betty, die ihn nur abwartend anstarrte und nichts anderes verriet als eine Art unheilvoller Aufmerksamkeit. Was er auf Steinen an Kindergräbern entdecken mußte, hätte ihm fast die Schuhe ausgezogen; schlimmer konnte sich nach seiner Ansicht ein Steinmetz nicht vergreifen in der Verwendung von Trost- und Trauersymbolen. Man hatte ihm liegende und lauschende Bambis zugemutet und Kätzchen, die

mit Wollknäueln spielten; geradezu niederschmetternd wirkte auf ihn das Discountangebot an tränenden Herzen. Alles vernutzt, leer und vernutzt. Und weil er wohl im Ernst auf Zustimmung hoffte, wandte er sich an Betty und bat sie, ihm doch auch mal ihre Meinung zu sagen, zum Beispiel über einen Grabstein mit Angelgerät oder mit den Berufssymbolen des Schornsteinfegers; es könnte auch ein Gabelstapler sein oder ein Taubenschlag, bei dessen Anblick er sich übrigens sofort fragen müßte, ob er den Heiligen Geist beherbergt habe oder ein Dutzend Brieftauben. Betty sagte nichts, sie starrte ihn nur an und drehte ihren Ehering hin und her. Vermutlich erschien es ihm ratsam, das Urteil, das seine Ansichten enthielten, ein bißchen zu mildern, und er tat es, indem er seufzend verkündete, daß ja alles eines Tages in Konfektion aufgeht, Kleider und Gewohnheiten und Ideen und, leider – denn warum sollte sie eine Ausnahme sein – auch die Grabsteinkunst.

Gut, sagte Betty, und jetzt brauchst du nur noch zu erklären, wie sehr du Hans bedauerst; wie leid es dir tut, daß er, der vielversprechende Künstler, sich so früh entmutigen ließ und das Handtuch warf. Ich bedaure es wirklich, Betty, sagte mein Patenonkel, und ich bin nicht der einzige, der es bedauert. Sicher, sagte Betty, die ganze Kunstwelt ist untröstlich, weil einer, der einst zu großen Hoffnungen Anlaß gab, resignierte und sein Talent in den Dienst der Trauerkonfektion stellte. Davon hat doch niemand gesprochen, sagte mein Patenonkel. Nicht, fragte Betty, nicht? Aus allem, was du uns aufgetischt hast, ging doch nur dies hervor: daß Hans ein Versager ist, der nicht die Ausdauer aufbrachte, die nun mal dazu gehört; einer, der seine Berufung verriet, indem er das garantierte Leben eines

Grabsteinkonfektinärs wählte. Du hast ihn doch mal bewundert. Er war doch mal dein Vorbild. Aber nun bleibt dir nur übrig, ihn zu bedauern. Der große Armin Prugel bedauert den ehemaligen Kollegen, der, statt Unvergängliches zu schaffen, nur noch armselige Grabsteine fabriziert. Du kannst dir dein Bedauern schenken, Armin.

Mein Patenonkel gab sich fassungslos, anscheinend konnte er Betty nicht mehr verstehen, die sich langsam aber sicher in Wut hineinredete, nicht in diese unkontrollierte Wut, in der gestampft und geschrien und geschmissen wird, sondern in die gefährlichere, in der man schmale Lippen kriegt und so ein kaltes Funkeln in den Augen. Liebe Betty, sagte er werbend, doch er kam nicht dazu, mehr zu sagen; sie unterbrach ihn gleich mit den Worten: Ich habe es satt, Bedauern zu hören; das ist nämlich nichts anderes als ein Vorwand, um andere zu verletzen. Das kannst du doch wohl nicht meinen, sagte Armin Prugel, das kannst du doch wohl im Ernst nicht meinen.

Ich muß zugeben – im allgemeinen finde ich es komisch, wenn zwei Erwachsene aufeinander losgehen, und je höher sie an die Decke gehen, desto komischer kommt es mir vor, und es fehlt dann nicht viel, bis ich mir nicht mehr helfen kann und einfach loslache. Diesmal allerdings bestand keine Gefahr, daß ich lachte – diesmal nicht.

Betty zerknüllte eine leere Zigarettenpackung und schleuderte sie aus dem Handgelenk in Richtung Papierkorb, traf aber daneben. Es mußte sich allerhand angestaut haben in ihr, denn nachdem sie eine neue Packung geöffnet und aus Versehen gleich zwei Zigaretten herausgeschnippt hatte, nahm sie Armin Prugel wieder an und antwortete ihm direkt: Mir ist es verflucht ernst. Und damit du es ein für allemal weißt – ich habe Hans darin bestärkt, alles aufzugeben, ja, ich. Er war – mein Gott! – er war an seine Grenze gelangt. Mit den verheißungsvollen Anfängen hatte er sich verausgabt, erschöpft. Mehr war ihm einfach nicht gegeben; er sah es ein, und ich sah es auch ein, und wir mußten fertigwerden damit. Du wirst es vielleicht nicht begreifen, aber mitunter gehört mehr dazu, aufzugeben, zu verzichten, als starrsinnig weiterzumachen. Ich respektiere jeden, der hinschmeißt. Ich achte jeden, der resigniert. Einmal hast du gesagt, daß Hans sich durchgesetzt hätte, wenn er nur bei der Stange geblieben wäre. Mir wird schon bei dem Wort »durchsetzen« schlecht, glaub's mir, und Hans geht es ebenso. Ja, ich gebe es zu: es war sein Traum, als Bildhauer zu arbeiten. Aus Erkenntnis, verstehst du, aus schonungsloser Erkenntnis hat er diesen Traum aufgegeben. Und deshalb empfinde ich Hochachtung für ihn.

Mein Patenonkel versuchte, über den Tisch hinweg Bettys Hand zu nehmen. Der alte Wels war spürbar auf Versöhnung aus, doch Betty zog wie beiläufig ihre Hand zurück und musterte ihn mit deutlicher Abneigung. Großer Gott, war sie geladen. Dabei sah sie gut aus, ich meine, ihre Erbitterung stand ihr. Hör zu, Betty, sagte mein Patenonkel, du wirfst mir etwas vor, das ich weder gedacht noch gesagt habe. Du spinnst dir etwas zusammen. Hans hat es doch gar nicht nötig, verteidigt zu werden, und noch dazu gegen mich. Was Hans erreicht hat, verdient nur Anerkennung. Aus vielen Ländern kommen Kunden zu ihm. Er bestimmt seine Arbeit. Glaubst du, ich weiß das nicht? In gewissem Sinne sind wir doch alle Handwerker.

Nur von dem Wunsch erfüllt, einzulenken, schien Armin Prugel wahrhaftig vergessen zu haben, was er im einzelnen abgesondert hatte. Betty aber erließ es ihm nicht; auch wenn sie erregt war und wütend, fiel bei ihr nichts durch die Maschen. Sie sagte bitter: Von wegen Handwerker; laß dich doch nicht herab, auf einmal von Handwerkern zu reden. Aber das sind wir doch alle, sagte Armin Prugel schnell, das Material macht uns zu Handwerkern. Du hast von Konfektion geredet, sagte Betty, von Grab- und Trauerkonfektion. Es ist wahr – alles wiederholt sich, alles nutzt sich ab; die meisten kommen tatsächlich nicht auf die Idee, in ihrer Trauer originell zu sein, kühn oder von mir aus wegweisend – denn das erwarten wohl Leute wie du; sie begnügen sich mit den abgebrauchten Symbolen – also noch einmal das tränende Herz und die betenden Hände und die geknickte Rose. Aber woran liegt das? Woran wohl? Weil ihre Vorgänger dieselben Symbole der Trauer wählten? Weil Trauer stumpf macht oder reaktionär? Oder liegt es vielleicht daran, daß man sich in der Trauer mit dem bescheidet, was gängig ist? Ich werde dir was sagen, Armin: auch für unsere Gefühle gibt es nur beschränkte Möglichkeiten des Ausdrucks, auch für das Gefühl der Trauer. Ich weiß, wovon ich rede: was immer gezählt hat und zählen wird, ist der Schmerz. Und wenn der sich auch noch so oft wiederholt und wiederkehrt, jeder empfindet ihn auf seine Weise. Unterbrich mich nicht. Den Schmerz gibt es nicht von der Stange. Ich finde es widerlich, wenn einer wie du von Trauerkonfektion redet. Hochmütig finde ich es. Aber vielleicht wirst du ja zeitgemäße Sinnbilder der Trauer schaffen, im Unterschied zu Hans – weg von allem Normierten und Standardisierten, Kunstwerke, die originelle Gefühle in uns wecken, Grabmäler, die dem neuen Menschen angepaßt sind. – Zum Kotzen; es ist einfach zum Kotzen.

Weiß der Kuckuck, so in Fahrt hatte ich Betty nur selten erlebt. Es mußte sich wirklich allerhand in ihr angesammelt und aufgestaut haben. Ich war nahe daran, mir Sorgen um sie zu machen. Mein Patenonkel war derart gebannt, daß er völlig vergaß, sich den Mandel- und Nußbruch reinzuschaufeln, aber unvermutet gelang es ihm doch, sich zu lockern. Er stand auf, ging mit kleinen Schritten um den Tisch herum zu Betty und legte ihr erst einmal seine mächtige, reichlich bepelzte Pranke auf die Schulter. Sie protestierte nicht, streifte die Pranke nicht ab. Betty, sagte er zerknirscht, liebe alte Betty, wenn ich dir Anlaß gegeben habe, so weit gegen mich auszuholen, dann bitte ich um Entschuldigung. Mehr kann ich doch nicht tun, als dich in aller Form um Entschuldigung zu bitten. Ich wollte dich nicht verletzen, weiß Gott, wollte keinem einen Stich beibringen. Sobald du dich abgeregt hast, wirst du das einsehen. Wenn du dich erst einmal beruhigt hast, wirst du einsehen, daß du nicht gerecht warst. Menschenskind, Betty, wofür hältst du mich?
Während er nicht aufhörte, zu säuseln, brachte Betty es fertig, den verdammten Ausstellungskatalog in die Hand zu nehmen, den mein Patenonkel mitgebracht hatte, und nicht nur dies – sie blätterte darin, sie las, und zwar keineswegs flüchtig und wie aus Verlegenheit. Sie vertiefte sich wirklich in Abbildungen und Texte, überwältigend. Eben noch gereizt und von kalter Wut erfüllt, gelang es ihr, sich im Handumdrehen in einen andern Zustand zu versetzen, gerade als hätte sie nur einen Schalter bedient. In diesen Sprüngen, Verwandlungen, Kehrtwendungen war Betty einmalig, im Ernst.
Ich konnte die Abbildungen nicht erkennen, wußte auch nicht, welcher Schaffensphase meines Patenonkels der

Katalog gewidmet war. Nur eine einzige seiner Ausstellungen hatte ich verpaßt – damals, als ich krank war und mir alles aus der Hand fiel –, sonst hatte ich jede besucht, ganz erschlagen und begeistert von seinen Arbeiten. Von seiner »Alten Reisigsammlerin« habe ich sogar geträumt; den »Lesenden Jungen« und »Die Verhüllten« und sein »Taubenmädchen« hätte ich am liebsten mitgenommen. Weshalb sie ihn so feierten, habe ich mir nie vollständig erklären können. Es wird wohl daran gelegen haben, daß er wie kein anderer die Form verherrlichte – sie nicht mutwillig zerstörte, sondern sie verherrlichte, die Form, die Begriff und Gestalt vereinigt.

Ich beobachtete jedenfalls die lesende, die in Betrachtung versunkene Betty, die nicht zu erkennen gab, warum sie das tat, obwohl ich selbstverständlich wußte, daß sie nicht grundlos diesen Katalog studierte. Herr im Himmel, wie viel Zeit sie sich nahm, und wie sie sich festsah an einer ganz bestimmten Abbildung, die eine Doppelfigur zeigte, »Redner und Zuhörer«; sie schien vergessen zu haben, daß Armin Prugel hinter ihr stand. Es war übrigens die berühmte Plastik, die später einen endgültigen Platz auf dem Rathausmarkt fand, dieses Paar, das den ewigen Überzeugungseifer des Redners und die nachdenkliche Skepsis des Zuhörers veranschaulicht.

Als Betty kaum merklich den Kopf schüttelte, als sich auch ihr Oberkörper wie in Ungläubigkeit hin und her bewegte, dachte ich zuerst, daß sie etwas entdeckt hätte, etwas Unstimmiges, Mißglücktes, ich war tatsächlich darauf gefaßt, daß sie noch einmal loslegen würde, besonders nachdem sie gemurmelt hatte: Unglaublich, einfach unglaublich. Sie sagte auch: Es ist nicht zu fassen. Mein Patenonkel beugte sich sogleich über die Abbildung und fragte unsicher: Was meinst du? Betty zögerte ihre Antwort hinaus, aber dann sagte sie etwas, das ich immer im Gedächtnis behalten werde; sie sagte nämlich: Wie ist es nur möglich, daß ausgerechnet einem Kerl wie dir die wunderbarsten Sachen gelingen. Armin Prugel glaubte wohl, nicht recht verstanden zu haben, er fragte: Was soll das heißen? Und Betty darauf, ohne ihren Blick von der Abbildung zu nehmen: Einem Burschen wie dir dürfte so etwas nicht gelingen, etwas so – so Großartiges. Es war sehenswert, wie verwirrt mein Patenonkel dastand, und er bekam wohl auch kaum mit, wie Betty ihre Begeisterung für seine Skulptur, die aus Basaltlava genommen war, begründete. Sie lobte die Idee, die Ausführung, die Beiläufigkeit, mit der das Verhältnis von Redner und Zuhörer ins Zeitlose gebracht worden war – einmal nannte sie die Skulptur auch »erschrekkend vollkommen«; was sie damit sagen wollte, verstand ich allerdings nicht. Jedenfalls brauchte mein Patenonkel eine ganze Weile, bis er davon überzeugt war, daß Betty jedes Wort ernst meinte und daß ihre Bewunderung nicht gespielt war; sie war auch wirklich nicht gespielt. Zu meinem Erstaunen konnte er sich aber nicht darüber freuen; er, der Bewunderung und Lob nicht nur bis zum Erbrechen gewöhnt war, sondern auch aushalten konnte, wurde nicht gerade verlegen, betrug sich aber ziemlich verklemmt, nicht anders, als sei es ihm bei uns ungemütlich geworden. Als Betty dann die Absicht verkündete, bei nächster Gelegenheit in seine Ausstellung zu gehen, bot er sich an, sie und meinen Alten zu führen. Betty mußte versprechen, ihm eine Nachricht zu geben, und nachdem sie es getan hatte, wirkte er sehr erleichtert und benutzte die halbwegs entschärfte Stimmung, um sich zu verab-

schieden. Und grüß mir Hans, ich erwarte euch beide: das sagte er noch im Abdrehen.
Ach, Onkel Armin, immer wenn ich an dich denke, vermisse ich dich; ich meine, ich denke nicht oft an dich, aber wenn ich es tue, bedaure ich, daß wir uns immer wieder abhanden kamen. Im allgemeinen denke ich gern an deine Besuche, erinnere mich all der Geschenke, die du in früher Zeit für mich anschlepptest, einmalige Geschenke, du meine Güte: das schöne Mah-Jongg-Spiel aus Elfenbein und ein Sezierbesteck, um kleine Tiere zu sezieren, und zu allererst das Tretauto, das du selbst mit blauen und grünen Libellen bemalt hattest. Irgendwo steckt auch noch das Foto, das du mir einmal schenktest; darauf trägst du den Kittel des Waisenhauses, in dem du dich verhätscheln ließest, wie du selbst es nanntest. Weiß der Teufel, wie du es angestellt hast, aber wo ein Stipendium zu gewinnen war, da hast du es gewonnen, und wo Preise verteilt wurden, wurde mancher übergangen, nur du nicht. Oft habe ich mir vorzustellen versucht, wie es bei euch zuging, als ihr dies knappe halbe Jahr zu dritt lebtet, du, Betty und mein Alter. Ich habe gehört, daß niemand es wagte, nur zwei von euch einzuladen. Betty hat mir den Speicher gezeigt, in dem ihr anscheinend glücklich wart, den ehemaligen Teespeicher, den sie später unter Denkmalschutz stellten; und von ihr weiß ich auch, daß du es warst, dem das Leben dort am wenigsten genügte. Du entdecktest, daß du allein sein mußtest. Du entdecktest, daß du ein eigenes Atelier brauchtest und all das. Manchmal hab ich mir schon vorgestellt, was wohl geschehen wäre, wenn du Betty auf deine Seite gezogen hättest, ich meine: wenn ihr gemeinsam ausgeschert wärt, aber sie wußte gottseidank von Anfang an, wo sie hingehörte. Sie nahmen es

dir nicht einmal übel, daß du absprangst; jedenfalls behauptete Betty, daß sie selten ein so harmonisches Abschiedsfest mitgemacht hat wie an jenem Abend vor deinem Auszug.
Nachdem er gegangen war, wollte ich erst einmal lüften, aber Betty gab mir durch einen Blick zu verstehen, daß das Fenster geschlossen bleiben sollte. Sie kam von diesem Katalog nicht los. Sie vertiefte sich so konzentriert in sein Studium, daß auch ein Fremder begriffen hätte, woran ihr gelegen war. So machte sie es oft, wenn sie allein sein wollte; sie sagte nicht: Nun laß mich bitte mal allein, sondern vertiefte sich so abweisend in etwas, daß ihr Wunsch gar nicht erst ausgesprochen zu werden brauchte. Ich warf die zerknüllte Zigarettenschachtel in den Papierkorb, trug das Geschirr in die Küche und ging zu mir. Ich dachte an meinen Patenonkel und daran, was ihm bei seinem Gang über den Friedhof aufgefallen war, an die abgenutzten Symbole der Trauer, diese ganze Trost- und Trauerkonfektion, wie er meinte. Es konnte nicht ausbleiben, daß ich mir dabei meinen eigenen Grabstein vorzustellen versuchte – nur für den Fall, daß ich demnächst sterben sollte. Im Grund war es mir gleichgültig, von mir aus brauchte ich keinen Stein; von mir aus konnten sie mich in einen Sack einnähen und bei Helgoland in die Nordsee schmeißen, zu den alten, pockennarbigen Hummern, die es dort gab. Da mein Alter es sich jedoch nicht hätte nehmen lassen, mir einen eigenen Grabstein zu setzen, überlegte ich, für welches Trauersymbol er sich wohl in meinem Fall entscheiden würde. Mir fiel einfach nichts ein – so intensiv ich auch erwog und grübelte: mir fiel nichts ein –, ausgenommen dieses berühmte dreieckige kosmisches Auge; aber das wäre einfach lachhaft gewesen, weil es als Anspie-

lung auf meine Tätigkeit als Hausdetektiv hätte verstanden werden können.
Auf meinem Schreibtisch – mahnend, ganz für sich – lag der Band mit Dagermans Erzählungen, den Lone mir zu unserer ersten Verabredung mitgebracht hatte. Wie mein Bruder Reimund hatte auch Dagerman sich umgebracht, nicht durch einen Schuß allerdings, sondern durch Auspuffdämpfe, doch im Unterschied zu Reimund hatte er das auf der Höhe seines Ruhms getan, betrauert von allen Schweden. Ich las seine Geschichte von diesem gottverfluchten »Nächtlichen Badeort«, das heißt, ich versuchte sie zu lesen, denn während ich um diese armen Jungen bangte, die nach den Münzen widerlicher Touristen tauchten, schweiften meine Gedanken immer wieder ab, ich sah auf und lauschte nach nebenan, las ein wenig weiter und mußte, aufgestört durch ein schwaches Geräusch, wieder hinüberhorchen, in die Wohnung, die nun Lone gehörte. Ich konnte mich nicht dagegen wehren, daß ich die Geräusche, die mitunter zu mir herüberdrangen, zu deuten begann; ob ich es wollte oder nicht, ich versetzte mich hinter die Wand und sah Lone vom Stuhl springen oder ihre Kleiderbügel energisch gegeneinander schubsen, und als es einmal raschelte und gegen das Fenster schlug, glaubte ich es nur so deuten zu können, daß die Gardinenstange mit all den Ringen und Kneifern heruntergefallen war. Schließlich mußte ich den Erzählband zuklappen. Die Geschehnisse hinter der Wand beschäftigten mich mehr als die kleinen halbnackten Münztaucher – sie waren vielleicht nicht bedeutender, das nicht, aber sie ereigneten sich in unmittelbarer Nähe. Großer Gott, ich hätte nie geglaubt, welche Unruhe einfach durch Nähe entstehen kann; ich begann, was ich sonst nicht von mir kannte,

in meinem Zimmer auf und ab zu gehen, ich horchte auf Geräusche, nichts hielt mich davon zurück, ein paarmal das Ohr an die Wand zu legen, und wenn die Stille allzulange dauerte, wäre ich am liebsten hinübergerannt. Als Lone einmal ihre Stimme hob und Fritz verwarnte, hätte nicht viel gefehlt, und ich wäre zum Lauscher an der Wand geworden – nur mühsam konnte ich mich davor bewahren. Beim Hin- und Hertigern hatte ich auf einmal das Bedürfnis, Lone Gute Nacht zu sagen – es war ja die erste Nacht, die sie bei uns verbringen sollte, und deshalb erschien es mir angebracht, ihr das Naheliegende zu wünschen, also erholsamen Tiefschlaf und sympathische Träume und dergleichen. Weiß der Teufel, warum ich plötzlich das Gefühl hatte, sie unbedingt noch einmal sehen zu müssen; um die Wahrheit zu sagen, es war ein fast schmerzhaftes Gefühl. Ich überlegte, ob ein Gute-Nacht-Wunsch ausreichte, um bei ihr anzuklopfen. Es war ja noch ziemlich früh, und außerdem hatte dieser Sjöberg vor, am Abend wiederzukommen; mit ihm wollte ich nicht noch einmal zusammentreffen.

Auf dem Fensterbrett, über dem Kopfende meines Bettes, lagen zwei Taschenlampen, eine flache und eine Stablampe; beiden hatte ich neue Batterien eingesetzt. Ich schnappte mir die flache, ließ den Lichtschein probeweise kurz aufzucken, verdrängte alle Bedenken und war schon auf dem Korridor vor ihrer Tür. Das Licht fiel bei uns sehr selten aus, aber ausgerechnet am Abend vor meinem Examen war es ausgefallen, woraufhin ich, für alle Fälle, gleich zwei Taschenlampen angeschafft hatte; Taschenlampen machen sich immer bezahlt. Lone rief nicht Herein, sie öffnete gleich die Tür, und ich hielt ihr die flache Taschenlampe entgegen und sagte: Nur, falls das Licht ausfällt; es muß nicht passieren, aber es kann. Mit ihrem sanften, umwerfenden Lächeln bat sie mich, hereinzukommen. Dankbar nahm sie die Taschenlampe an, probierte sie aber nicht aus. Sie deutete auf den Rundtisch, auf dem zwei Teetassen standen, und forderte mich durch eine Geste auf, mich zu setzen; mir war klar, daß sie nicht für mich gedeckt hatte, und so winkte ich ab, versuchte meinen etwas verfrühten Gutenachtwunsch loszuwerden, und ärgerte mich über den psalmodierenden Ton, in dem ich das tat – ein Pastor hätte nicht schlimmer über die Bedeutung der ersten Nacht unter einem neuen Dach reden können. Es ist schon komisch, aber für meinen Ärger brauchten andere nicht zu sorgen, das tat ich oft selbst am besten. Lone nickte gerührt, sie fand meinen Gutenachtwunsch sehr nett, und ohne näher darauf einzugehen, nahm sie meinen Arm und schob mich ins andere Zimmer. Auf dem Sofa mit der mordsmäßigen Kuhle saß Fritz und pellte sich aus; er tat es bockig und maulend und dachte gar nicht daran, meinen Gruß zu erwidern. Wütender, als er es tat, kann man seine Sachen nicht fortschleudern – überall lag etwas herum, ringelte oder häufte oder verdrehte sich. Seufzend zeigte Lone auf die verstreut liegenden Sachen: Nun sehen Sie sich das an. Sie war nicht richtig verzagt, aber ein bißchen traurig war sie schon. Ich weiß nicht, wie es kam, aber als wir beide dort standen und auf den bockigen Jungen blickten, mußte ich an ein ratloses Elternpaar denken, das verzweifelt überlegt, wie es mit seinem aufsässigen Kind fertigwerden soll. Ich sah uns als Elternpaar, um es genau zu sagen, und von fernher hörte ich die Stimme meines Kollegen Willi, der mich oft mit der Behauptung anödete, es gehe nichts über das Glück, in jungen Jahren eine Familie zu gründen.

Dann geschah, was ich schon einmal mit den beiden erlebt hatte: Lone trat in das Blickfeld des Jungen und sah ihn an, lange, unerbittlich lange, sie sah ihn weder vorwurfsvoll noch befehlend an, sondern nur unendlich bekümmert, und dann sagte sie leise: Ich bin traurig, Lone ist sehr traurig. Das wirkte, weiß der Kuckuck; fast kam es mir vor, als hätte Lone eine pädagogische Zauberformel gebraucht. Das Bürschlein grinste unsicher, starrte Lone erschrocken an – ganz so, als müßte es sich vergewissern, ob sie wirklich traurig war –, und auf einmal regte es sich und zog eilfertig und vergnügt den zweiten Strumpf aus und legte ihn ordentlich auf einen Hocker. Danach zögerte Fritz eine Weile, er war ganz still und wartete, wartete darauf, daß wir ihn alleinließen, damit er seine Sachen unbeobachtet einsammeln und auf ihren Platz legen könnte. Wir ließen ihn allein. Ein Lob bekam er nicht zu hören.
Während Lone den Tee aufgoß – sie ließ mich einfach nicht gehen –, betrachtete ich ihre Wohnung und stellte mir vor, mit diesen Bildern, zwischen diesen Möbeln leben zu müssen. Die Vorstellung war mir nicht unsympathisch. Ich betrachtete auch noch einmal ihre private Fotogalerie, die alten Leutchen auf ihrem Balkon und Fritz auf der Rutsche und, etwas genauer, diesen gutaussehenden Julian Steiner, der auf Selbstsuche war. Neben dem Photo, das ihn auf einer Parkbank zeigte, stand jetzt noch eine zweite Abbildung dieses Seelenwanderers – er saß wahrhaftig mit untergeschlagenen Beinen in tadelloser Meditationshaltung da –, und auf der sah mich ein Typ aus glasigen Augen an. Ich möchte nicht sagen, daß er einen beschränkten Eindruck machte, aber er sah genau so aus wie ein Mensch, der es aufgegeben hat, aus seinem eigenen Labyrinth

herauszufinden. Vielleicht hatte er auch gerade sein Vor-Karma entdeckt oder sein Körper war in Ungnade gefallen oder so.
Was dieser Typ von Beruf war, bevor er auf seine Selbstsuche ging, hätte mich schon interessiert, aber ich hielt es nicht für angebracht, Lone danach zu fragen, und nachdem wir uns gesetzt hatten, schaute ich kein einziges Mal mehr zu den Fotos hinüber. Lone hatte ihren Pullover ausgezogen und trug jetzt eine seegrüne Bluse, die ihr verdammt gut stand. Ich möchte nicht zuviel sagen, aber so, wie sie mir gegenübersaß, hätte jeder englische Porträtmaler seine Freude an ihr gehabt – und ganz besonders an ihrem Hals, der so ziemlich der schönste Hals war, den man sich denken kann. Nach dem ersten Schluck Tee fing sie noch einmal damit an, mir zu danken, es war eine Art gesammelter Dank, der alles umfaßte, womit ich ihr geholfen hatte.
Und dann, nach einer Pause, sagte sie etwas, das mich fast umwarf; lächelnd sagte sie nämlich: Vielleicht muß ich auch Fritz danken; wenn er nicht diese Glaskugel genommen hätte, wären wir wohl nicht hier. Wenn Frau Holles Schneegestöber ihn nicht so begeistert hätte, wären Sie nicht zu uns gekommen, und wir hätten nichts voneinander gewußt. Ja, ich muß gewiß auch dem Jungen danken. Darauf muß ich sie wohl so perplex angeguckt haben, daß sie ein wenig unsicher wurde; vielleicht erschien ihr das Bekenntnis doch etwas zu riskant, und um es zu mildern, setzte sie mit gesenktem Blick hinzu: Nicht, daß ich nachträglich gutheiße, was er getan hat. In diesem Augenblick erkannte ich, daß Lone nicht wußte, was ihr selbst unterlaufen war; vermutlich hatte sie die Ware so gedankenlos eingesteckt, daß sie gar keinen Grund hatte,

ein schlechtes Gewissen zu zeigen. Als mir das aufging, mußte ich daran denken, wie ich selbst einmal in einem Buchladen eine englische Grammatik versehentlich in meine Mappe gesteckt hatte und an der Kasse nur Miltons »Verlorenes Paradies« vorlegte, und bei der Erinnerung an die Großmut des Buchhändlers – er öffnete ohne ein Wort meine Mappe, holte die Grammatik heraus, las den Preis ab und schob das Buch wieder hinein – lächelte ich und nahm Lones Hände und sagte: Manchmal lohnt es sich, etwas mitgehen zu lassen, ich meine: wenn es solche Folgen hat. Es hätte nicht viel gefehlt, und ich hätte Lone geküßt.
Leider klopfte es, und Betty steckte den Kopf herein. Oh, sagte sie zur Entschuldigung, nichts mehr als Oh. Dann bat sie mich, zum »Mastkorb« hinunterzugehen; sie meinte, ich könnte dort gebraucht werden.

10

Sie wollten ins Völkerkundemuseum, Lone und Fritz, ich hörte es zufällig, und da ich seit meiner Schulzeit nicht mehr dort gewesen war, fragte ich, ob ich mich anschließen dürfte; beide stimmten sofort zu. Weil das Museum, wie ich erfahren hatte, an Samstagen ziemlich überfüllt war, schlug ich vor, es an einem Freitagnachmittag zu besuchen, gleich nach meinem Dienstschluß; gegen zwei wollten wir uns am Fuß der großen Treppe treffen. Ich freute mich darauf; die Aussicht, mit Lone zusammen zu sein, erleichterte den Weg zur Arbeit; um ehrlich zu sein, der Tag hatte ein lohnendes Ziel.

Obwohl Hausdetektive an Freitagen besonders gefordert sind, war ich in bester Stimmung und bezog meinen elektronischen Ansitz mit gesteigerter Aufmerksamkeit. Die war nötig, weil faule Kunden sich an Freitagen für das ganze Wochenende eindecken, so dreist und großzügig, daß es einen vom Stuhl hauen konnte, im Ernst. Ich war darauf vorbereitet und ließ sechs, nicht weniger als sechs Spitzbuben hochgehen. Zwei von den dreien, die ich mit ihrer Beute entkommen ließ, hätte ich am liebsten auch festgenagelt – offenbar waren Sardinenliebhaber darunter, die es tatsächlich fertigbrachten, einen ganzen Stapel von Sardinendosen verschwinden zu lassen –, doch ich beherrschte mich und blieb meinem Grundsatz treu, jeden Dritten, gleichviel, wie und womit er sich bedient hatte, entkommen zu lassen. Was mich immer wieder und auch an diesem Freitag wunderte, das waren die Reaktionen der Überführten; einer von ihnen, ein zarter Strolch mit dunklem, brennendem Blick, drohte mir wahrhaftig; als er die Pizza herausrückte, die er unter seiner Popelinjacke trug, murmelte er, daß ich dies bereuen, tief bereuen würde. Eine ältere Dame, die die Geistesabwesende mimte, bot sofort an, den doppelten Preis für die Waren zu entrichten, mit denen sie sich bedient hatte. Man konnte sich nur wundern, wirklich.

Eine Viertelstunde bevor Willi erschien, um mich abzulösen, holte ich schon mal zusammen, was ich Lone und Fritz mitbringen wollte, Weintrauben vom Obststand und ein beschädigtes Kästchen mit Marzipantieren, das mir die sattelnasige Sophie zum halben Preis ließ. Danach trug ich die wichtigsten Vorkommnisse ins Rapportbuch ein, band die Krawatte ab, die ich während der Dienstzeit tragen mußte, schwenkte nurmehr spielerisch die elektronische Kamera und wartete auf Willi, der es mit der Ablösungszeit nie sehr genau nahm.

Plötzlich brach dieser Besuch über uns herein – ach, was heißt Besuch, ich muß wohl sagen: der verheerende Angriff auf die Lebensmittelabteilung begann. Zuerst glaubte ich irgendeinen verdammten Film zu erleben. Von der gleichgültig ruckelnden Rolltreppe steppten auf einmal Typen ab, denen jeder sofort ansehen mußte, daß sie nicht zu einem friedlichen Einkauf gekommen waren. Sie trugen Tarnjacken, Tarnhosen, einige auch Lederzeug; übers Gesicht hatten sie Seidenstrümpfe oder Pudelmützen gezogen, in die Seh-

schlitze hineingeschnitten waren; ein stämmiger Kerl, offenbar der Anführer, hatte sich mit einer original arabischen Kopfbedeckung geschmückt. Wie gedrillt traten sie an der Rolltreppe zur Seite und machten ihren Kumpanen Platz, die sich ruhig heraufbaggern ließen; auch ein paar in Leder gekleidete Mädchen waren dabei, die allerdings nicht vermummt, sondern angemalt waren: über ihre Wangen gezogene Schnurrhaare verliehen ihnen Katzengesichter. Unsere Verkäuferinnen unterbrachen ihre Arbeit, und die Kunden – um diese Zeit waren nicht allzuviele Kunden da – blickten teils belustigt, teils gespannt in Richtung Rolltreppe, wo der Sturmtrupp wuchs und ein paar Schlagballstöcke zum Vorschein brachte, die in einigen Händen unruhig zu wippen begannen. Zugegeben, ich war so gebannt, daß ich nicht sofort den Knopf drückte, der an der Kasse Alarm auslöst; blockiert war ich, um es genau zu sagen.
Großer Gott, ich höre noch den Pfiff, den der Kerl mit der arabischen Kopfbedeckung ausstieß, sehe noch diese Explosion von lustvoller Wut. Alles ging sekundenschnell; das stürzte sich stockschwingend auf Regale, Vitrinen, Warenkörbe; unter Fußtritten brachen mühevoll errichtete Pyramiden von Zuckermelonen und Konserven zusammen; Gläser mit Roter Beete splitterten, Mehltüten entließen feine Wölkchen, Rundstücke kollerten, Wurstkringel spielten Bumerang, Eierlikör floß über rosige Hähnchenschenkel, und überallhin spritzte Marmelade – eine Vierfruchtmarmelade übrigens, die wir sowohl für die Dame, mit einem Schuß Sekt, als auch für den Herrn, mit einem Schuß Whisky, führen. Sie zerschlugen, zertraten, mischten; um zu zeigen, wie stark sie waren und über welche Phantasie sie verfügten, mischten sie ungemah-

lenen Kaffee mit schwedischen Appetithäppchen und gossen den Sud der Gewürzgurken über unseren Kräutertee. Je schlimmer die Verwüstung, desto fröhlicher wurden sie, wirklich, und als zwei von ihnen ein Regal mit Konfekt und anderen Süßigkeiten umrissen, konnte ich bis in meinen Raum ein stoßweises Triumphgeheul hören.
Gerade als ich den Alarmknopf drückte, ertönte wieder ein kurzer Pfiff, und die eben noch schleudernde, spritzende und stoßende Bande ließ von allem ab und hastete in Richtung Kasse, allerdings nicht, ohne einzusacken, was sich gerade anbot und brauchbar schien. Mit dem Druck auf den Knopf war nicht nur die kleine Starre vorüber, auch Umsicht und Geistesgegenwart stellten sich wieder ein, und bevor ich hinausstürzte, versicherte ich mich noch schnell der Uhrzeit – für die Eintragung ins Rapportbuch. Knapp drei Minuten hatte die Heimsuchung gedauert. Entschlossen, zumindest einen dieser Typen festzuhalten, rannte ich hinter ihnen her, es brach und knackte unter meinen Sohlen, eine sämige Honigbahn – Honig von Rapsblüten, unsere Spezialität – hätte mich fast zu Fall gebracht; dennoch erwischte ich den letzten an der Kassenschleuse. Hart klatschte ich ihm auf die Lederjacke, packte ihn von hinten am Kragen, da wandte er sich um und setzte mir mit lächelnder Kaltblütigkeit das verdickte Ende seines Schlagballstocks auf die Brust und warnte mich gut verständlich durch seine Strumpfmaske: Abstand, he, immer gut Abstand halten. Da mir wenig daran lag, mit seinem Schlagballstock Bekanntschaft zu machen, hielt ich Abstand, sah nur zu, wie er über das Drehgitter flankte, mit federnden Sätzen zu seinen Kumpanen aufschloß und verschwand, ohne sich noch einmal umzusehen.

Sophie an ihrem Obststand flennte trocken. Doris in der Fleischabteilung blickte verzweifelt ihre geplatzten Grützwürste an. Jessica bei den Tiefkühltruhen lachte ein dünnes hysterisches Lachen. Sybille bei den Konserven und Gewürzen fluchte und schimpfte. Von den Kunden blickten einige ungläubig drein, einige schienen sich auch zu amüsieren. Mir werden viele Kunden immer rätselhaft bleiben. Strupp-Schönberg war nicht in seinem Glaskäfig; sie hatten ihn in die Direktion hinaufbestellt, ich möchte behaupten: zu seinem Glück, denn er hätte bestimmt nicht gezögert, sich mit dem Schlagballstock anzulegen. Annemarie – Teig- und Konditorwaren – hatte bereits hinauftelefoniert, er war verständigt, und während ich auf ihn wartete, sah ich mir die Verwüstungen etwas näher an, schritt die Regale ab, die Truhen und Auslagen; was ich sah, gab mir fast den Rest. Blindwütiger – ich meine, mit noch mehr infantiler Vernichtungswut – hätte man sich wirklich nicht an unschuldigen Waren auslassen können. Was ich dann aber in unserer Wild- und Geflügelabteilung entdeckte, war so traurig, daß ich nur lachen konnte: einer dieser Kämpfer für eine bessere Welt hatte es fertiggebracht, ein sogenanntes Bekennerschreiben zu hinterlassen, wirklich, einen lachhaften Zettel, den er einem Fasan, der noch sein Federkleid trug, in den Schnabel gezwängt hatte. Der Text lautete: Das war nur unsere Kampfansage. Wir kommen wieder. Unterschrieben war der Wisch mit: Kommando Sechster Dezember. Um ihn als Beweisstück zu sichern, löste ich den Zettel aus dem Fasanenschnabel und hielt ihn Strupp-Schönberg entgegen, der gerade dem Aufzug entstieg. Mein Abteilungsleiter stand starr, stand wie benommen, man konnte ihm ansehen, wie knirschende Empörung entstand. Langsam wan-

derte sein Blick über das vielfarbige Schlachtfeld, und dann stöhnte er: Vandalen, verdammte Vandalen! Scherben und Lebensmitteln ausweichend, ging ich zu ihm, und als er mich wahrnahm, mußte ich mir einen Blick gefallen lassen, der ebensoviel Grimm wie Enttäuschung enthielt. Ich möchte nicht zuviel sagen, aber dieser Vorgesetzte war gewiß darüber enttäuscht, daß ich weder Schrammen noch Platzwunden hatte und daß nicht einmal ein mageres Blutgerinnsel für meinen Versuch sprach, dem Vandalenansturm entgegenzutreten. Daß er in jeder Situation immer er selbst, immer Strupp-Schönberg blieb, bewies er mit der plötzlichen Frage: Wo ist Ihre Krawatte? Statt darauf zu antworten, reichte ich ihm das Bekennerschreiben, das er angewidert überflog und mir mit dem Auftrag zurückreichte: Verständigen Sie die Polizei. Er ließ mich stehen und ging zu den Mädchen, um sich von ihnen die Ereignisse schildern zu lassen.
Gewiß wird es niemanden überraschen, daß mir ziemlich elend zumute war; alles, was dieser Freitag versprochen hatte, schien sich auf einmal aufzulösen. Ich meldete der Polizei den Überfall und wartete danach vor dem Glaskäfig auf Strupp-Schönberg, bereit, soviel Schuld auf mich zu nehmen, wie ich verdiente. Was er mir vorwerfen würde, wußte ich im voraus, wußte auch, daß ich ihm in gemilderter Form beipflichten würde. Als er endlich kam, fertigte er mich vor seiner Tür ab. Von einer Entschuldigung wollte er nichts hören; er warf mir vor, dem Vandalentrupp nicht beherzt – er sagte tatsächlich beherzt – entgegengetreten zu sein, und er beklagte, daß ich nicht die Geistesgegenwart aufgebracht und einen Hausalarm ausgelöst hätte; bei einem sogenannten Hausalarm schließen sich sämtliche Türen automatisch und setzen alle gefangen,

die sich gerade im Kaufhaus befinden. Ich machte keinen Versuch, mich herauszureden, ich sagte nur, daß alles blitzschnell ging und ich wie gelähmt war und eine Sperre hatte, was er mit der Ansicht quittierte: Das eben ist der Punkt, Herr Bode; hier kann sich fast jeder eine gelegentliche Sperre leisten, nur einer nicht, und das ist der Hausdetektiv. Ich gab ihm recht, entschuldigte mich noch einmal für mein Versagen, versprach ihm sogar, mich bei eventuellen künftigen Ereignissen ähnlicher Art so zu verhalten, daß die Erwartungen, die man in mich setzte, nicht enttäuscht würden; doch mein Vorgesetzter ging nicht darauf ein. Er musterte mich, als ob ich ihm persönlich etwas angetan hätte. Und dann drohte er mir Konsequenzen an, wörtlich sagte er: Wir sind uns doch wohl im klaren darüber, Herr Bode, daß Ihr Verhalten Folgen haben wird. Welcher Art die Folgen sein könnten – also Verwarnung oder Gehaltsabzug oder sogar Kündigung –, erwähnte er nicht, er beließ es bei unbestimmter Drohung, vielleicht, weil es einfach zum Prinzip des Herrschens gehört, Leute im Ungewissen zu lassen. Er nickte mir verflucht ernst zu; gleich darauf klatschte er in die Hände und versammelte alle Verkäuferinnen um sich und hielt sie an, Verluste und Schäden erst nach dem Eintreffen der Polizei zu registrieren; desgleichen ordnete er an, beschädigte oder ungenießbar gewordene Waren dem Reinigungskommando zu überlassen, das er bereits verständigt hatte.

Ich verzog mich in meinen Raum, schlug noch einmal das Rapportbuch auf und begann die letzten Ereignisse nachzutragen, wobei ich von Zeit zu Zeit auf den Bildschirm sah und jedesmal einen allgegenwärtigen Strupp-Schönberg im Blick hatte, der, forsch hierhin und dorthin eilend, seine Direktiven gab. Auf einmal tauchte Willi hinter ihm auf, er hielt noch seinen Ausweis in der Hand, der ihm erlaubte, die vorübergehend geschlossene Lebensmittelabteilung zu betreten. Willi sah ziemlich erschlagen aus, er brauchte offenbar eine gewisse Zeit, bis er in der Lage war, einige Fragen zu stellen; Strupp-Schönberg indes zeigte sich alles andere als auskunftsbereit und deutete in meine Richtung, gerade als läge bei mir die Urheberschaft der Verwüstung. Der Abteilungsleiter ließ Willi stehen, wie er mich hatte stehenlassen, offensichtlich hatte er zuviel zu bedenken; um die Wahrheit zu sagen: seine Umsicht und sein Organisationstalent beeindruckten mich, die Katastrophe war seine große Stunde.

Diesmal verzichtete Willi darauf, mich finnisch zu begrüßen, er sagte nur: Das sieht ja aus wie nach einem Volltreffer. Es war auch einer, sagte ich. Wie ist es denn passiert, fragte er. Lies, sagte ich, und schob ihm das Rapportbuch zu. Kopfschüttelnd las er meinen Bericht, seufzte, zischte, grinste einmal flüchtig und entschied mit all seiner Aufgeklärtheit: Schlimme Kinder, Jan, sie brauchen ihren Krieg. Und um mich zu trösten, sagte er: Mach dir nichts draus, die Typen von der Versicherung kommen für alles auf.

Gleichzeitig mit dem Reinigungskommando – es arbeitete übrigens für den bulligen Kerl, der mit seiner Laster-Armada auch den täglichen Ausschuß von unserer Rampe abfuhr – erschien die Polizei; drei sehr junge Beamte, die Strupp-Schönberg begrüßte und mit einem gleichbleibenden Ausdruck der Erschütterung durch seine verwüstete Abteilung führte. Da ich mir reichlich überflüssig vorkam, nahm ich die Sachen, die ich Lone und Fritz mitbringen wollte, verabschiedete mich von Willi und ging. Strupp-Schönberg, an dem ich vorbei mußte, ließ meinen Gruß unerwidert; er fragte nur erstaunt: Sie sind noch da? Der Schlußbericht, sagte ich, der mußte noch geschrieben werden, worauf ihm nur der Satz gelang: Man wird ihn sich zu Gemüte führen.

Ich war so deprimiert, daß ich am liebsten nach Hause gefahren wäre, Migräne vorgeschützt und mich ins Bett gelegt hätte. Ich tat es nicht, weil Lone wartete, weil sie bereits eine gute halbe Stunde auf mich wartete. Dennoch, obwohl ich schon verspätet war, nahm ich mir draußen noch Zeit, den »Wächter« notdürftig zu reinigen, an dem irgendwelche Hohlköpfe wieder mal ihren Mutwillen ausprobiert hatten. Rasch wischte ich ihm mit einer Serviette ein paar Tomaten vom Oberschenkel und entfernte von seinem kümmerlichen Geschlecht einen Lederhandschuh, den ein elender Witzbold ihm übergestreift hatte. Ich war froh, daß mein Alter nicht erfuhr, wozu die gelungenste Figur, die er jemals gemacht hatte, tagtäglich herhalten mußte.

Schon von weitem erkannte ich, daß Lone und der Junge auf mich warteten; beide saßen am Rand der breiten Treppe und blinzelten in die Sonne. Es rührte mich, wie sie dasaßen mit dieser Geduld, dieser Ergebenheit. Ich brauchte mich kaum zu entschuldigen, denn Lone sah mir gleich an, daß mir etwas quergelaufen und ich nicht gerade in Lerchenstimmung war. Während Fritz sofort das Kästchen mit den Marzipantieren öffnete und einem Hahn den Kopf abbiß, blickte sie mich sanft prüfend an und fragte: Kummer? Nicht der Rede wert, sagte ich. Ich sehe es aber, sagte sie, ich sehe, daß Sie etwas bedrückt. Teilnahmsvoll, wie nur Lone war, fragte sie sogar, ob wir unseren Museumsbesuch nicht verschieben sollten, auf einen besseren Tag. Sie legte eine Hand auf meinen Arm, nickte auf die

Stufe hinab, wir setzten uns erst einmal, und ich erzählte ihr von dem verdammten Überfall und von dem Chaos, das in meiner Lebensmittelabteilung herrschte, und schließlich erwähnte ich auch Strupp-Schönberg und all das, was er mir vorgeworfen und angedroht hatte. Ich verschwieg Lone nicht, daß ich meinem Abteilungsleiter in gewisser Hinsicht recht geben mußte, denn es gehörte nun einmal zu den Pflichten eines Hausdetektivs, jede Gefahr zu erkennen, jeden nur denkbaren Schaden abzuwenden, und weil ich mich, wenn es sein mußte, noch nie geschont hatte, gab ich zu, auf meine Art wohl versagt zu haben. Ich hätte mich dieser Bande entgegenstellen müssen, sagte ich, und ich sagte auch, daß ich den Hausalarm sofort hätte auslösen müssen. Lone war nicht meiner Ansicht, vielleicht suchte sie nur nach mildernden Umständen für mich, ich weiß es nicht, jedenfalls meinte sie, daß doch wohl kein Hausdetektiv der ganzen Welt verpflichtet sei, es mit dreißig Ruhestörern aufzunehmen, die zum Teil bewaffnet und zu allem entschlossen seien. Ruhestörer nannte sie diese Vandalen. Und in der Absicht, mich freizusprechen, sagte sie leise: Darin allein sehe ich ein Zeichen der Reife. Wie wenig ich dagegen einzuwenden hatte, wird man sich bestimmt denken können, und als Lone – wieder um mich zu verteidigen – sagte, daß verzögerte Reaktionen zum Standardverhalten bei außerordentlichen Ereignissen gehören, nahm ich einfach ihre beiden Hände und zog sie von der Stufe hoch und ging zum Schalter, wo ich die Eintrittskarten kaufte, zwei Erwachsene, ein Kind.

Und dann zuckelten wir in die dämmrige afrikanische Abteilung, durch die wir schon als Schulkinder geschleust wurden, ewig ermahnt und angetrieben von

Frau Zoff-Michalke, unserer Lehrerin. In Glasvitrinen und hinter Sperrseilen gab es immer noch die gleichen Sachen zu bestaunen, Tontöpfe und Beinschmuck aus Affenfell und Schwerter von diesen Massais und Watutas. Überall standen Väter herum und erklärten ihren Kindern, warum einige Afrikaner Knieglocken trugen und warum sie Kriegsschmuck anlegten und wozu sie Amulette brauchten, und es dauerte nicht lange, da fing auch Fritz an, Fragen zu stellen. Junge, was der alles wissen wollte! Was den Afrikanern Masken bedeuteten, das konnte ich ihm noch erklären, ich konnte ihm auch ungefähr sagen, aus welchem Grund sie ihre Schilde bemalten, aber wozu diese düsteren Fetische aus Nyassaland dienten, die einen um so mehr beunruhigten, je länger man sie betrachtete, das wußte ich einfach nicht. Lone aber wußte es, und langmütig setzte sie ihm auseinander, daß in diesen Fetischen ein großer und mächtiger Geist wohnt, den die Afrikaner verehren. Selbstverständlich fragte Fritz sofort, was ein Geist ist, und Lone sagte, das ist einer, der das machen kann, was die Menschen gerade brauchen, Regen zum Beispiel. Und wenn der Geist nicht will, fragte Fritz, wenn er böse ist? Dann gibt man ihm Milch und Tabak, antwortete Lone, und manchmal ist er dann nett. Wenn er Milch bekommt, dann zaubert er, sagte Fritz grübelnd. So ungefähr, sagte Lone. Es war einfach umwerfend, wie Lone dem Jungen die Bedeutung des Fetischs erklärte. Wenn er Milch bekommt, dann zaubert er, aber er kann nur ganz bestimmte Sachen herbeizaubern, und wenn es den Leuten rundum gut gehen soll, dann müssen sie mehrere Geister haben: einen, der für Regen sorgt, einen, der die Haustiere gesund macht, einen, der vor Schlangen schützt. So ist es doch, fragte Lone mich; und ich bestätigte es, und

Fritz gab sich zufrieden. Niemand wird sich darüber wundern, daß ich es danach auch Lone überließ, dem Jungen zu erklären, warum ein Barimädchen nicht Rock oder Hose, sondern einen schönen Lendenschurz trug.
Von einem Sperrseil umgeben, war da eine Szene aus dem afrikanischen Familienleben nachgestellt; ich hatte sie schon vor vielen Jahren auf mich wirken lassen, als wir hier in Zweierreihe und Hand in Hand vorbeizogen. Immer noch stampfte die junge Afrikanerin, die sich ihr Baby auf den Rücken gebunden hatte, fröhlich Hirse in einem Mörser; sie war nicht ermüdet, war nicht älter geworden, vermutlich, sagte ich mir, würde sie in alle Ewigkeit stampfen – ein Inbegriff von Lebenszweck und Dauer. Ihr afrikanischer Mann schien nicht allzuviel mit ihr im Sinn zu haben; der Bursche, in dessen schütterem Bart wohl die Motten gehaust hatten, lag nur träge auf einer Matte und guckte aus schmalen Lidern in den Himmel, wo er vielleicht Zugvögel oder dergleichen zählte. Lone zwinkerte mir zu, lenkte meinen Blick auf das Paar und sagte: Ein Beispiel von gerechter Arbeitsteilung, oder? Sehen Sie ihr Gesicht, sagte ich, die junge Frau ist glücklich. Mittlerweile hat sie aber wohl gelernt, Fragen zu stellen, sagte Lone. Ich wollte gerade antworten, als Fritz plötzlich unter dem Seil hindurchschlüpfte und, ehe ich ihn noch zurückrufen konnte, zu dem afrikanischen Familienidyll sprang, sich über den Mörser beugte, tief in ihn hineinlangte, tastete, grabbelte und dann verkündete: Nichts, da ist nichts drin, nur das hier. Auf ausgestreckter Hand hielt er uns ein paar Papierkügelchen hin, es war Bonbonpapier, das irgendwelche Besucher in den Mörser geschnippt hatten. Fritz war schon wieder bei uns, als sich einer der Aufseher näherte, ein

Mann in prall sitzender grauer Uniform, der gewiß zu wenig Bewegung hatte; beinahe feierlich kam er heran, und um seiner Rüge zuvorzukommen, sagte ich: Ich weiß, ich weiß, es wird nicht wieder passieren. Dennoch hielt er es für unerläßlich, uns darauf hinzuweisen, daß das Berühren von Ausstellungsgegenständen verboten ist, und nicht nur dies. Zu einem der Verbotsschilder hinnickend, meinte er: Wenn Ihr Junge es nicht kann – Sie können doch lesen, was da steht, oder? Okay, sagte ich, okay, es wird bestimmt nicht mehr vorkommen. Ich war drauf und dran, ihm noch mehr zu sagen; solange ich denken kann, haben mich Aufseher seltsamerweise immer gereizt, doch auf einmal fühlte ich eine feuchte, klebrige Hand in der meinen, spürte ihren sanften Druck und hielt mich zurück. Um das mal auszusprechen: ich kann mir keine Frau vorstellen, die für einen Aufseher schwärmt.

Der Junge ließ meine Hand nicht los, auch wenn er hüpfte, hielt er sie, auch wenn er seine Fragen stellte. Ich weiß nicht, wie es kam, aber einfach dadurch, daß er meine Hand hielt, entstand so ein merkwürdiges, flutendes Gefühl; vielleicht kam es vom Anvertrauen, das ja in dieser Geste liegt, vielleicht kam es von dieser bekundeten Zugehörigkeit; gelegentlich hatte ich das Gefühl, für Fritz ein wenig verantwortlich zu sein, wirklich. Und das Merkwürdigste: ich empfand eine ganz leichte, unbekannte Freude – etwas, das ich zum Beispiel nie gespürt hatte, wenn mir in grauen Zeiten mein jüngster Bruder Ernie seine Patsche überließ.

In der Indianer-Abteilung brachte Fritz mich mit seinen Fragen nicht ins Schwitzen; während Lone mit vergnügter Aufmerksamkeit zuhörte, erklärte ich ihm, wozu die Friedenspfeife geraucht würde und warum Indianer so verflucht stolz waren, wenn sie einen neuen

Skalp nach Hause brachten. Als ich ihm beibrachte, was es mit dem Marterpfahl auf sich hatte, fragte er allen Ernstes, ob ich schon einmal an so einem Ding festgebunden war und ob sie auch Äxte nach mir geworfen hätten? Einmal stellte ich ihm eine Frage; da war dieses schöne Indianermädchen, das schon zur Zeit meiner Kindheit Fleischreste von Fellen schabte, und als ich wissen wollte, was ihm am meisten an diesem Mädchen gefiele, sagte er, ohne zu zögern: Das Band, das bunte Band um den Kopf.

Auch in der Eskimo-Abteilung hielt er meine Hand und fragte; mitunter tat er es, ohne nachzudenken, mechanisch und gewiß nicht, weil er etwas unbedingt wissen mußte, vielmehr stellte er seine Fragen, um sich von unseren Antworten unterhalten zu lassen. Fragen, das war für ihn auch ein Spiel. Obwohl ich es bemerkte, erklärte ich ihm, wie so ein Iglu beschaffen war und woraus der Kajak gemacht war, in dem noch immer der pelzbemützte Eskimo saß, der schon zu meiner Schulzeit seine Harpune nach einem vermutbaren Walroß schleuderte. Es fehlte nicht viel, und ich hätte den Burschen begrüßt. Was Frau Zoff-Michalke bei seinem Anblick damals zu uns sagte, das sagte ich jetzt auch zu Fritz: So ein Eskimojäger, sagte ich, der lebt jeden Tag gefährlich.

Zuletzt – wir waren schon ziemlich erschöpft – gingen wir noch in die polynesische Abteilung, in der es anders roch als in den übrigen Abteilungen, ein Geruch nach Desinfektionsmitteln hielt sich da, man war immer nahe daran, zu niesen. Wir begutachteten ein Auslegerboot und eine Sammlung recht unscheinbarer Blasrohre, und als wir uns den Kopfjägern von Borneo widmeten, nannte jemand meinen Namen – da stand Klaus Kampe, mein ehemaliger Prüfer im

Examen. Er hielt ein kleines Mädchen an der Hand, das einen winzigen Rucksack trug, reichlich mufflig und ungeduldig wirkte und Fritz nicht gerade freundlich taxierte. Klaus Kampe begrüßte mich kumpelhaft, begrüßte auch Lone, und als er Fritz übers Haar wischte, meinte er anerkennend: Ich wußte gar nicht, daß Sie einen Jungen haben. Ich hielt es für überflüssig, ihn in unsere Verhältnisse einzuweihen; ich ließ ihn tatsächlich in seinem Glauben und sah, wie Lone sich amüsiert wegdrehte. Mitfühlend, wie Klaus Kampe schon bei der Prüfung gewesen war, fragte er nach meinem Ergehen, und ich erzählte ihm von der einmaligen Position eines Hausdetektivs, die ich auf kürzestem Weg erklommen hatte. Er schüttelte nur den Kopf. Er fragte sich, ob diese Gesellschaft überhaupt weiß, was sie sich da leistet. Er bedauerte mich aufrichtig. Überraschenderweise mischte sich Lone ein; sie hielt sein Bedauern für unangebracht. Sie stellte fest, daß in dieser Zeit alle nur darauf aus seien, Kenntnisse zu erwerben, die sich rasch und effizient anwenden ließen. Prompte Anwendbarkeit – der Wunsch danach spuke in den meisten Köpfen; sie aber, Lone, habe einzusehen gelernt, daß gerade das von besonderem Wert ist und uns zugute kommt, was wir nicht unmittelbar als materiellen Gewinn umsetzen können. Ich will nicht zuviel sagen, aber das, was Lone feststellte, war mir in diesem Augenblick aus dem Herzen gesprochen. Sogleich nahm ich ihre Bemerkung auf: Warum sollte ein Hausdetektiv nicht das Junglehrer-Examen in der Tasche haben, wie so viele Politiker das zweite juristische Staatsexamen, sozusagen für alle Fälle? Das fragte ich gerade meinen Prüfer, als seine Tochter – Viola hieß sie – einen kleinen Schreckensschrei ausstieß und entgeistert auf die nackten Beine von Fritz zeigte.

Herr im Himmel, ich traute meinen Augen nicht, doch an einem seiner mageren Beine rann wahrhaftig etwas herab, ruckend, bernsteinfarben, in wenigen Tropfen nur. Fritz merkte anscheinend gar nicht, daß Urintropfen an seinem Bein hinabliefen; er hatte sich an diesen runzligen Schrumpfköpfen festgesehen, mit denen die Kopfjäger Borneos ihre Wohnungen gemütlicher machen; der Anblick mußte ihm ganz schön zusetzen, denn ich sah, wie er bibberte und sich verkrampfte. Das kleine Mädchen hielt es nicht mehr aus, es bedrängte seinen Vater, und mein Prüfer verabschiedete sich schmunzelnd und ließ sich bereitwillig wegzerren.

Ach, Lone, nie werde ich vergessen, wie du dem Jungen einen Arm um die Schulter legtest, wie eure Wangen sich berührten und du zu flüstern begannst, während er seltsam versteift auf die Schrumpfköpfe starrte und nicht losfinden konnte von diesen Gesichtern. Ich verstand kein einziges Wort, doch ich sah und erkannte, daß es befreiende Worte waren, mit Verzögerung tropften sie in ihn hinein, lockerten ihn, erlösten ihn, er schien zu erwachen und suchte deine Hand, und als du ihn dann leise lobtest, wußte ich, daß es dir nicht zum ersten Mal gelungen war, ihn aus einem angsterfüllten Wachtraum herauszuholen. Wie erleichtert du warst! Wie vorwurfsvoll du diese verdammten Schrumpfköpfe angucktest! Und dann nanntest du meinen Vornamen – nicht zu mir, nein, an den Jungen gewandt sagtest du: So, und nun gib auch Jan die Hand, und dann gehen wir. Fritz gehorchte, und als wir am Aufseher vorbeizogen, ging es ihm schon wieder so gut, daß er ein paar Hüpfer einlegte.

Ich weiß nicht, woran es liegt, daß Museumsbesuche durstig machen, auch Lone und Fritz ging es so, und als

ich ihnen vorschlug, die Cafeteria aufzusuchen, die zum Museum gehörte, stimmten beide sofort zu. Richtungspfeile lotsten uns zu einem terrassenartigen Anbau, wo der Junge den einzigen freien Tisch entdeckte, einen ziemlich knapp bemessenen Tisch, auf dem noch halb angetrunkene Colaflaschen und Teetassen standen und ein Aschenbecher, der von Zigarettenkippen überquoll. Ein alter Kellner, den sie gut und gern in eine Vitrine hätten stellen können, erkundigte sich nach unseren Wünschen; er machte einen sehr müden Eindruck und tat mir leid, als er unseren Tisch abräumte und mühsam trockenwischte. Lone und ich bestellten jeder ein Kännchen Kaffee, Fritz wollte ein Glas Kakao, dazu bestellten wir etwas von dem Kuchen, der allein noch vorrätig war, Puffer. Man kann hinkommen, wo man will, wenn ein Kuchen übrigbleibt, ist es Puffer. Ich fragte Fritz, was ihm im Museum am besten gefallen hätte, daraufhin dachte er ziemlich lange nach und kam plötzlich damit heraus, daß er zunächst einmal auf die Toilette müßte. Wir lachten und ließen ihn ziehen und nickten ihm zu, als er uns vom Niedergang aus winkte.
Eine Weile saß Lone wie so manches Mal mit gesenktem Blick da, plötzlich hob sie den Kopf, sah mich mit ihrem sanften, ein wenig schmerzlichen Lächeln an und sagte: Ich danke Ihnen, danke Ihnen für alles. Warum, sagte ich, mir hat's doch auch Freude gemacht. Der Junge, sagte sie, für ihn war es ein Erlebnis. Nur die Schrumpfköpfe, sagte ich, die haben es wohl in sich. Lone biß auf einmal auf ihre Unterlippe, und ich sagte: Er hat eine eigene Art, sich zu ängstigen, vermutlich hat er allerhand durchgemacht. Lone war nicht überrascht, daß ich es wußte; sie bestätigte es, indem sie kurz die Augen schloß, und dann erzählte sie, daß es

eine Zeit gab, in der für Fritz ein regelrechtes Strafsystem erfunden wurde, ein offenbar fein abgestuftes Strafsystem. Für Verbote, die er übertrat, für alles, was er vergaß oder überhörte, aber auch für gesteckte Aufgaben, die er nicht schaffte, gab es eine besondere Strafe. Um diesen Strafen zu entgehen, erzählte sie, rettete der Junge sich in Ausreden; gelegentlich war sie dabei und konnte nur staunen, wie erfindungsreich seine Ausreden waren. Margit hat sehr gelitten, sagte sie, und als meine Schwester sich endlich entschlossen hatte, mit dem Jungen fortzugehen, da geschah das Unglück. Ich wußte einfach nicht, was ich dazu sagen sollte, ich meine, zu dem abgestuften Strafsystem und so. Schließlich sagte ich aber doch: Fritz wird es vergessen, er wird bestimmt drüber wegkommen, worauf Lone sagte: So wie heute habe ich ihn lange nicht erlebt.

Gleichzeitig mit dem Jungen kam der Kellner an unseren Tisch und ließ es sich nicht nehmen, uns einzuschenken. Ich besah mir den Puffer etwas näher, stach auch einmal mit der Kuchengabel hinein; es überraschte mich nicht, daß nur die Spitze der Zinken in das Gebäck eindrang; um die Wahrheit zu sagen, es war ein richtiger Museumskuchen. Weiß der Teufel, worauf Fritz aus war, jedenfalls schlug er uns auf einmal ein Wettessen vor; wer zuerst mit seiner Scheibe Puffer fertig war, sollte die Reste der andern bekommen, also das, was jeder noch auf seinem Teller hatte. Ich muß wohl ziemlich verdattert geguckt haben, doch Lone, die gleich mit diesem Vorschlag einverstanden war, blinzelte mir zu, so innig und verschwörerisch, daß mir gar nichts anderes übrigblieb, als ebenfalls zuzustimmen. Klar, daß ich Gabel Gabel sein ließ; nachdem Fritz das Kommando gegeben hatte, nahm ich den

Puffer in die Hand – im Ernst, er mußte gebacken worden sein, als ich mit meiner Schulklasse im Museum war –, brach kleine Stücke ab, brockte sie mir in den Mund und führte, würgend und den Hals reckend, die ordentliche Mühe des Kauens vor, wobei ich noch japste und nach Luft rang. Wie zu erraten war, Fritz gewann. Er erklärte sich zum Sieger, wies Lone den zweiten, mir den dritten Platz zu, und danach kassierte er gleich unsere Teller und forderte uns auf, ihm und einander zu gratulieren. Selbstverständlich gratulierte ich zuerst dem Sieger, dann gab ich Lone die Hand und sagte: Herzlichen Glückwunsch, Lone, zur Silbermedaille, und sie sagte: Ich gratuliere zur Bronzenen, Jan. Ich hielt noch ihre Hand und war auf einmal so verdammt glücklich, daß ich sagte: Von jetzt ab bleibt es bei Lone – einverstanden? Sie sah mich ernst und ohne verblüfft zu sein an, sie brauchte wohl eine kleine Zeit, um sich zu entschließen, aber dann sagte sie: Gut, Jan, und erwiderte meinen Händedruck. Komisch, daß plötzlich alles weg war, was mir den Tag vermiest hatte, der Überfall, Strupp-Schönberg, die Drohung und all das. Ich war so verdammt glücklich, daß ich, wenn die beiden darauf bestanden hätten, einem ganzen Pufferkranz zu Leibe gerückt wäre.

11

Wegen einer Katze hätte Hund nicht so ausdauernd gebellt. Katzen, wenn sie sich zu uns verirrten, bellte er nur kurz an und vertrieb sie mit geschauspielerter Erregung, ohne es auf nähere Auseinandersetzungen ankommen zu lassen. An jenem Sonntagmorgen jedoch hatte sein Gebell etwas Unerregtes, da war kein Gegeifer, da überschlug sich nichts; es war eher ein rationelles Gebell, eine Art Pflichtübung, doch da sie nicht aufhörte, stieg ich aus dem Bett und linste durchs Fenster. Ein schwarzgekleideter Mann ging gemächlich über unseren Werkplatz. Er betrachtete die Rohblöcke. Er ging weiter bis zu den Spalieren der Grabsteine und betastete diesen und jenen. Zurückkehrend, warf er einen Blick in die offene Werkstatt, immer von Hund verfolgt, der ihn nicht angriff, nicht nach ihm schnappte, sondern ihn eher verdrossen begleitete und von Zeit zu Zeit zu ihm hinaufbellte. Da sich im Haus nichts regte, zog ich mich rasch an und lief nach draußen, nicht zuletzt, um Hund zu beruhigen, denn wegen seines Gebells hatte ich mir schon mehr als genug anhören müssen. Als ich die Haustür öffnete, kam der Mann sogleich auf mich zu, und obwohl ich ihn erst einmal gesehen hatte, erkannte ich ihn wieder: es war Professor Podworny, der Vater von Thérèse, der Kunsttischlerin. Er sah nicht nur übermüdet, er sah verstört aus, und er entschuldigte sich mehrmals dafür, daß er zu so früher Stunde und noch dazu an einem Sonntag hierher gekommen sei, aber er habe dem Meister eine Bitte vorzutragen, nur das, er werde nicht übermäßig stören, selbstverständlich werde er warten, bis der Meister gesprächsbereit sei. Professor Podworny bat so dringend um ein Gespräch, daß ich es einfach nicht fertigbrachte, ihn wegzuschicken; ich bat ihn nur um ein wenig Geduld und bat ihn außerdem, ab und zu ein Wort an Hund zu richten, denn er hörte wahrhaftig zu bellen auf, wenn man ihn ruhig ansprach.

Mein Alter schlief noch, schlief wie immer so fest, daß ich unbemerkt von ihm ins Schlafzimmer kommen konnte – im Unterschied zu Betty, die sich gleich aufrichtete, nach ihren Zigaretten griff und wissen wollte, was los sei. Betty hatte wirklich den leichtesten Schlaf der Welt. Um meinen Alten sekundenschnell und richtig wachzubekommen, hätte man ihm schon einen Hocker über den Kopf hauen müssen, im Ernst. Jedenfalls gaben wir uns gemeinsam Mühe, ihn zu wecken, Betty und ich; wir beklopften ihn, bufften ihn, hielten ihm die Nase zu, und allmählich regte er sich und blinzelte uns ziemlich gereizt an. Lange sagte er nichts, sondern sah uns nur an aus seinen geröteten Augen, die er immer hatte, wenn er im »Mastkorb« versackt war. Als ich ihm sagte, daß ein Kunde auf dem Werkplatz wartete, schloß er seufzend die Augen und wäre tatsächlich fast wieder eingeschlafen, doch Betty hinderte ihn daran, indem sie den Namen des Kunden nannte. Brummelnd bedachte er sich, rieb sich das Gesicht und tat, was er bestimmt für keinen anderen Kunden getan hätte: er stand an einem Sonntagmorgen auf, wusch sich ein wenig und pellte sich an.

Da er immer noch einen schweren Kopf hatte und ich mir Sorgen um ihn machte – und nicht zuletzt, weil Betty mir einen Wink gab –, ging ich ihm nach, und wir waren kaum allein auf dem Korridor, da lehnte er sich an die Wand. Er schnippte mit den Fingern, er wollte, daß ich zu ihm käme, ganz nah. Bereit, ihn zu stützen, trat ich zu ihm, doch er wollte nicht gestützt werden, er war nur wieder mal abgebrannt und sagte nicht allzu freundlich: Du mußt mir aushelfen, Jan, ich brauch einen Hunderter. Es ist verdammt nicht einfach, sagte ich, und er darauf: Morgen mittag, das genügt. Für ihn war das Problem gelöst, und er stieß sich von der Wand ab und schlurfte nach draußen, wo Professor Podworny ihn dankbar begrüßte, dankbar und unter endlosen Entschuldigungen. Mein Alter winkte ab, er sagte, daß er sich wohl auch von sich aus früher gemeldet hätte, er habe den Auftrag vorgezogen, der zweite Entwurf sei fertig, man könne ihn besichtigen. Professor Podworny gab ihm zu verstehen, daß nicht Ungeduld ihn hergeführt hätte, es sei etwas anderes, eine Information, die ihn beunruhige, darüber möchte er mit dem Meister sprechen. Der wollte nicht in der Sonne stehen, das Licht schmerzte ihn, und ohne auch nur eine Frage zu stellen, wandte er sich ab und ging voraus zum Büro. Ich möchte nicht zuviel sagen, doch beim Anblick des Grabmalentwurfs, den mein Alter vom Pult hob und auf dem Tisch ausbreitete, erkannte ich plötzlich, was Trauer ist. Übermächtig zeigte sie sich an der Gestalt des Mannes, der fassungslos, ungetrost und mit eingezogenen Schultern dem davongehenden Mädchen nachblickt und dabei weiß, daß er sich niemals ergeben wird ins Unwiderrufliche. So, wie er dastand, war er nicht gewillt, sich mit dem Verlust abzufinden, und mußte doch zur Kenntnis nehmen, daß er endgültig war. Tief beugte sich Professor Podworny über den Entwurf, strich über ihn hin, fand offenbar alles wieder, was er empfunden hatte und immer noch empfand, und schloß wie von Schmerz betäubt die Augen. Dann sagte er: Ja, ja, das ist es, was ich mir vorgestellt habe, und nach einer Weile sagte er auch noch: Ich bin Ihnen sehr, sehr dankbar, Herr Bode. Mein Alter war zufrieden, ich meine: er war lediglich zufrieden und trug das Blatt ohne sonderliche Genugtuung zum Pult und meinte trocken, daß er mit der Arbeit schon demnächst beginnen werde. Da hob Professor Podworny die Hand, es sah aus, als wollte er einen Einspruch anmelden, doch er bat nur darum, etwas weitergeben zu dürfen, das er gerade von einem Freund erfahren hatte, etwas Besorgniserregendes, um dessentwillen er auch so früh hierher gekommen war. Dieser Freund, so erfuhren wir, war Altertums-Experte, seit Jahrzehnten mit Restaurierungen beschäftigt und wohlvertraut mit dem Charakter des Gesteins. Er hatte von Dolomit abgeraten. Er hatte zu bedenken gegeben, daß Dolomit bei aller Härte spröder sei als die meisten anderen Kalksteine und deshalb auch anfälliger, und um sein Urteil zu begründen, hatte er einen bebilderten Artikel herausgesucht, der sich mit dem Zerfall der Statuen in der »Allee der Unsterblichen« beschäftigte. Mich wunderte es nicht, daß mein Alter immer unwilliger zuhörte, immer mißmutiger; schließlich war ich selbst einmal dabei gewesen, wie er einem Kunden, der ihn mit den blödsinnigsten Belehrungen nervte, einen vielversprechenden Auftrag einfach zurückgab. Aber dann nahm er doch den Artikel, den Professor Podworny ihm hinreichte, las nicht, sondern studierte nur die Bilder, die wirklich für sich sprachen. Herr im Himmel, diese sogenannten Unsterblichen –

Staatenlenker, Heerführer und Philosophen und all das – sahen aus, als hätte sie jemand mit der Nagelpeitsche gegeißelt; einem war das Kinn abgeschlagen, einem anderen ein Stück Nase, diesem zerbröckelte die Stirn, jenem blätterte ein Ohr ab – allzuviel Zeit mochte man diesen Unsterblichen nicht mehr geben. Dolomit, sagte Professor Podworny, all diese Statuen sind aus Dolomit gearbeitet. Der Meister ging darauf nicht ein, er nahm sich die Lupe, suchte, fuhr Profile ab und sagte: Da ist schon mal ausgebessert worden, vielleicht mit Mörtel oder Gips – kein Wunder, daß sie angefressen sind. Vermutlich war Halit im Mörtel, das Zeug fördert den Kristallisierungsdruck, und wenn Wasser einsickert, wird nach und nach etwas abgesprengt. Auf das, was mein Alter sagte, schien wiederum Professor Podworny nicht zu achten, er hatte ein Scheckheft vor sich auf den Tisch gelegt, wahrhaftig, er war schon schreibbereit, und als der Meister schwieg, wollte er wissen, ob der Stein für Thérèses Grabmal schon bestellt sei; selbstverständlich sei er willens, alle Kosten zu übernehmen, also auch die für die Rücksendung der Dolomit-Blöcke. So schnell geht's nicht bei uns, sagte mein Vater, der Stein ist zwar bestellt, aber noch nicht geliefert, bis jetzt sind keine Unkosten entstanden. Und dann fragte er – nur, um sich zu vergewissern –, ob die Entscheidung gegen Dolomit endgültig sei, und Professor Podworny berief sich wieder auf seinen Freund und dessen Ratschlag und gab zu, daß er seine Meinung geändert hätte, wobei er mehrmals feststellte, wie sehr er diese Meinungsänderung bedaure. Obwohl er, der Meister, selbst dazu geraten habe, das Grabmal aus Dolomit zu nehmen, würde er darum bitten, einen anderen Stein zu verwenden. Daß mein Alter nicht spätestens jetzt seinen Kunden verabschiedete, war

bestimmt einmalig; jedem anderen hätte er den Laufpaß gegeben, doch mit diesem Mann schien ihn etwas zu verbinden, das ihn über seine Gewohnheiten hinwegsehen ließ. Er schickte ihn jedenfalls nicht zu dem Riesengrabsteingeschäft von Wirtz & Brunner. Er trottete nicht davon. Er stand abwartend da und hörte nicht einmal uninteressiert zu, als Professor Podworny vorschlug, statt Dolomit Travertin als Material zu verwenden, dazu nämlich habe der Freund geraten, dieser Altertums-Experte.
Wie aufmerksam mein Alter das wulstige Gesicht seines Kunden betrachtete. Ich konnte mir nicht erklären, was in ihm vorging, aber ganz sicher erkundete und erwog er etwas für sich, denn auf den Vorschlag antwortete er mit ziemlicher Verzögerung. Travertin, meinte er, sei im Süßwasser entstanden, im Unterschied zu den geläufigen Kalksteinen, die ihren Ursprung im Salzwasser haben. Es sei bekannt, daß im Travertin allerhand abgelagert und eingeschlossen ist, Pflanzenreste vor allem, die dem Stein seine poröse Struktur geben. Warum nicht Travertin, sagte er, der Stein hat schöne Schichten, sein Gelb leuchtet, er habe sogar einen Block auf Lager, und wenn es recht sei, könne man den ja mal ansehen; allerdings, fügte er hinzu, reiche der nur für ein Teilstück, den großen Rest des benötigten Steins, der übrigens im hellsten Gelb in Jugoslawien und in der Türkei vorkomme, werde man aus Bayern holen. Mehr als erleichtert bot Professor Podworny noch einmal an, einen Scheck auszuschreiben, doch mein Alter berief sich zu meiner Verwunderung auf einen Grundsatz und lehnte ab. Wenn aufgebankt ist, sagte er, nicht vorher.
Wir zogen zu seinem Lager hinüber, aber was heißt Lager: seine Rohblöcke lagen unter einem angeschräg-

ten Dach, das auf Holzpfählen ruhte; nicht allzu sorgfältig verlegte Schienen in Schmalspur führten hinein, ein fahrbarer Hebekran, der wie ein trinkendes Tier aussah, versperrte wie immer den Weg. Von reichhaltiger Auswahl konnte man bei ihm nicht reden; was sich da kantig auftürmte, waren Kalk- und Sandsteine, Basalte und Gneise, vor allem aber Granit und Syenit, das älteste Gestein der Welt. Zielsicher führte er uns durch sehr enge Gänge zu einem Rohblock, der auf hölzernen Stämmen ruhte, die unter dem Gewicht des Kolosses bis zur Hälfte im Lehmboden eingesackt waren. Travertin, sagte er, wischte über den Block und machte den Kunden aufmerksam auf die zahlreichen Poren, die eingelagerte Pflanzen hinterlassen hatten; daß die Farbe ins Bräunliche hinüberspielte, habe nichts zu bedeuten, sie verweise nur auf den Ort des Vorkommens. Professor Podworny machte es meinem Alten nach und wischte ebenfalls mit flacher Hand über den Stein, er tat es allerdings nicht prüfend, sondern scheu, beinahe andächtig, und nachdem er anscheinend genug herausgespürt hatte, sagte er: Ja, dieser Stein, diese Farbe. Er wollte kein Gelb, wie der Meister es ihm noch einmal zur Auswahl anbot, er entschied sich für den Braunton, endgültig.
Während der ganzen Zeit, in der sie redeten, waren in unregelmäßigen Abständen Schläge zu hören gewesen, sie schienen mitunter fern zu fallen, plötzlich nah und dann wieder fern, es waren kurze echolose Schläge, die sich so anhörten, als dresche jemand mit einem Holzknüppel auf Steinblöcke. Als sie wieder einmal ganz nahe fielen, sahen wir uns an und verhielten uns still, und nach einer Weile erschien Fritz hinter einem Sandsteinblock. Der Junge hatte tatsächlich ein abgeschnittenes Vierkantholz in der Hand, er bewegte sich schlei-

chend auf Zehenspitzen, sein Gesicht war gespannt vor Eifer. Ich wollte ihn anrufen, doch mein Alter gab mir ein Zeichen, zu schweigen, und dann sahen wir, wie das Bürschchen, das uns noch nicht bemerkt hatte, beidhändig ausholte, gegen den Sandsteinblock schlug, gleich darauf sein Ohr an den Stein legte und lauschend verharrte. Mundoffen schmiegte er seine Wange an den Stein, als gelte es, etwas sehr Leises, Feines auszumachen. Der Ausdruck seines Gesichts veränderte sich nicht, er erhielt wohl keine Antwort; abrupt richtete er sich auf und sah sich nach einem anderen Stein um, und nun entdeckte er uns.
Einen Augenblick war er wohl im Zweifel, ob er davonlaufen oder zu uns kommen sollte, doch auf einen Wink meines Alten kam er heran und senkte verlegen, wie ertappt, sein Gesicht. Vorübergehend waren ihm wohl die Worte ausgegangen, denn auf alle Fragen hatte er zunächst nur ein Kopfschütteln oder ein Nicken übrig; erst nachdem ich ihn aufgefordert hatte, allen die Hand zu geben – was er auch gehorsam tat –, wurde er gesprächig, ein bißchen furchtsam, aber er wurde es. Immer nur zu meinem Alten aufblickend, sagte er, daß in manchen Steinen einer drin ist. Wenn man dagegen schlägt, wird er wach. Er sagte: Manchmal brummt er tief innen, oder er wimmert ganz leise. Und er sagte auch: Einmal hat er zurückgeklopft. Professor Podworny lächelte zum ersten Mal, mein Alter aber legte dem Jungen seine Tatze auf die Schulter und bestätigte alles, was er gehört hatte. In manchen Steinen ist wirklich einer drin, meinte er; man darf ihn nur nicht zu oft wecken, und man muß verdammt vorsichtig sein. Manchmal singt er auch, daß es richtig wehtut, sagte Fritz. Es war bestimmt hörenswert, wie mein Alter auf die erlauschten Entdeckungen des Jungen einging; es

war kein nachsichtiges oder amüsiertes Beipflichten, mit dem Erwachsene Kinder abspeisen, vielmehr sprach er in einem Ton, in dem er manchmal auch mit Nikolas redete, wenn sie gerade von einem ihrer Versöhnungsfeste gekommen waren, also achtsam und freundlich und vor allem auch zustimmungsbereit. Einmal plinkerte er dann aber doch Professor Podworny zu, das war, bevor er Fritz ermunterte, mal in den Travertinblock hineinzulauschen, einfach mal nachzuforschen, ob auch da einer drin sei. Fritz ließ zwar sein Kantholz spielen, verzichtete aber darauf, einen Schlag zu führen, weil wir nach seiner Meinung viel zu laut geredet hatten und man nur dann eine Antwort aus dem Stein bekommt, wenn man ganz leise ist. Da schüttelte mein Alter wahrhaftig den Kopf über sich selbst und gab vor, das ganz vergessen zu haben, ich meine, daß man verflucht still sein muß, wenn man von dem da drinnen etwas hören will. Nachdem er dies zugegeben hatte, sah Fritz ihn nicht mehr mit diesem furchtsamen Blick an, auch sein leichtes Mißtrauen verflog, und als ich ihm sagte, daß der Meister bestimmt gern mal dabei wäre, wenn der drinnen im Stein seine Antworten gäbe, war der Junge sogleich einverstanden – unter der Bedingung allerdings, daß nicht geredet würde; wenn geredet wird, ist alles aus.

Und auf einmal fragte er Professor Podworny: Wollen Sie auch hier wohnen? Nein, sagte der, nein, nein, ich bin nur ein Kunde. Lone und ich wohnen da, sagte Fritz und deutete auf die Fenster, die zu ihrer Wohnung gehörten. Schön habt ihr es hier, sagte Professor Podworny, und du kannst sicher überall spielen. Nicht überall, sagte Fritz, an manchen Stellen muß man immer aufpassen. So ist es, sagte mein Alter, wer

aufpaßt, dem passiert auch nichts. Plötzlich fragte Fritz, ob Professor Podworny vielleicht einen Grabstein kaufen möchte, hinter der Werkstatt stünden viele, auch weiße. Ja, sagte der Professor, darum bin ich hier; und der Junge darauf: Haben Sie Geld mitgebracht? Wer einen Grabstein mitnehmen will, der muß zuerst bezahlen. Der Stein muß erst gemacht werden, sagte Professor Podworny, es sollen große Steine sein, ein Grabmal, weißt du. Warum nehmen Sie keinen kleinen, fragte Fritz, die sind alle schon fertig, und Sie können ihn gleich kaufen. Das erkläre ich dir später, sagte mein Alter und tätschelte Fritz die Schulter.
Professor Podworny hatte wiederum, wie schon beim ersten Besuch, die Taxe warten lassen, und als mein Alter ihn zum Tor brachte, schlenderte der Junge hinterdrein. Bevor ich mich endlich Hund widmete, der nicht aufhörte, mir den zerfledderten Arbeitshandschuh anzubieten, sah ich noch, wie der Professor beim Abschied Fritz etwas in die Hand drückte. Ich warf den Handschuh über den Berg von Abfallgestein, Hund brachte ihn zurück, ich warf ihn noch einmal und nahm Deckung hinter einem Rohstein, doch ich konnte den anhänglichen Kumpel nicht in Verlegenheit bringen; er senkte nur die Nase und hatte mich schon erschnüffelt und wollte nichts als belobigt werden. Wie verständnislos Hund immer dreinsah, wenn er am Hauseingang zurückbleiben mußte, verständnisloser kann man einfach nicht dreinschauen, wirklich. Ich ging zu mir, zog ein sauberes Hemd an und wollte gleich hinüber zum Frühstück; da es mir aber zur Gewohnheit geworden war, immer wieder mal zu Lone hinzuhorchen, näherte ich mich der Wand und war ganz schön verblüfft, als ich eine Männerstimme hörte. Wenn es ein gewöhnlicher Tag gewesen wäre, hätte es

mir weniger zu denken gegeben, das ganz gewiß, aber an einem Sonntagvormittag legt eine Männerstimme gleich alle möglichen Vermutungen nahe; um die Wahrheit zu sagen: ich kriegte einen verdammten Schreck, denn ich dachte sofort, daß Lones Mann, dieser Julian Steiner, seine Selbstsuche unterbrochen und vorübergehend bei ihr Anker geworfen hatte. Weiß der Teufel, in diesem Augenblick merkte ich, wieviel ich schon auf Lone übertragen hatte, ich meine: an Gefühlen und Gedanken und so weiter. Keiner kann sich daher vorstellen, welch ein Stein mir vom Herzen fiel, als ich, das Ohr an die Wand gelegt, Sjöbergs Stimme wiedererkannte; in belehrendem Tonfall redete er auf Lone ein, geduldig, in seinem norwegischen Singsang. Es gab keinen Zweifel, daß sie eine Übersetzung durchgingen. Ich nahm mir vor, künftig nie mehr an der Wand zu horchen und die Gewohnheit, bei dem mindesten Geräusch von drüben aufzumerken, allmählich abzulegen.

Sie waren bereits beim Frühstück, Betty, Jette und Ernie, genauer gesagt: Ernie aß wohl seine zwölfte, mit Honig bekleckste Schnitte, Betty in ihrem verwaschenen lindblauen Morgenmantel trank nur Kaffee und rauchte dazu, und Jette versuchte unter Lockungen und Drohungen diesen blöden Papagei einzufangen, der ihr wieder mal entwischt war und sich auf die Gardinenstange geflüchtet hatte. Die Stimmung meiner Leute war nicht übermäßig. Ich streifte an Betty meinen Gutenmorgenkuß ab, worauf sie sich so erschrocken an die Wange faßte, als hätte ich ihr ein Loch hineingebissen. Ernie hielt es gar nicht erst für nötig, auf meinen Gruß zu antworten, er kaute stumpfsinnig weiter, und meine kleine Schwester zischte mich nur an und wollte nicht gestört werden bei ihren Fangversu-

kommen; doch bevor sie es tat, war Ernie schon neben mir, und nach einem schnellen Blick meinte er nur: Prost Mahlzeit, gleich hast du den Salat; ich an deiner Stelle würde ihn jetzt fliegen lassen. Aber er gehört mir nicht, sagte Jette, außerdem kommt er in der Freiheit um. Soll ich den Besen holen, fragte Ernie, mit dem Besen könnte ich ihn runterschütteln, den launischen Hund. Das war typisch Ernie, ich meine die Ausdrucksweise; in meinem ganzen Leben habe ich niemanden kennengelernt, der sich in seinen Worten so vergreifen konnte wie er. Wenn er den Besen sieht, wird er nur noch wilder, sagte Jette und hielt dem Vogel Nüsse hin und schnalzte mit der Zunge. Wie wär's mit einer Drahtschlinge, sagte Ernie, einfach eine Schlinge über den Kopf und dann weg mit ihm. Dir, sagte Jette, dir sollte man eine Schlinge um den Hals legen. Großer Gott, sie diskutierten; die Gefahr kam näher, und wie immer diskutierten sie.
Und dann kam mein Alter herein, an langem Arm zog er Fritz mit sich und sagte ruhig: Ich habe einen Frühstücksgast mitgebracht, hoffentlich habt ihr noch etwas übriggelassen, wir haben nämlich Hunger. Ohne eine Erwiderung abzuwarten, zog er den Jungen zum Tisch, drückte ihn auf Jettes Stuhl und setzte sich neben ihn. Das warf mich um, im Ernst; ich meine weniger die Tatsache, daß er Fritz anschleppte, als vielmehr die frohgemute Art, in der er es tat. Er wirkte tatsächlich aufgeräumt, wirkte selbstzufrieden, schien sich nur ein bißchen zu wundern über unser unwillkürliches Erstaunen, und um sich darüber hinwegzusetzen, fragte er: Was meinst du, Betty, haben wir noch etwas Milch für Fritz?
Nicht er, mein Alter, der Junge entdeckte zuerst den Vogel, er zeigte gleich auf ihn und murmelte etwas, ich

verstand nur das Wort »einsperren«. Der hat sich nur in der Tür geirrt, sagte mein Alter, er ist ausgebüchst und hat sich vor lauter Angst verflogen. Freundlich forderte er Jette auf, den Vogel in ihr Zimmer zu bringen, freundlich, aber dringend, und dann fischte er zwei Schnitten Brot aus dem Korb und schmierte eine für sich und eine für Fritz. Und ausführlicher, als er es sonst getan hätte, antwortete er Betty; er erzählte ihr, daß Professor Podworny sich für ein anderes Material entschieden hatte, offenbar unter dem Einfluß eines Freundes. Deswegen, sagte er, nur deswegen ist er gekommen: statt Dolomit will er Travertin haben. Und was meinst du dazu, fragte Betty. Nun wird es wohl teurer, sagte der Meister, und nach einer Pause sagte er auch noch: Ich weiß nicht, warum mir dieser Mann so leid tut, ich komm nicht dahinter; mitunter hab ich das Gefühl, daß er nur noch für sein Unglück leben will. Auf wie alt schätzt du ihn, fragte Betty, und er darauf: Schwer zu sagen, Mitte Fünfzig, Anfang Sechzig. Das ist gut möglich, sagte Betty, ich meine: es ist möglich, daß einer nur noch seinem Unglück lebt, weil er in ihm alles findet, was er braucht, nicht zuletzt die Selbsterhöhung, diese merkwürdige Selbsterhöhung.
Ich weiß, was du meinst, sagte mein Alter, und oft trifft es ja auch zu, daß Leute sich seltsam ausgezeichnet fühlen durch ein Unglück und daraus wer weiß was ableiten, aber bei ihm ist es nicht der Fall, nicht bei diesem Professor. Was ich bei ihm finde, ist immer nur dies: Unversöhntheit und so eine – wie soll ich es sagen? – so eine entschlossene Verzweiflung.
Auf einmal merkte er, daß der Junge, anstatt zu essen und seine kalte Milch zu trinken, besorgt zum Vogel hinaufschaute, nicht anders, als fürchtete er, daß Coco – dessen Kreischen einem wirklich an die Nerven

ging –, ihn anfliegen könnte. Du magst ihn wohl nicht besonders, fragte er. N-n, machte Fritz. Siehst du, sagte mein Alter, ich mag es auch nicht besonders, wenn er uns beim Essen stört. Danach bat er Jette, rasch hinauszugehen und die Tür zu ihrem Zimmer zu öffnen, bat sodann Ernie, sich auf dem Korridor zu postieren, um so den Papagei abzulenken, und kaum war dies geschehen, griff er sich ein Handtuch und warf es gegen die Gardinenstange, ohne den Vogel zu treffen. Der schwang unter irrsinnigem Schimpfen ab, flog zur Tür hinaus, änderte, von Ernie erschreckt, die Richtung und rettete sich, wie geplant, in Jettes Zimmer. Schon erledigt, sagte mein Alter vergnügt, und nicht nur dies: er brachte es wahrhaftig fertig, Ernie zu danken und sich später sogar bei Jette, wenn auch auf seine Art, zu entschuldigen; zu ihr sagte er nämlich: Hoffentlich hat dein Coco keinen seelischen Schaden genommen. Herr im Himmel, es mußte wohl hundert Jahre her sein, seit er sich für irgendetwas bedankt hatte.
Trotz seines Zuredens aß Fritz nur eine halbe Schnitte, immer wieder nahm der Junge den angeschliffenen Achat auf, schüttelte ihn und lauschte auf das ferne Glucksen, und sobald er es hörte – er hörte es anscheinend nicht jedesmal –, lächelte er entrückt. Da Betty ihm ein paarmal freundlich zunickte, ging er zu ihr hinüber, schüttelte für sie den Stein und legte ihn an ihr Ohr, und sie sagte überrascht: Wasser, ja – ich höre es ganz deutlich. Auch Jette und ich durften lauschen, nur Ernie nicht – vermutlich, weil Ernie unentwegt grinste, gutmütig zwar, aber doch so, daß einer verdammt unsicher werden konnte.
Plötzlich verabschiedete sich Fritz, das heißt, er verabschiedete sich nicht ausdrücklich, sondern sagte nur:

Ich muß zu Lone, und nach dieser Ankündigung war er auch schon draußen, und wir waren wieder einmal unter uns. Zuerst dachte ich, daß mein Alter nun irgendeinen Kommentar abgeben würde, ehrlich gesagt, wir warteten alle darauf, daß er das Wort nahm und uns zumindest sagte, was er von dem Frühstücksgast hielt, den er selbst angeschleppt hatte, aber es kam nichts von ihm. Er schwieg, und er gefiel sich in seinem Schweigen. Dennoch – und das war seltsam genug – drängte keiner wie sonst vom sonntäglichen Frühstückstisch fort, nicht einmal Ernie beeilte sich damit, den Rest aus dem Honigglas auszulöffeln und zu seiner Klarinette zu ziehen.

Und ich weiß noch, Betty, wie Jette dich darum bat, das Pflaster über der bescheidenen Wunde zu erneuern, die ihr einer ihrer Patienten beigebracht hatte. Wir guckten alle zu, aufmerksam und bang und ich weiß nicht was; man konnte den Eindruck haben, daß wir alle ein Pflaster erneuert haben wollten; und als Jette sich einfach auf deinen Schoß setzte und du das alte Pflaster mit einem Ruck abrissest, zuckten wir alle zusammen, wirklich, das taten wir, und ich möchte schwören, daß jeder von uns den kurzen sengenden Schmerz spürte, dieses Nachbrennen. Und nachdem du das frische Pflaster mit beiden Daumen festgestrichen hattest und Jette nicht gleich aufstand, fragtest du in deiner einmaligen Art: Na, was ist, soll ich vielleicht auch noch pusten? Da sahen wir uns nur an und lachten, und weil du wußtest, warum wir es taten – schließlich haben wir alle mal deinen Hauch am Arm oder Knie oder weiß der Teufel wo gespürt –, lachtest du mit, und in unserm Lachen lag ein wortloses Einverständnis, mit dem wohl keiner von uns mehr gerechnet hatte.

12

Daß die meisten Leute gar nicht meinen, was sie sagen, wurde mir endgültig bei dieser Ausstellungseröffnung bewußt. Obwohl Theo Kreutzer, den ich nur flüchtig kannte, kein umwerfender Maler war, fand sich bei seiner Vernissage ein riesiger Haufen Leute ein, angeblich alles, was Rang und Namen hat; für mich das affektierteste Volk, das man sich denken kann. Und mindestens siebzig von diesen Zeitgenossen glaubten mir sagen zu müssen, wie sehr sie sich freuten, mich hier zu treffen oder mich endlich mal wiederzusehen, doch was das Deprimierendste war: diese Leute, die ich kaum zuvor getroffen hatte, forderten mich dann auch gleich auf, mich endlich wieder blicken zu lassen und mein hochmütiges Eremitendasein aufzugeben.

Einige allerdings meinen auch alles, was sie sagen, und wer wissen möchte, wen ich da im Auge habe: es sind die Norweger. Bei ihnen ist tatsächlich jedes Wort Barzahlung. Was ein Norweger sagt, daran kann man sich nicht nur, daran muß man sich halten, im Ernst; ich wurde es gewahr, als Sjöberg mich zum Unabhängigkeitsfest einlud. Zugegeben: er lud mich ziemlich beiläufig ein, an einem Abend, als er gerade aus Lones Zimmer kam und wir fast aufeinanderprallten; zuerst entschuldigte er sich übermäßig, und nachdem wir uns gegenseitig verziehen hatten, versicherte er mir, daß es

eine Freude für ihn wäre, mich am norwegischen Unabhängigkeitstag begrüßen zu können. Er sprach sogar von besonderer Freude – für mich ein Grund, diese Einladung sofort zu vergessen; denn nie im Leben hätte ich geglaubt, daß sie ernst gemeint war. Um so erstaunter war ich, als Lone mich bei einer zufälligen Begegnung im Korridor fragte, ob wir nicht gemeinsam in die Seemannsmission fahren könnten, ich sei doch auch eingeladen. Auf mein Bedenken, dies sei doch wohl nur reine Höflichkeit gewesen, schüttelte sie den Kopf und sagte entschieden: Nein, nein, das gilt. Niels ist Norweger, und was ein Norweger sagt, das gilt. Und schmunzelnd sagte sie auch noch: Glaub mir, Jan, wenn ein sechzigjähriger Norweger dich zu seinem siebzigsten Geburtstag einlädt, dann kannst du sicher sein, daß du erwartet wirst; die sind so.
Da Lone niemals Mühe hatte, mich zu überzeugen, willigte ich rasch ein – übrigens nicht gerade unglücklich über die Aussicht, mit ihr zusammen dieses Unabhängigkeitsfest zu erleben, das, wie sie mir beibrachte, das Höchste im norwegischen Leben darstellt. Falls es jemanden interessiert, mir haben nationale Gedenktage noch nie viel bedeutet, ich meine diese lachhaften Versuche, angebliche Lehren der Geschichte zu verkünden, oder gar diese Aufforderungen, auf irgendetwas oder irgendjemand stolz zu sein; soweit ich die Geschichte kenne, lehrt sie verflucht wenig und gibt nichts her, um Stolz zu empfinden; allerdings hätte ich nichts dagegen, wenn zwei Ereignisse festlich begangen würden: der Tag der Unabhängigkeit und der Tag der Verkündung des Grundgesetzes.
Jedenfalls, es war ein sogenannter lauer Abend, als Lone und ich zur Bushaltestelle gingen, mehr rückwärts als vorwärts blickend, denn immerfort mußten

wir Fritz zurückgrüßen, der am Fenster stand und, obwohl er genau wußte, wo Lone notfalls zu finden wäre, so traurig winkte, als hätte sie ihn für immer verlassen. Lone trug wieder ihre seegrüne Bluse, die ihr sagenhaft gut stand, dazu einen Wildlederrock, den ich noch nie an ihr gesehen hatte – ich konnte verstehen, daß die beiden Frauen, die mit uns auf den Bus warteten, ihr mehr als einen Blick gönnten. Der Bus war fast leer, nur wenige Leute wollten zu dieser Zeit in die Stadt. Wir setzten uns auf die letzte Bank, und weil Lone offenbar spürte, daß mir bei aller Freude auf den Abend auch etwas beklommen zumute war, fing sie gleich an, meine Sorgen zu zerstreuen – nicht direkt, sondern indem sie von norwegischer Gastfreundschaft sprach, von norwegischer Rücksichtnahme und Anspruchslosigkeit und dergleichen. Unter Norwegern muß man sich einfach wohlfühlen, sagte sie und lobte ihr Einzelgängertum und ihren Gerechtigkeitssinn. Nur eins, Jan, sagte sie – und ich verstand die Anspielung –, du darfst nicht von dir aus trinken, du mußt warten, bis alle das Glas heben. Lone schien wirklich alles über die Norweger zu wissen. So erfuhr ich, daß sie nicht weniger als siebenhundert Jahre auf ihre endgültige Unabhängigkeit warten mußten und hörte wenig Schmeichelhaftes über dänische Könige, die, wenn sie in finanzielle Engpässe gerieten, einfach mit einem Stück norwegischen Bodens bezahlten, das sie sich irgendwann gewaltsam angeeignet hatten. Und die Schweden, meinte Lone, die waren auch keineswegs ein Herz und eine Seele mit den Norwegern, sondern nahmen sich zeitweilig, worauf sie gerade Appetit hatten – ganze Provinzen und so. Ich möchte nicht zuviel sagen, aber mit all ihren Kenntnissen, die sie mir wie nebenher weitergab, brachte Lone es fertig, daß meine

Sympathie für Norwegen nunmehr ihre guten Gründe fand. Wem übel mitgespielt wird, der kann ohnehin mit meiner Sympathie rechnen. Als wir dann unten in Altona aus dem Bus stiegen, empfand ich nur noch freudige Spannung.
Leider liefen wir zu allem Überfluß meinem Kollegen Willi in die Arme, und wie ich hätte voraussagen können, unterließ er es nicht, mir heimlich anerkennend zuzuzwinkern, gerade als hätte er mir eine Begleiterin wie Lone nicht zugetraut. Sein blödes Zwinkern ärgerte mich so, daß ich ihn am liebsten stehengelassen hätte, doch dazu kam es nicht, weil er mir unbedingt etwas Berufliches mitzuteilen hatte. Er entschuldigte sich bei Lone und winkte mich zur Seite, um mir brühwarme Nachrichten aus unserer Abteilung zuzuflüstern, Nachrichten, die mich betrafen. Über einen Kanal, der angeblich bis in die Direktion führte, hatte er nämlich erfahren, daß sie mir demnächst einen schriftlichen Verweis wegen unzureichender Aktivität erteilen würden, und um mich gleich zu trösten, sagte er: Damit du es endlich weißt, ich hab schon ein halbes Dutzend Verweise gesammelt. Gut, sagte ich, und was weiter? Was er mir anvertraut hatte, hätte er mir auch gut und gern in Lones Gegenwart stecken können. Er senkte seine Stimme noch mehr, so daß ich ihn kaum verstehen konnte, aber das Entscheidende bekam ich mit: sie wollten uns, die beiden Hausdetektive, auf die Probe stellen. Weil in der Lebensmittelabteilung der größte Schwund registriert worden war, wollten sie Willi und mich in unserer Wachsamkeit überprüfen – ein Plan, auf den nur ein Strupp-Schönberg verfallen konnte. Willi grinste nur, sah mich aber mit einem merkwürdigen Blick an, als wüßte er, welche Abmachung ich, was miese Kunden anging, mit mir selbst

getroffen hatte. Ich war sicher, daß er mich warnen wollte, sehr sicher, und ich fand es verdammt nett von ihm, daß er mich nicht einfach in eine Falle laufen ließ. Mitunter stehen auch Hausdetektive füreinander ein, wirklich. Bevor er uns zum Schluß »Viel Vergnügen« wünschte – ein Wunsch, den ich im allgemeinen nicht ausstehen kann –, sagte er noch: Paß auf, Jan, um uns zu testen, werden sie wohl einen aus Fuhlsbüttel holen, einen Professionellen.

Lone hängte sich leicht bei mir ein, und weil sie in meinen Augen ein Anrecht darauf hatte, erzählte ich ihr, was ich gerade erfahren hatte und was mir in nächster Zeit bevorstand. Sie sagte nichts, sondern lächelte bloß. Wir schlenderten an Geschäften vorbei, in denen Schiffsausrüstungen verkauft wurden, gingen an aufgelassenen Lagern vorüber und durch eine stille Straße, in der sehr alte Männer vor ihren Haustüren saßen. Ein verwaschenes Reklamebild, das bestimmt noch aus der Zeit der Jahrhundertwende stammte, zeigte das ganze Glück einer jungen Frau, die sich über eine Nähmaschine von Singer beugte. Wir wichen Kindern aus, die einen wackligen Handwagen zogen, in dem eine ziemlich ramponierte, einarmige Schaufensterpuppe saß. Warst du schon mal hier, fragte Lone. Ich entdecke es gerade, sagte ich, und sagte es so, daß ihr nicht verborgen bleiben konnte, wie gern ich mich von ihr führen ließ. Großer Gott, wenn es nach mir gegangen wäre, hätte ich noch stundenlang mit ihr durch diese Gegend streifen können, obwohl ich alles andere bin als ein leidenschaftlicher Spaziergänger.

Auf einmal standen wir vor dem Restaurant, in dem das Unabhängigkeitsfest stattfinden sollte. Da sie das Gebäude der Seemannskirche nicht für geeignet hielten, hatten sie dieses Restaurant »Zur Meerjungfrau«

gemietet, ein sauberes, geräumiges Lokal, das läßt sich nicht leugnen; die Tische waren um eine Tanzfläche gruppiert, es gab eine Bar und ein kleines Podium für die Kapelle, und alles war in so ein unterseeisches Licht getaucht. Mit etwas Phantasie und gutem Willen konnte man tatsächlich glauben, man befände sich auf dem Meeresgrund. Weil da ein paar unbeleuchtete Stufen in den Gastraum hinabführten, nahmen wir uns unwillkürlich an die Hand, und als wir unten waren, kam schon Niels Sjöberg auf uns zu und begrüßte uns und versäumte nicht, zu erwähnen, welch eine besondere Freude ich ihm mit meinem Erscheinen bereitete. Das ist prima, Jan, das ist prima, und er legte Lone und mir einen Arm um die Schulter und führte uns zu einem Tisch dicht neben der Tanzfläche. Ein bißchen überrascht war ich, als er mich fragte: Wir sind doch alle Menschen, nicht wahr, und gleich darauf feststellte: Das ist der Grund, warum wir alle du zueinander sagen. An unserem Tisch saßen bereits ein Thor und eine Randi bei einer Flasche Apfelsaft, sie sagten nur »Hei« zur Begrüßung und fielen sofort wieder in ihr Schweigen zurück. Randi trug eine kleidsame Uniform, sie war, wie ich später erfuhr, Funkerin auf einem mächtigen Kühlschiff, ein zartgliedriges, schwarzhaariges Mädchen, das eher aus Marseille als aus Lillehammer zu stammen schien. Wer dieser Thor war, habe ich nicht herausbekommen, er hatte graues Haar und eisblaue Augen und war gewiß der sehnigste Mensch, dem ich jemals gegenübergesessen habe, und dazu hatte er die Angewohnheit, immerfort ein Auge zuzukneifen, nicht anders, als visierte er ständig ein Ziel an. Vielleicht war er einmal Harpunier auf einem dieser berühmten norwegischen Walfänger gewesen, zuzutrauen war es ihm jedenfalls.

Ich wunderte mich nicht, daß Lone, die Norwegen doch kannte, nicht mitteilsamer war, keine Fragen stellte und nicht mal ein Wort über die Qualität des Apfelsaftes verlor, den auch wir uns bestellt hatten; sie begnügte sich damit, freundliche Blicke freundlich zu erwidern und, wenn's hochkam, gewissen Leuten an anderen Tischen sparsam zuzuwinken. Zweimal versuchte ich, den Harpunier ins Gespräch zu ziehen, ich fragte ihn nur ganz harmlos, wo er zu Hause sei, worauf er in Englisch zurückfragte: What? Woher sollte ich wissen, daß Nordländer nicht gerade begeistert sind, wenn man ihnen gleich zu Anfang direkte Fragen stellt? Um die Wahrheit zu sagen, es schleppte sich zunächst ziemlich dahin, und ich fürchtete schon, daß ich den ganzen Abend nur freundliche Blicke mit Randi tauschen und dem Harpunier bei seinen Zielübungen zuschauen müßte, als auf einmal Sjöberg auf der Tanzfläche erschien und eine Rede hielt. Obwohl ich kein einziges Wort verstand, amüsierte ich mich bei seiner Rede, denn allem Anschein nach war Sjöberg eine Stimmungskanone. Immer wieder unterbrachen ihn Beifall und Gelächter, und ich lachte einfach mit – nicht zuletzt, ich gebe es zu, vom einmaligen Gelächter einer sehr schweren Norwegerin angesteckt, die nahezu in Atemnot kam. Lone geriet auch ganz schön aus dem Häuschen, denn sie prustete mitunter los und schlug auf die Tischplatte und sah mich wie hilfesuchend an. So wie Sjöberg redete – mal stockend und verlegen, mal selbstsicher und geläufig –, beherrschte er sein Publikum, weiß der Himmel. Zum Schluß hieß er auf englisch und deutsch die Gäste des Abends willkommen, das machte er überraschend sachlich, jedenfalls gab es da nichts zu lachen.

Junge, und dann wurden Platten aufgetragen, die man

einfach gesehen haben muß – da gab es keinen Schaum vom Lachs, keine Torte vom Schneehuhn, kein Rentier-Soufflé in Waldmoos oder ich weiß nicht was. Was auf den Tisch kam, das konnte jeder sofort erkennen, den Lachs ebenso wie den Hering und den Blumenkohl nicht weniger als die Kartoffeln. Ich möchte immer gern wissen, was ich esse, und außerdem macht es mir Vergnügen, den Speisen ihren Ursprung anzusehen. Zum Essen wurde ein Rotwein serviert, der einfach prachtvoll war, und es dauerte nicht lange, da belebte sich das Gespräch an den Tischen, und nach dem zweiten Glas bat Randi um meine Aufmerksamkeit und fischte aus ihrer Handtasche ein paar Fotos heraus und reichte sie mir. Auf allen Fotos waren nur Kinder zu sehen, die unter Fähnchen und Girlanden dahinzogen, offenbar singend und schreiend, den Blick zu einem Balkon erhoben, auf dem ein älterer Herr stand und ihnen zuwinkte. Den Kindern vorweg marschierten Schülerkapellen, und vor den Schülerkapellen marschierten die ansehnlichsten Tambourmajore, die man sich denken kann, kesse kleine Mädchen, die ihre Tambourstöcke in die Luft warfen. Selbst die nicht allzugut gelungenen Fotos ließen die Begeisterung ahnen, die die Kinder erfüllte. Randi bat Lone, zu übersetzen, und ich erfuhr also, daß das Unabhängigkeitsfest in Norwegen mit einem Kinderumzug beginnt. Drei Stunden, sagte Randi, ziehen sie an dem Balkon vorbei, und drei Stunden lang grüßt der König – denn der ältere Herr auf dem Foto ist König Olav – die Kinder. Und dann langte Randi über den Tisch, tippte auf einen Tambourmajor mit schwingendem Röckchen und deutete auf sich selbst. Randi, fragte Lone, wirklich? Randi, sagte Randi. Fünfmal war sie Tambourmajor und dirigierte nicht nur ihre Kapelle, sondern

gab auch den Einsatz für den rhythmischen Hochruf der Kinder; dieser immer gleiche Hochruf lautete: Olav, Olav, hei, hei, hei, ingen kongen er som dig.
Niels Sjöberg hatte wohl noch keinen Hunger, ich sah, daß er von Tisch zu Tisch ging, sich darum sorgte, daß es keinem an etwas fehlte, und sich einigen Kindern widmete, die zu Ehren des Tages Trachten trugen, handgewebte, lustig verzierte Leibchen und all so was. Auch Lone bemerkte das, und mir entging nicht, wie nachdenklich sie ihm mit den Blicken folgte, nachdenklich und mit einem scheuen Wohlwollen. Ihr kennt euch wohl schon länger, fragte ich. Leider nicht, sagte sie, leider nur ein knappes Jahr; ich habe ihm viel zu verdanken. Als ich sie daraufhin fragte, ob er gern hier sei, blickte sie eine Weile vor sich hin, unschlüssig, ob sie darauf antworten sollte oder könnte, aber dann entschloß sie sich doch zu sprechen. Was ich dann hörte, verschlug mir fast die Sprache. Niels war mit einem Mädchen befreundet, er fühlte sich so gut wie verlobt mit ihr; seit er ihr in Trondheim begegnet war, wo sie als Austauschstudentin lebte, hielten sie fabelhaft zusammen. Leider war ihre Mutter katholisch, und als Katholikin sah sie sich außerstande, eine Verbindung ihres einzigen Kindes mit einem Mann gutzuheißen, der protestantischer Geistlicher war. Jesus Christus, es fiel mir wahrhaftig schwer, das zu glauben, ich meine: daß heutzutage einem katholischen Mädchen dringend geraten wurde, die Finger von einem Mann zu lassen, der kein Katholik war. Doch Niels gab nicht auf, Niels setzte seine Hoffnung in die Vernunft und dachte nicht daran, das Handtuch zu werfen.
Als ich das hörte, mußte ich zwangsläufig an einen gewissen Konrad Doplinger denken, der mit mir ins

Junglehrerexamen stieg; der war nämlich auch Katholik und glänzte nicht nur in all unseren Diskussionen, sondern zeigte manchmal eine so übermütige Toleranz, daß man einfach baff war. Dieser Konrad Doplinger – daran gibt's für mich keinen Zweifel – hätte gegebenenfalls nichts dagegen gehabt, eine Tochter von Al Capone zu heiraten oder, wenn es denn sein mußte, einen gefallenen Engel. Ich möchte hier zugeben, daß ich nicht gerade alles über die Liebe weiß, aber ich bin ziemlich sicher: wo wirkliche Liebe herrscht, da spielt es keine Rolle, an welche Geister man glaubt. Nach meiner unmaßgeblichen Ansicht ist Liebe das einzige Mittel, das diese verfluchten eingebildeten Unterschiede – gleich welcher Art – aufheben kann. Niels Sjöberg tat mir leid, weil er eine katholische Mutter gegen sich hatte.

Nach dem Essen wurde Kaffee serviert, riesige Thermoskannen wurden einfach auf den Tisch gestellt, und es dampfte kaum aus unseren Tassen, da unterbrach Thor seine Zielübungen und holte aus seiner Gesäßtasche einen Flachmann hervor. Mit geübtem Schwung kippte er einen Schuß bräunlicher Flüssigkeit in unsere Tassen, etwas Aroma, wie er mit ernstem Gesicht verkündete. Lone bestätigte mir gleich, was ich vermutet hatte; sie flüsterte: Paß auf, Jan, Linie-Aquavit, extra stark. Das Zeug, das ich nur in vorsichtigen Schlucken trank, schmeckte trotzdem sehr gut, und ich nickte dem Harpunier ein paarmal dankbar zu, was er allerdings nicht einmal mit einem Zwinkern quittierte.

Während wir beim Kaffee saßen, wurde ich mit einer besonderen Leidenschaft der Norweger bekannt, nämlich Reden zu halten. Herr im Himmel, wie viele sich da zum Wort meldeten und heiter oder ergriffen,

raunend oder pathetisch den Tag feierten, das wollte kaum ein Ende nehmen, und ich mußte unwillkürlich an Zumpels Redeschule denken, die ich selbst einige Abende lang besucht hatte, um meine blöden Hemmungen loszuwerden. Ob man mir glaubt oder nicht: die Reden zum Unabhängigkeitstag fielen so variationsreich aus, daß man den Eindruck haben mußte, alle, die das Wort nahmen, seien Absolventen einer Rednerschule. Da Lone jedesmal klatschte, blieb mir nichts anderes übrig, als ebenfalls die Hände zu rühren. Etwas heuchlerisch kam ich mir dabei schon vor; denn von allem, was da gesagt wurde, hatte ich mit Ausnahme des Wortes »Tradisjon« nichts verstanden; und ich meine, wer Beifall spendet, sollte wenigstens wissen, wofür er ihn spendet.
Ein Höhepunkt des Festes war für mich die Kapelle. Sie bestand, wie uns gesagt wurde, aus Vater und Sohn, beide Berufsmusiker, jeder von ihnen fähig, nicht weniger als sieben Instrumente zu spielen. Schon die Art, wie sie miteinander umgingen, gefiel mir: sie boxten sich spielerisch, sparten beim Zusammenbauen der Instrumente nicht mit anerkennenden Blicken, schüttelten aber auch den Kopf übereinander und gaben sich wohl zehnmal die Hand. Dann legten sie los; sie begannen mit »Spanish Eyes«, einem Stück für gesetzte Zeitgenossen, doch eine ganze Weile wagte sich offenbar niemand auf die Tanzfläche; erst als einige Trachtenkinder hopsend die Initiative ergriffen, folgten ihnen auch Erwachsene. Sie tanzten sehr verhalten, immer auf Abstand bedacht. Doch dann wollten Vater und Sohn den Tänzern wohl ein bißchen einheizen, denn sie versuchten sich an »Rock Around The Clock«; und auf einmal stand der Harpunier auf, verbeugte sich knapp vor Lone, wartete erst gar nicht ihre Zustim-

mung ab, sondern packte sie und zog sie mit sich. Was sie ablieferten, war sehenswert. Dieser Thor, der anscheinend über sagenhafte Luftreserven verfügte, drehte und schleuderte Lone, warf sie kalkuliert von sich und zog sie wieder an sich heran, alles sehr ernst und ohne gehetzten Atem. Ich hätte ihnen stundenlang zusehen können, obwohl ich nicht gerade der gelenkigste Tänzer bin: für Tanz kann ich mich begeistern. Weil ich Randi nicht länger sitzen lassen mochte, lächelte ich ihr auffordernd zu, und schon bei den ersten Schritten – Vater und Sohn spielten »Vaya Con Dios« – legte der zweite Funkoffizier des Kühlschiffes »John T. Nørregaard« seine Wange an meine Brust und tanzte so hingebungsvoll und schwerelos, daß ich keinerlei Schwierigkeiten mit der Führung hatte.
Mein Pflichttanz gab mir Zutrauen, und nachdem ich mich erholt hatte und auch Lone wieder zu Atem gekommen war, fragte ich blickweise bei ihr an, ob wir es mal miteinander versuchen sollten, und sie stand gleich auf und überließ mir ihre Hand. Vater und Sohn spielten »In The Mood«, diese uralte Nummer, die nicht totzukriegen ist. Lone tanzte überwältigend. Ich will damit sagen, ich spürte nichts von ihr als die schmale Hüfte, auf die ich meine Hand gelegt hatte. Um sie zu führen, war nicht der leiseste Druck nötig, kein Signal, keine Ankündigung, einfach weil sie vollkommen im Rhythmus aufging; im Unterschied zu Randi, die ihre Wange an meine Brust gelegt hatte, sah Lone mich während des Tanzes unverwandt an, mit einem Blick, dem man nicht allzu lange standhalten konnte. Vielleicht bilde ich es mir auch nur ein, doch ich las aus ihrem Blick ebenso Erwartung und Freude heraus wie eine gewisse Art von Kummer. Großer Gott, es war ein Blick, der einen ganz schön wider-

standslos machte, und es hätte wirklich nicht viel gefehlt und ich hätte Lone auf der Tanzfläche umarmt. Jedenfalls ließ ich meine Hand nicht auf ihrer Hüfte ruhen, sondern legte sie ihr auf den Rücken, den Daumen auf ihrer Wirbelsäule. Bevor Vater und Sohn Pause machten, spielten sie noch »Deep Purple« und »Why«, und obwohl ich sonst nach jeder Nummer das Bedürfnis habe, mich ein bißchen auszuruhen, diesmal hatte ich es nicht. Mit Lone hätte ich sogar riskiert, an einem Dauertanzwettbewerb teilzunehmen – vielleicht ohne Siegerchance, aber immerhin. Sie tanzte einfach vollkommen. Daß ich das überhaupt empfand, lag bestimmt nur an ihr, manchmal liegt es wirklich nur an einem anderen, damit man überraschend erfährt, wozu man in der Lage ist.
Als wir von der Tanzfläche gingen, umfaßte ich leicht ihren Nacken; ich mag es nicht sonderlich, wenn ein Junge den Nacken seines Mädchens umfaßt und es vor sich herschiebt, es sieht so verflucht besitzergreifend aus, doch ich konnte einfach nicht aufhören, Lone zu berühren, und sie ertrug es. Wir tranken uns zu, mit Apfelsaft, in den der Harpunier gewiß unbemerkt sein Aroma hineingekippt hatte – anders konnte ich mir nämlich den matten Hammerschlag nicht erklären, den ich im Gehirn spürte. Ich rächte mich, indem ich, als er mit Randi tanzte, sein leeres Glas nahm und ihm mein gut gefülltes hinüberschob. Lone schien es nicht zu bemerken, sie sagte nichts, ein Ausdruck von Abwesenheit lag auf ihrem Gesicht, eine Starrheit, die die Anstrengung verriet, mit der sie etwas zu ergründen oder zu beschließen suchte. Um sie nicht zu stören, besah ich mir noch einmal Randis Fotos, die immer noch auf dem Tisch lagen, die winkenden Kinder, die Schülerkapellen, die Tambourmajore. Mir fiel auf, daß

viele Mädchen an ihren knallroten Jacken Troddeln trugen und Kordeln und so verknotete Gebilde, manche waren regelrecht behängt damit. Anscheinend bekam Lone mit, daß ich da still für mich herumrätselte, sie wandte sich mir zu, und als ich sie fragte, was all die Troddeln und Knoten bedeuteten, nannte sie diese Dinger Orden der Harmlosigkeit. Diese Orden, meinte sie, verleiht man sich selbst, wenn man glaubt, etwas Mutiges, Herausforderndes, jedenfalls Ungewöhnliches getan zu haben. Wenn ein Mädchen zwei Flaschen Bier trinkt, darf es schon eine Kordel tragen, und wenn es ein Denkmal mit Farbe bepinselt, ist es weitere Troddeln wert. Einen doppelten Knoten, sagte sie, darf man tragen, wenn man einen Sonnenaufgang erlebt hat, bevor man zu Bett ging. Junge, das waren vielleicht Mutproben! Gleich fragte ich Lone zum Spaß – aber auch nur zum Spaß –, ob wir uns nicht gemeinsam so einen doppelten Knoten verdienen sollten, am Hafen unten, wo wir auf einer Bank den Sonnenaufgang erwarten könnten, wie auf einem Aquarell von Nolde. Lone kam nicht dazu, darauf zu antworten; Niels Sjöberg bat sie mit einer angedeuteten Verbeugung um den nächsten Tanz. Zum ersten Mal in meinem Leben sah ich einen Seemannspastor tanzen, und man mußte es ihm lassen, er tanzte nicht übel, wie mein Bruder Ernie gesagt hätte, obwohl er oft seinen Schritt korrigieren mußte, und nicht nur dies: während des ganzen Tanzes sprach er auf Lone ein, er tat es aufmunternd, dringend, als müßte er sie von etwas überzeugen, für ihn war der Tanz wohl nur eine Gelegenheit, um einiges loszuwerden. »Where's Your Mama Gone« hieß die nächste Nummer, zu der sie tanzten. Danach setzte er sich an unsern Tisch und ließ sich mit dem Harpunier in einen Wortwechsel ein, der das Schlimmste befürchten ließ, sogar tätliche Auseinandersetzung; später indes erfuhr ich von Lone, daß sie sich nur über die komfortabelsten Fährverbindungen zwischen Dänemark und Norwegen austauschten. Sjöberg wußte oder erriet, daß der Harpunier einen Flachmann bei sich hatte, er forderte ihn auf, uns ein wenig einzuschenken, und dann trank er mir zu und sagte: Du weißt, Jan, unser alter Gott Thor hat eine mordsmäßige Aufgabe übernommen, nämlich das Meer leerzutrinken. Wir tun es ihm nach – allerdings nicht mit Meerwasser. Und dann wollte er wissen, ob ich mich auch wohlfühlte unter all den Norwegern, es war ihm erstaunlich viel daran gelegen, und nachdem ich ihm versichert hatte, daß ich nun ganz gewiß einmal in seine Heimat fahren würde, schlug er mir im Ernst vor, Lone mitzunehmen. Er meinte, daß Lone mir die Augen öffnen könnte für sein Land, denn sie wüßte, wie sehr das Leben dort von Tradition und Trollen bestimmt wird. Plötzlich erhob er sich und verbeugte sich vor Randi, die wie in sich selbst versackt auf die Tischplatte blickte – ich vermute, daß ihr das Aroma zu schaffen machte, das der Harpunier ihrem Getränk beigegeben hatte –, er legte ihr einen Arm um die Schulter und zog sie auf die Tanzfläche.

Weiß der Kuckuck, warum ich mich auf einmal so gut aufgelegt fühlte, ich tippte Lone an, fragte sie tatsächlich, ob sie sich nicht erwärmen könnte für diesen Plan. Für welchen Plan, fragte sie geistesabwesend. Das warf mich um. Offenbar hatte sie Sjöbergs Empfehlung völlig überhört, und um sie zu einer Antwort zu verleiten, wiederholte ich, was er gesagt hatte. Sie ging nicht darauf ein. Sie sah einmal schnell auf die Uhr und fragte: Weißt du, wie spät es ist? Das macht nichts, sagte ich, wir nehmen eine Taxe. Bitte, Jan, laß uns den

Bus nehmen. Jetzt wird's doch gerade erst gemütlich, sagte ich, und Lone darauf: Eben, das ist die beste Zeit, um aufzubrechen. Mir entging nicht, daß eine zunehmende Unruhe sie beherrschte, etwas setzte ihr zu, nur zerstreut antwortete sie auf von anderen Tischen zugewinkte Grüße, und mehr als einmal öffnete und schloß sie ihre Tasche, ohne den Inhalt – was doch wohl ihre Absicht war – überprüft zu haben. Ich versuchte erst gar nicht, meine Überredungsversuche fortzusetzen, nicht zuletzt, weil ich grundsätzliche Bedenken dagegen habe, andere zu überreden; ich sagte: Gut, Lone, wenn du willst, nehmen wir den Bus. Trotzdem dauerte es noch eine Weile, bis ich mich von dem verheißungsvollen Bild trennen konnte, das Lone und mich auf einer Bank im Hafen zeigte, in Erwartung des Sonnenaufgangs, mit anschließender Verleihung eines doppelten Knotens. Immerhin wurde ich gewahr, daß auch das Aufgegebene, das Uneingelöste, dem man hinterherdachte, seinen Platz haben kann.
Ich hielt mich bereit, und nachdem Lone sich hinter einer Säule mit Sjöberg besprochen hatte, gab sie mir ein Zeichen, und wir verließen hintereinander das Restaurant. Wir gingen schweigend durch die Dunkelheit. Es war warm. An eine Hauswand gedrückt stand ein verschlungenes Paar, es hob nicht einmal den Kopf, als wir vorbeigingen, und scherte sich auch nicht um das hallende Gelächter, das aus einem Kellergewölbe oder von sonstwoher zu uns drang. Ich faßte nach Lones Hand, und sie ließ sie mir, wenn auch nur schlaff und drucklos. Ein paar Strolche rannten über die Straße, einer von ihnen entdeckte uns und blieb stehen, und als wir ihn passierten, schnalzte er mit der Zunge und grüßte wahrhaftig militärisch.
Man kann sich nur wundern, was die Dunkelheit so

alles entläßt oder als was Zeitgenossen sich entpuppen, wenn das Tageslicht sie nicht nötigt, sich zu verstellen. Mitunter kann man Krämpfe bekommen, wirklich. Obwohl Lone in Gedanken war, fand sie sich zurecht und lotste uns zu der Bushaltestelle. Die kleine Bank unter dem Glasdach war leider besetzt, eine massige Frau in sehr kurzem Rock saß da und rauchte. Sie schien verdammt müde zu sein, denn sie blinzelte uns nur einmal an und schloß sogleich wieder die Augen; gewiß ging sie scharf auf die fünfzig. Als hätte sie mit Verspätung gemerkt, daß wir vor ihr standen, rutschte sie an den Rand des Bänkchens, klopfte träge aufs Holz und murmelte: Kommt, Kinder, setzt euch. Wir setzten uns neben sie, und nach einer Weile fragte sie: Es kommt doch noch ein Bus, oder? Ja, sagte Lone, einer kommt noch, der letzte. Ein bitteres Lächeln glitt über das gedunsene Gesicht der Frau, sie schnippte die brennende Zigarette auf die Straße und musterte uns freimütig, und dann sagte sie: Ich warte nur, Kinder, ich will nicht mitfahren, ich warte nur. Sie lachte gequält auf. Sie schloß wieder die Augen. Leise sagte sie: Es ist zum Kotzen, aber das gehört wohl zu unserem Leben: Warten. Es geht auf keine Kuhhaut, welch einen Teil unseres Lebens wir Frauen warten müssen. Erwarten Sie denn jemanden, fragte ich. Seit zweieinhalb Stunden, sagte sie, und es kommt ein Bus nach dem andern, und bei jedem sagt man sich: aber mit dem nächsten kommt er bestimmt, und so bleibt man hier kleben. Lone hob ein perlenbesticktes Täschen auf, das der Frau herabgefallen war; sie bedankte sich und wollte uns Zigaretten anbieten, fand aber keine mehr und sagte nur: Mist, und sagte noch gleich darauf: Wenn ich mir jetzt Zigaretten holen gehe, dann kommt er garantiert – es ist zum Verrücktwerden.

Als der letzte Bus hielt, stieg niemand aus. Ich hatte es ihr so sehr gewünscht, daß der Kerl, mit dem sie verabredet war, endlich aussteigen würde, denn sie tat mir verflucht leid. Sie verschwand nicht gleich in der Dunkelheit; sie stand nur unschlüssig da und übersah, während wir anrollten, das Handzeichen, mit dem ich sie grüßte.

Weiß der Teufel, wer vor uns auf unseren Plätzen gesessen hatte, denn kaum hatte ich mich zurückgelehnt, betäubte mich fast eine Duftwolke, wie ich sie in meinem ganzen Leben nicht habe ertragen müssen. Um diesen aufdringlichen, lastenden Geruch loszuwerden, öffnete ich eins der schmalen Klappfenster, und die hereinströmende Luft milderte zumindest die peinliche Süße, die irgendjemand in den Duft hineinkomponiert hatte. Lone, der dieser Duft wohl ebenso auf die Nerven ging, nickte mir dankbar zu und schwieg. Gut aufgelegt, wie ich war – es kam vermutlich vom norwegischen Unabhängigkeitskaffee –, nahm ich wieder Lones Hand, und beim Anblick des Kneipenspaliers, an dem wir vorbeifuhren, stellte ich mir vor, mit ihr in den »Hansa-Stuben« oder im »Strammen Max« zu einer Nachfeier einzufallen, ich sah uns unter ausgestopften Raubfischen und präparierten Kaimanen sitzen und bei Seemannsliedern alles über uns selbst erzählen. Es war hoffnungslos, gewiß, dennoch stellte ich es mir vor.

Auf einmal entzog mir Lone ihre Hand, sie sah mich fest an, so, wie man einen ansieht, wenn man gerade eine Entscheidung getroffen hat, und dann sagte sie: Julian ist zurückgekommen, mein Mann ist wieder in der Stadt. Mir blieb für einen Moment die Luft weg, ich fragte nur nach einer Pause, ob er vielleicht vorhabe, zu uns zu ziehen. Lone wußte es nicht. Sie hatte ihren Mann noch nicht wiedergesehen, hatte nur erfahren, daß er wieder hier sei und sich nach ihrem Aufenthalt erkundigt habe – und nicht nur das: er sei mit dem Auftrag hergekommen, ein Meditationszentrum nach Baden-Badener Vorbild zu gründen, man habe ihn als Leiter dieses Zentrums vorgesehen. Mir war sogleich klar, daß sie das alles von Sjöberg gehört hatte. Was immer die Nachricht für sie bedeutete – große freudige Überraschung hatte sie jedenfalls nicht hervorgerufen, soviel konnte ich ihr anmerken, und sie schloß auch gleich aus, daß sie ihn bei sich aufnehmen würde, allerdings nicht, weil sie es nicht wollte, sondern weil der Raum es nicht zuließ, wie sie meinte. Es geht doch nicht, Jan, oder? Es geht doch wirklich nicht. Vielleicht holt er euch zu sich, sagte ich; wenn er erst hier Fuß gefaßt hat und über etwas Eigenes verfügt, ein gutgehendes Zentrum und all das, dann holt er euch vielleicht zu sich. Ich sagte es gegen mein eigenes Wünschen und spürte nur, wie ich ihre Bedrückung vermehrte und ihre Ratlosigkeit vergrößerte. In ihrem Blick glaubte ich manchmal die inständige Bitte um einen Rat zu erkennen, doch ich konnte und wollte nicht raten: zu deutlich hörte ich Willis Stimme, der mich einmal nachdrücklich davor gewarnt hatte, jemals Ratschläge abzugeben, wenn es um Zweierbeziehungen geht, einfach weil in allem, was von außen kommt, eine Anmaßung liegt. Im stillen begründete ich meinen Verzicht aber auch damit, daß ich diesen Julian ja gar nicht kannte – obwohl es, wie ich finde, schon einiges besagt, wenn einer sich von seiner Frau trennt, um auf sogenannte Selbstsuche zu gehen. Selbstsuche – großer Gott! Ich war froh, daß es mir gelang, Lone zum Lächeln zu bringen; sie lächelte tatsächlich, als ich sie fragte, ob Julian schon immer seinem Mittelpunkt

nachgelaufen sei, oder ob es auch mal eine Zeit gab, in der er sich mit anderen Dingen befaßte.
Ich hätte nie geglaubt, daß einer, der etliche Semester Germanistik studiert hat, alles hinschmeißt und auf die Suche nach seinem Anahata geht – das ist dieses sagenhafte Zentrum in der Nähe des Herzens – und nach nichts anderem verlangt, als daß sich ihm das »dritte Auge« öffnet. Bei einem, der Sanskrit studiert oder Gartenarchitektur oder von mir aus Atomphysik, hätte ich es eher verstanden, im Ernst. Aber wie Lone erzählte, hatte Julian beim Studium der Germanistik entdeckt, daß er seinen Mittelpunkt oder dergleichen vermißte, diese goldene Kugel, nehme ich an, in der das Physische und das Psychische eine vollkommene Harmonie eingehen. Wenn Lone davon erzählte, klang es keineswegs abschätzig oder ironisch; aus ihren Worten gewann ich den Eindruck, daß sie ein gewisses Verständnis hatte für Julians Entscheidung und daß sie ihm überhaupt eine Menge zugute hielt. Jedenfalls, das wurde deutlich, hatte er nicht deshalb hingeschmissen, weil die Ansprüche und Forderungen des Studiums ihm lästig waren, sondern weil er entdeckt hatte, daß ihm dieser Weg nach innen mehr bedeutete. Lone bekannte aber auch, daß sie lange gebraucht hatte, um Julians Weg zu verstehen, daß ihr manches immer noch unerklärlich vorkomme und daß sie mit einem ganzen Haufen Fragen fertigwerden müsse. Ich hörte mir alles an, ohne Lone zu unterbrechen, ohne meinen Senf zu ihren Befunden zu geben. Obwohl ich das Gefühl hatte, zu frösteln, und meinen eigenen Gedanken nachhing, blieb mir nicht verborgen, daß ihre Bedrückung um so mehr nachließ, je länger sie sprach. Auch ihre Unruhe legte sich. Und plötzlich wollte sie von mir wissen, ob man die Zeit einfach zurückdrehen und die

Fäden dort aufnehmen könne, wo man sie liegengelassen hat, und mir fiel darauf nichts ein. Was meinst du, Jan, fragte sie, und da ich nur in Unentschiedenheit die Achseln zuckte, sagte sie: Ich muß gerade an eine Stelle in Reimunds Geschichte denken, im »Eremit«: Man kann gehen, wohin man will, man kommt nie als der zurück, der man einmal war. Zugegeben, ich ahnte nur, was Lone damit sagen wollte, aber es ließ mich verflucht nicht gleichgültig, daß sie in diesem Augenblick meinen Bruder erwähnte. Ich sagte: Reimund hatte in vielem recht. Er meinte die Zeit dazwischen, sagte Lone, all das, was wir mit ihr machen und was sie mit uns macht. Und als sei sie sich gerade darüber klargeworden, was die Zeit aus ihr gemacht hatte, fügte sie mit Bestimmtheit hinzu: Das jedenfalls wird's nicht mehr geben – diese Abhängigkeit, die ist für immer vorbei. Ich weiß nicht, was passieren wird, aber soviel ist sicher, die Zeit der Abhängigkeit ist ein für allemal vorüber. Dafür ist zuviel geschehen. Es stand mir nicht zu, Fragen zu stellen, ich meine: allzu persönliche Fragen, etwa, ob Julian sie unterstützt hätte während seiner Selbstsuche. Ich verkniff mir überhaupt manche Bemerkung, was Lone mit der Bereitschaft quittierte, ein bißchen über sich zu erzählen. Leider waren wir da schon an der Endhaltestelle, und der Busschaffner fragte uns ziemlich unfreundlich, ob wir vielleicht die Absicht hätten, seinen Bus als Nachtasyl zu benutzen. Manche Leute scheinen schon übellaunig auf die Welt gekommen zu sein.
Wir schlenderten den ausgefahrenen Sandweg hinab. Kein Fenster in unserem Haus war erleuchtet. Daß Hund uns nicht entgegenkam, wunderte mich, aber er ließ sich nicht blicken. Es war ein ganz ungewohntes, ein kurioses Gefühl, als ich für uns die Haustür auf-

schloß und Lone eintreten ließ und hinter uns wieder abschloß. Ich möchte nicht zuviel sagen, aber es war so eine Art zufriedenen Hausvatergefühls, das mich erfüllte. Wir brauchten uns nicht vorwärts zu tasten, weil das Licht auf dem Korridor immer brannte. Vor meiner Tür blieben wir stehen und sahen uns an, lange, erstaunlich lange, jeder schien etwas vom anderen zu erwarten, ein Wort, eine Geste, einen Ausdruck seiner Empfindungen, und als Lone einen Schritt auf mich zutrat, hätte nicht viel gefehlt, und ich wäre ihr um den Hals gefallen; doch etwas hielt mich zurück, und wir sagten uns nur Gute Nacht und nickten uns noch einmal zu, bevor wir hinter unseren Türen verschwanden.

13

Einer erwartete mich immer zu Hause. Wenn es nicht Betty war, dann war es Ernie, und wenn nicht Jette, dann Großvater Hinrich – weiß der Kuckuck, warum kein Tag verging, ohne daß einer Verlangen nach mir hatte, einfach, weil er einen Auftrag für mich hatte oder Rat brauchte oder – und das kam mehr als einmal vor – bedauert werden wollte. An dem Tag, an dem sie den Travertinblock aufgebankt hatten, wurde ich schon von weitem erwartet, und der erste war Großvater Hinrich. Als ich an seinem Fenster vorbeiging, klopfte er wie verrückt an die Scheibe und winkte mit einem Briefumschlag, und ich wußte sofort, was er wollte. Nachdem er nämlich das ewig klemmende Fenster aufgestoßen hatte, überreichte er mir glücklich den Umschlag, der den üblichen Zwanziger enthielt, und gratulierte mir zum Geburtstag – es war wohl schon das dritte Mal in diesem Jahr. Um den guten alten Knaben, der wirklich nicht mehr alle beisammen hatte, nicht durcheinanderzubringen, dankte ich ihm für das Geschenk und ließ ihm eine Dose von den Salzmandeln da, die sie in unserer Abteilung einen Tag nach dem Verfallsdatum ausgesondert hatten. Außerdem versprach ich ihm, mich um die Adresse von Alexander Dumas zu kümmern, denn nach der Lektüre der »Drei Musketiere« fühlte sich Großvater derart benommen,

daß er dem Autor unbedingt schreiben mußte. Wenn einer mir vor Augen geführt hatte, wohin Leseleidenschaft einen Menschen bringen kann, dann Großvater Hinrich, im Ernst.
Ich war noch nicht einmal am Haupteingang, da rief Nikolas mich an; er trug die Rahmen zum Punktieren zur Werkstatt und sagte nur: Kannst gleich mitkommen, Jan, der Meister hat schon ein paarmal nach dir gefragt. Was will er denn, fragte ich, und Nikolas darauf: Kannst selbst sehen. Nicht gerade frohgemut folgte ich Nikolas zur Werkstatt, und was ich zuerst sah, war in jeder Hinsicht sehenswert: das Modell war fertig. Fast in Originalgröße und aus Ton gearbeitet, stand neben dem Travertinblock das Modell des Grabmals, das Professor Podworny für seine Tochter Thérèse in Auftrag gegeben hatte; es waren die gleichen Figuren, die ich von der Skizze her kannte, das davongehende Mädchen, der Mann, der sich nicht abfindet mit ihrem Weggang – doch nun, in der Körperlichkeit, wirkten sie bestimmter und gaben auf den ersten Blick preis, was sie verband und beherrschte. Demütiger, aber auch hilfloser kann man sich ein davongehendes Mädchen – ich meine natürlich ein Mädchen, das der Tod geholt hat – gar nicht vorstellen, und ebenso hat man wohl nur selten soviel Härte und Unversöhnlichkeit in einer Trauerfigur ausgedrückt gefunden wie bei dem Mann, der dem Mädchen nachblickt. Ich möchte nicht zuviel sagen, aber was allein dieses Modell verriet, das war wirklich die Hand des Meisters.
Noch ganz in die Betrachtung versunken, hörte ich den schleifenden Schritt meines Alten, er kam aus dem Werkzeugraum, ein paar Messingnägel zwischen den Zähnen, den Marmorbohrer in der Hand; als er mich sah, spuckte er die Nägel in sein Taschentuch und

sagte: Gut, daß du kommst, Jan. Er legte den Bohrer ab. Sachte stellte er sich neben mich und nahm meinen Blick auf und betrachtete sein Modell, ziemlich ausdauernd, aber auf einmal fragte er: Na, was meinst du? Die Frage warf mich fast um, wahrhaftig, denn seit undenklichen Zeiten hatte er nie zu erkennen gegeben, daß ihm an meinem Urteil gelegen war. Ist es das, Jan, fragte er und fügte hinzu: Du hast ja alles von Anfang an mit angehört. Ich guckte einmal rasch in sein Gesicht, auf dem ein Ausdruck von leichter Ungewißheit lag, es war diese Ungewißheit, die einfach dazugehört und die alle kannten, die wie er darauf aus waren, etwas endgültig sichtbar zu machen. Also, Jan, was meinst du? Ich sagte ihm, was ich empfand, erwähnte, daß ich nichts, aber auch gar nichts Tröstliches entdekken konnte, dafür aber eine klare Unerbittlichkeit, und in der Haltung des Mannes sogar eine Art von Auflehnung. Das einzige, womit ich nicht einverstanden war – und ich ahnte gleich, daß mein Alter es nicht von sich aus hinzugefügt hatte –, war die Rose, die das davongehende Mädchen in einer Hand trug, und als ich es ihm sagte, zuckte er die Achsel und stellte nur fest, daß dies der einzige Wunsch des Professors gewesen sei. Mit schräggelegtem Kopf hörte er sich aufmerksam an, was ich zu sagen hatte, ich hatte sogar den Eindruck, daß er bereit war, hier und da etwas am Modell zu ändern, so sehr schien er auf mein Urteil zu setzen; nur meinen Gesamteindruck, den nahm er nicht geduldig zur Kenntnis. Als ich ihm nämlich bekannte, daß ich dieses Grabmal für das beste hielt, das er jemals gemacht hatte, klopfte er mir nur nachsichtig auf die Schulter: Ist gut, Jan.

Ich kam und kam nicht von seinen Figuren los, von dem Ausdruck, den er ihnen gegeben hatte; da stritt sich etwas, da zeigte sich eine Spannung: der Demut des Mädchens widersprach die Auflehnung des Mannes, ihrer hilflosen Ergebenheit antwortete seine Weigerung, das Unwiderrufliche anzuerkennen. Weiß der Himmel, ich mußte bei diesem Anblick immer wieder an das denken, was ich bei diesem unvergeßlichen Franzosen gelesen hatte; der war als erster darauf gekommen, daß die Gleichmütigkeit, mit der der Tod alle erwartet, eigentlich zu einem Bündnis führen müßte, zu einer Solidarität der Lebenden untereinander. Es ist klar, daß solch ein Bündnis keinen Einfluß auf den Tod hat, weil der nun einmal sein Geschäft versieht, aber unter den Lebenden, meine ich, da sähe bei solch einem Bündnis manches wohl anders aus. Jedenfalls war ich mir ganz sicher, daß das Grabmal für die kleine Kunsttischlerin alles in den Schatten stellte, was mein Alter bis dahin gemacht hatte; es war mehr als ein Gedächtniszeichen, mehr als eine Metapher für den ewigen Frieden und all dies. Eine Erinnerung an die Gefährdung aller Lebensverhältnisse: das und nicht weniger war ihm geglückt, und ich nahm mir vor, es ihm bei Gelegenheit zu sagen. Um ehrlich zu sein, ich war überwältigt.

Ich setzte mich auf die Holzbank und sah zu, wie er nach alter Methode mit dem Punktieren begann, nach seiner Methode. Bestimmt hielt es mich in seiner Nähe, weil ich immer noch sprachlos darüber war, wieviel ihm auf einmal an meinem Urteil lag. Im Unterschied zu anderen Tagen hatte er diesmal nichts dagegen, daß ich dasaß und zusah, wie er zuerst einen Rahmen über das Modell brachte, über das Mädchen, und ihn festsetzte, um die am weitesten vorspringenden Punkte zu markieren. Dann legte er einen fast gleichgroßen Rahmen um den Travertinblock; beide Rahmen hatten an den Seiten eine numerierte Einteilung. Um die

Leitpunkte zuerst zu ermitteln und später zu bezeichnen, hängte er Bleilote auf und drückte die Messingnägel ins Modell ein; dann vermaß er den horizontalen und vertikalen Abstand zwischen den Nägeln und übertrug ihn auf den Block. Er brauchte weder Krumm- noch Tasterzirkel, ihm genügten Faden und Bleistift. Wenn er sich ab und zu korrigierte, fluchte er leise. Ich hab nicht gezählt, wie oft er sich vor dem Block aufrichtete und ihn anstarrte, nicht allein erwägend und prüfend, sondern unwirsch und drängend, als wollte er sagen: Na komm schon, zeig mal alles her. Manchmal, wenn er Modell und Block umrundete, nahm er mit seinem Schritt etwas von dem Stroh mit, das er reichlich zur zusätzlichen Stabilisierung unter die Holzplattform gestreut hatte, auf der alles ruhte. Er merkte gar nicht, daß ein Strohwisch an seinem Spezialschuh hing. Es war lange her, seit ich ihm zum letzten Mal bei der Arbeit zugesehen hatte, dennoch fiel mir gleich auf, daß er immer noch den Kopf einzog wie vor einem Widerstand und daß er die Gewohnheit beibehalten hatte, seine Hände an der Schürze abzuwischen. Doch wie in alter Zeit schien er auch freier und gelassener, sobald die wichtigsten Leitpunkte feststanden und er den Marmorbohrer an den Block gesetzt hatte und bis zur errechneten Tiefe vorgedrungen war. Als ich ihn damals einmal fragte, worauf es ankäme, speiste er mich mit den Worten ab: Das Überflüssige wegschlagen, weiter nix. Mit solchen Antworten hatte er einem in vergangenen Tagen sogar das Zuschauen vermiesen können, wirklich.
Er ermittelte immer mehr Leitpunkte, die er vom Modell auf den Block übertrug, die Mädchenfigur war bereits gespickt mit breitköpfigen Messingnägeln. Was ihm Verdruß bereitete, war augenscheinlich die Rose,

die das Mädchen in der Hand hielt; wann immer er sie berührte, seufzte er oder gab einen bekümmerten Ton von sich. Daß er sich zu diesem Zugeständnis überhaupt bereitgefunden hatte, wunderte mich; ich konnte es mir nur damit erklären, daß er sich dem Auftraggeber auf besondere Art verbunden fühlte. Einmal konnte er aber seinen Verdruß nicht für sich behalten, er kam zu mir und sagte: Ich habe ihm eine Mohnkapsel vorgeschlagen, aber er wollte unbedingt die Rose. Der Professor wollte einen Inbegriff für Schönheit. Schau dir nur an, wie das wirkt. Ich sagte: Man kann sie übersehen, die Rose. Eben, sagte er, bei etwas gutem Willen kann man sie übersehen. Er hob den Kopf und blickte auf den Werkplatz und lächelte. Guck mal da, Jan. Draußen, auf dem zerfahrenen Platz, der vom letzten Regen aufgeweicht war, kreuzte Fritz auf, wie so oft ein Stöckchen in der Hand. Er trug die gelben Gummistiefel, die mein Alter ihm geschenkt hatte. Unter allen Pfützen, die es gab, hatte er sich die längste und tiefste ausgesucht; durch die bewegte er sich mit tastenden Schritten, vergnügt, aber auch schreckhaft verharrend. Hinter ihm, ich traute meinen Augen nicht, trottete Hund; er folgte dem Jungen bis zum Ende der Pfütze, und nachdem sie ihr entstiegen waren, beklopften und beleckten sie einander, und es sah aus, als beglückwünschten sie sich gegenseitig. Obwohl Hund ziemlich wählerisch war in seinen Freundschaften – Fritz und er wurden rasch Verbündete.
Es ist immer unterhaltsam – und auch aufschlußreich –, andere zu beobachten, ich meine, während sie vor demselben Bild oder derselben Skulptur stehen wie man selbst. Großer Gott, was man da so an Reaktionen erleben kann! Übereinstimmungen jedenfalls gibt es so gut wie gar nicht. Wer etwa glaubt, lediglich von

Reaktionen auf ein bestimmtes Werk oder einen bestimmten Meister schließen zu können, der käme sicher nicht sehr weit. Auf seine eigene Art – und, zugegeben, in eigenem Maßstab – bestätigte das auch der Junge, denn nachdem er das Modell lange und grüblerisch betrachtet hatte, wollte er tatsächlich wissen, ob die beiden Figuren einander böse sind.
Mein Alter war überrascht, aber er ging darauf ein und fragte: Wie kommst du darauf? Der Mann, sagte Fritz, der Mann ist böse gewesen, und deshalb geht die Frau weg; sie ist auch ganz traurig. Aber der Mann will sie zurückhalten, sagte ich, das siehst du doch, oder? Der ärgert sich nur, weil sie weggeht, sagte Fritz. Genau so ist es, sagte mein Alter, der Mann ärgert sich, weil sie fortgeht. Er nickte dem Jungen anerkennend zu und setzte sich zu mir auf die Holzbank, unter der mehrere Flaschen mit Selterswasser standen; ohne hinzuschauen langte er sich eine herauf und trank. Soweit ich denken konnte, setzte er alle Viertelstunde die Flasche an die Lippen, gegen den Steinstaub und die ständige Trockenheit im Mund. Nachdem er getrunken hatte, bot er wahrhaftig auch mir einen Schluck an, und da ich abwinkte, hielt er Fritz die Flasche hin. Der wollte trinken, mußte aber zuerst wissen, ob da einer in dem großen Block drin sei und ob der sich schon mal gemeldet hätte. Mein Alter versicherte es ihm; da sei bestimmt einer drin, und er werde ihm helfen, herauszukommen. Wie freundlich er den Jungen berief, als der sein Ohr an den Stein legte; fast bittend forderte er ihn auf, den Block nicht zu berühren, weil, wenn er sich auch nur ein bißchen rührte, die vielen Zeichen und Punkte nicht mehr stimmten. Fritz gehorchte und kam zu uns und hob sich auf die Holzbank. Er trank und machte gekonnt das Ächzen nach, mit dem mein Alter die Flasche

abgesetzt hatte. Danach fiel er gleich in seine Nachdenklichkeit, in dieses Brüten, das typisch für ihn war; in meinem ganzen Leben habe ich kein Bürschchen gekannt, das so viele Fragen auf Lager hatte.
Es wunderte mich kaum noch, daß mein Alter die Arbeitspause dauern ließ, aber ich wunderte mich doch darüber, daß er mir hin und wieder über den Kopf des Jungen hinweg zuzwinkerte – besonders, wenn er sich zu seltsamen Antworten verstieg. Umwerfend, wie einfühlsam er sein konnte und wie nachgiebig und bereit, Fritz recht zu geben. Einmal wollte Fritz wissen, woher eigentlich die Steine kommen, und nach dieser Frage wurde ich mehr als hellhörig, denn genau das hatte ich auch einmal von meinem Alten erfahren wollen, vor undenklichen Jahren. Zuerst glaubte ich, daß er seine Antwort verschieben würde – sie bestand nämlich aus einer ganzen Geschichte –, aber zu meinem Erstaunen tat er es nicht, sondern fing an, wie er einst bei mir angefangen hatte. Ich muß wohl der geborene Zuhörer sein, denn wie seine Geschichte mich ehedem verschlagen hatte, so verschlug sie mich auch diesmal, im Ernst.
Wieder entführte er uns in diese einsame Höhle – sie lag immer noch in China –, von deren Decke es tropfte und tropfte, wohl eine Million Jahre lang, und ständig auf dieselbe Stelle. Was da tropfte, waren milchige Ausdünstungen der Erde. Die Erde schwitzte von Anfang an. Und in den Schweißtropfen hatte sich allerhand aufgelöst, ganz kleine Körner und Teilchen und Stoffe. Man kann es kaum beschreiben, was alles in diesen Tropfen drin war und wie sie leuchteten. Wenn sie runterfielen und aufschlugen, glänzte und funkelte es in allen nur möglichen Farben. Einige glänzten blau wie die Flügel des Eisvogels, andere leuchteten rot wie Kirschen. Es

fielen aber auch grüne und silbrige und sogar schwarze Tropfen, schwarz wie Lack. Wenn das Schwitzwasser verdunstet war, blieben Körner und Teilchen und Stoffe übrig. Sie klammerten sich aneinander. Sie verschmolzen. Und weil die Tropfen nicht aufhörten zu fallen, wuchs an der Stelle, wo sie auftrafen, ein Stein. Es war bestimmt der schönste Stein, den es jemals gab, denn er zeigte alle Farben in ihrer Reinheit; und es war ganz gewiß auch der kostbarste Stein, weil in ihm das Wertvollste steckte, das in der Erde verborgen lag; an einer Seite schimmerte sogar das Gold durch. Der Stein wuchs übrigens nicht gleichmäßig. Er probierte allerhand Formen aus, ließ sich Nasen und Henkel und Buckel wachsen, und wenn die ihm nicht gefielen, dann ruckte er einmal, und sie brachen ab und plumpsten zu Boden. Ein ganzer Haufen von abgebrochenen Stücken lag um ihn herum.
Mein Alter machte eine Pause, und Fritz sagte gleich: Weiter – so wie ich damals an dieser Stelle »weiter« gesagt hatte –, und ich war gespannt, ob sich die ängstlichen Jäger wieder in die Höhle flüchteten. Es waren also wiederum Jäger, und sie waren auch ängstlich, weil ein feuerschnaubendes Tier sie verfolgte, das sie über und über mit Pfeilen gespickt hatten, ohne es totzukriegen. Als der Drache vor der Höhle erschien und gerade Heißluft hineinblasen wollte, nahm einer der Jäger ein Stück des abgesprungenen Steins auf, um es nach dem Ungeheuer zu werfen, doch er brauchte es nicht zu tun, denn als das Tier den Stein sah, duckte es sich wie in plötzlichem Gehorsam. Die Jäger waren sprachlos. Der Drache zeigte ihnen jetzt nur noch seine Ergebenheit und trottete davon, als sie es ihm befahlen. Da ging ihnen auf, daß der Stein, den sie entdeckt hatten, eine wunderbare Kraft besaß, und bevor sie die Höhle

verließen, nahm sich jeder eins der abgebrochenen Stücke mit auf den Weg, und keiner brauchte es zu bereuen. Der Stein machte, daß sie jeden Fluß durchqueren konnten, er schützte sie vor Dämonen, Schlangenbisse waren unwirksam, und wo sie Tigern und Bären begegneten, da duckten die sich sogleich zu ihren Füßen. Das sprach sich herum. Immer mehr Leute hörten von dem wunderbaren Stein, immer mehr wollten ein Stückchen von ihm besitzen, und allmählich war die Höhle leer – bis auf den Mutterstein. Dies Wort hatte mein Alter auch damals gebraucht: Mutterstein.

Dem wollten die Leute nun mit Hämmern zu Leibe rücken – einige redeten auch davon, Teile zu Pulver zu zerstampfen, um sich gegen Krankheiten zu schützen –, doch glücklicherweise konnte der Stein hören. Er hörte sich alles ruhig an, und als die Leute fortgingen, um ihre Hämmer zu holen, ruckte er einmal kräftig, ließ sich zur Seite fallen und rollte zur Höhle hinaus. Er rollte so schnell, daß ihn keiner einholen konnte, die Berge hinab und durch Flüsse und auch ein Stück durch die Wüste, und in einem fremden Land, mitten in einer blühenden Heide, da blieb er erschöpft liegen, der vielfarbige, der wundertätige Stein.

Herr im Himmel, es war schon komisch, diese Geschichte zum zweiten Mal zu hören, mit fast den gleichen Worten; um die Wahrheit zu sagen; es ging mir sogar nahe, denn unwillkürlich kam mit diesem Mutterstein eine vergangene Zeit herauf, in der noch so vieles offen war. Was mich selbst überraschte: daß sich alles so verläßlich bei mir abgelagert hatte; ich wußte noch, daß der chinesische Stein in einer blühenden Heide liegengeblieben war, und ich wußte selbstverständlich auch noch, daß nun der Vaterstein dran war.

Der war einfach auf die Erde gefallen, hoch im Nordland – vermutlich also in Niels Sjöbergs Heimat –, und fror da nur und ließ sich von Sturm und Regen bearbeiten. Es war ein grauer, unscheinbarer Bursche, der auf den ersten Blick durch nichts anderes beeindruckte als durch sein Gewicht. Ab und zu gab er einigen Jägern Schutz während des Schneesturms, aber zu mehr taugte er nicht. Was keiner sehen konnte: innen drin in dem grauen Nordland-Stein war noch ein anderer Stein, von einer Härte, wie es sie auf der Welt nur einmal gab. Fischer wollen beobachtet haben, daß er zur Zeit des Nordlichts ein menschliches Gesicht hatte. In der langen Dunkelheit kam er sich, was wohl verständlich ist, ziemlich vereinsamt vor, und darum war er gleich einverstanden, als ein riesiger Eisgletscher ihn zu einer Reise einlud, natürlich in den Süden. Beiden machte es nichts aus, daß diese Reise tausend Jahre dauerte, der Stein immer huckepack auf dem Eisgletscher. Sie glitten und rutschten und schoben einen Berg von Erde vor sich her, und hinter ihnen entstanden tiefe Rinnen, die sich sehr gut zum Flußbett eigneten. Übers Meer wurden sie von Strömung und Wind getrieben. Was alles sie plattdrückten, läßt sich kaum aufzählen. Je weiter sie in den Süden kamen, desto wärmer wurde es; kein Wunder, daß der Gletscher an den Rändern zu schmelzen begann und ziemlich viel unter sich ließ von diesem Schmelzwasser. Ganze Seen blieben hinter ihnen zurück. Es wäre wohl vernünftig gewesen, umzukehren, aber bei Reisenden in den Süden ist es oft so, daß sie nicht loskommen von ihrem Ziel, und darum ging es knirschend weiter. Auf einmal machte der Gletscher schlapp. Er war so mager und kraftlos geworden und hatte so viele Löcher, daß er aufgab. Und nachdem der Gletscher endgültig unter der Sonne zerflossen war, stellte der Stein fest, daß er auf einmal auf der Erde lag, mitten in der Heide. Kaum hatte sich der Vaterstein von seiner Überraschung erholt, da sah er es neben sich funkeln und schimmern; der kostbare Stein aus China lag direkt neben ihm. Wie es unter Steinen so ist, brauchten sie lange, um miteinander bekannt zu werden, aber dann heirateten sie, und nach hundertzwanzig Jahren hatten sie sage und schreibe elftausend kleine Steine in die Welt gesetzt.

Siehst du, sagte mein Alter – und er sagte es zu Fritz mit dem gleichen verschmitzten Lächeln, mit dem er es einst zu mir gesagt hatte –, nun weißt du, woher die Steine kommen. Danach stand er auf und griff sich den Marmorbohrer und setzte ihn an einem der Zielpunkte an. Während der Bohrer zu jaulen begann – er jaulte in so hoher Tonlage, daß einem die Zahnhälse schmerzten –, verdrückte ich mich ohne ein Wort, legte nur einmal Nikolas die Hand auf die Schulter. Nikolas war dabei, mit Schmirgel und Fischhaut eine Rose fein zu polieren, sie war als Ersatz bestimmt für das Grabmal des Wiener Dirigenten. In einem Kasten lagen die Bruchstücke der zerfallenen Rose, die uns die Frau des Dirigenten geschickt hatte, ausgerechnet an Bettys Geburtstag. Wir waren beide nicht aufgelegt, zu reden, und ich ließ ihn weiter polieren, ohne etwas zu den porösen Bruchstücken zu sagen, denen man schon ansehen konnte, wie sie absandeten.

Ich ging über den aufgeweichten Werkplatz, umrundete Pfützen und steuerte wie von selbst und ohne Absicht auf das Büro zu. Vor dem kleinen Anbau blieb ich stehen. Weiß der Kuckuck, welcher Eingebung ich folgte – jedenfalls öffnete ich die Tür und trat in den Raum, in dem ich ewig nicht mehr gewesen war. Es passiert mir schon manchmal, daß ich nicht weiß, warum ich etwas tue.

Allein mit der Sammlung, die er ohne Zweifel für mich zusammengetragen und beschriftet hatte, wollte ich zuerst nur prüfen, ob alles so an seinem Platz lag, wie ich es in Erinnerung hatte; und es lag alles an seinem Platz – bis auf die Achatknolle, die er Fritz geschenkt hatte. Gneis und Granit, Basaltlava und Kalkstein, Phyllite und Quarzite, der Hämatit und der weiße Beryll: alles, was in wechselnden Zeiten erstarrt war und von unglaublichen tektonischen Gewalttätigkeiten zeugte, lag da noch auf den Regalen, die mein Alter selbst zugeschnitten hatte. Behauen, angeschliffen, poliert, wollten sie in die Hand genommen werden, diese Zeugen unvorstellbarer Temperaturen und eines Drucks, den die Erde nie wieder erlebt hat. Lesen lernen, das sollte ich: in den Steinen lesen lernen.
Ach, mein Alter, längst weiß ich, warum du mich so manches Mal in diesen Raum zogst, längst ist mir klar, warum du mich so früh einweihen wolltest in deine eigene, vor anderen so gehütete Welt der Wunder und einmaligen Gesetze. Welch ein aufschlußreicher Kontrast: hier deine glückliche, erzählbereite Erregung, dort die Starrheit der Steine. Um die Kette des Wissens zu mir hin zu verlängern, vertrautest du mir an, was alles du in ihnen gefunden hattest, und versuchtest mich das sehen zu lehren, was du ihnen bereits abgesehen hattest. Beim Anblick der leeren Stelle, wo der Achat gelegen hatte, dachte ich unwillkürlich an seine pockennarbige Rinde, fühlte, als hättest du ihn mir in die Hand gelegt, seine uralten Runzeln. Und mit deinen Augen sah ich wieder diese malvenfarbigen, wellenförmigen Kreisringe, in denen es kaffeebraun schimmerte und, durch den Quarz hindurch, bläulichweiß. Aber ich sah auch, von dir geleitet, die Strahlenkränze, die vom Aufruhr der Entstehung zeugten: die Girlan-

den und Zacken und mineralischen Spritzer, die sich in legendärer Feuerwerkskunst vereinigten und dann in ihrem ewigen Kerker ein wenig Flüssigkeit gefangensetzten, die du an meinem Ohr gluckern ließest.
Wieviel Mühe du dir gabst, damit ich zunächst lernte, das Geheimnis ihrer Herkunft zu entziffern oder auch zu verstehen, warum es einen unlesbaren Rest gab. Und wie ausdauernd du mir beibrachtest, zu bewundern, was die Steine preisgaben. Ich hatte es nicht verlernt. Ich nahm diesen und jenen vom Regal und fand im Beryll, was mich schon damals begeistert hatte: einen Platzregen aus leuchtenden Nadeln, und hinter einem Vorhang glaubte ich wieder die Spitzen eines Waldes zu erkennen, der in den Himmel hineingewachsen war. Und im Quarz täuschten mich abermals die Dendriten: wie einst wollten sie, daß ich sie für Farne hielt oder für Gliederfüßler oder für das leichte Gewebe von Moosen, die zur Erstarrung verurteilt waren, doch ich wußte ja von dir, daß sie nie lebendig gewesen waren, sondern nur einen Eindruck gaben von der mutwilligen Kristallisation toter Stoffe. Schöner kann etwas nicht blühen als die Dendriten, diese Geschöpfe einfallsreicher Chemie. Und wieder habe ich den Hämatit in den Händen gedreht, weil ich wie einst die kleinen Blitze zählen wollte, die aus ihm herausdrangen, grüne Blitze, die aus einem Regenbogen kamen und doch an Eisen erinnerten. Einen nach dem andern nahm ich vom Regal und fand vieles von dem wieder, was du mir gezeigt hast: Pupillen und Flügel und winzige Sonnen, ich fand Medusen und Samen an ihren Fallschirmen, auch explodierende Palmblätter fand ich und die durchsichtigen Floße.
Mir war, als ob ich dir noch einmal zuhörte, noch einmal die Steine aus deiner Hand nahm, um selbst der

unglaublichen Architektur inne zu werden, die aus dem kosmischen Schmelzofen hervorging. Die Pyramiden der Kristalle, die Kuben des Eisens, all die verschmolzenen Profile und Grate und die wiederkehrenden Strukturen und Grundfiguren, die im Erkalten für immer bewahrt wurden – ich betrachtete sie mit deinem Blick, und ich mußte daran denken, was dir einst vorschwebte und wovon du träumtest, als du mich immer wieder in deine Welt hineinzogst. Ich weiß, daß ich dich enttäuscht habe, und es tut mir verflucht leid. Aber letzten Endes bedeutete mir deine Welt nicht so viel, wie du erhofft hattest; sie bedeutete mir einfach nicht so viel, obwohl ich am Anfang begeistert war und es mitunter nicht abwarten konnte, daß du die Steine reden ließest. Und was das schlimme war: ich habe mich kaum danach gefragt, warum meine Begeisterung nachließ, die Entdeckerfreude allmählich aufhörte, die Phantasie sich nicht mehr beteiligen wollte. Ich konnte nur feststellen, daß mein Interesse und all das, was du geweckt hattest, erkaltet war. Großer Gott, es geschah ja nicht zum ersten Mal, daß einer die Spur verließ, auf die man ihn zu seinem Besten hatte setzen wollen. Als ich da jedenfalls so saß, nahm ich mir plötzlich vor, nicht wieder ein ganzes Zeitalter bis zu meinem nächsten Besuch vergehen zu lassen.
Vielleicht wird man verstehen, daß mir daran lag, unbemerkt aus dem Anbau herauszukommen, einfach weil ich keine Lust hatte, auf die Frage zu antworten, was ich da gesucht oder warum ich mich hineinverirrt hätte. Es gibt Fragen, die man nur mit einem ganzen Lebenslauf beantworten kann, und dazu war ich am allerwenigsten aufgelegt. Aber man kann machen, was man will: immer und überall wird man von jemandem gesehen. Ich war kaum draußen, da hörte ich schon: Jan,

und noch einmal: Jan, und als ich mich umdrehte, sah ich Fritz und Lone zum Tor gehen. Daß sie etwas Besonderes vorhatten, erkannte ich gleich daran, daß der Junge ein frisches Hemd anhatte und nicht mehr die gelben Gummistiefel trug; auch Lone in ihrem dunklen, knappen, nicht mehr neuen Kostüm – ich hatte es noch nie an ihr gesehen – wirkte so, als hätte sie sich auf etwas vorbereitet. Lone sah sehr gut aus, etwas älter als sonst und auch strenger und entschlossener, doch sehr gut. Sie waren unterwegs zur Bushaltestelle. Fritz ließ mich raten, was er in seiner Hand hielt, und während Lone zu lächeln versuchte, erfand ich aus Blödsinn alles mögliche, eine Lokomotive, einen Tiger, ein Ei und was weiß ich. Ich riet solange vorbei, bis er ungeduldig wurde und die Hand öffnete. Sie umschloß eins der marmornen Blütenblätter von der zerfallenen Rose; Nikolas hatte ihm erlaubt, es aus dem Karton zu nehmen. Fühl mal, sagte er, Jan, fühl mal, wie warm es ist. Das Bruchstück war tatsächlich warm. Weil Fritz ganz sicher war, daß innen drin etwas glühte, versuchte ich erst gar nicht, ihm klarzumachen, daß die Wärme von seiner Hand kam. Er nahm das Stück rasch wieder an sich und behauchte es, als müßte er es kühlen.
Nicht von Lone, von ihm erfuhr ich, daß sie unterwegs waren, um Julian zu treffen. Er sagte einfach: Julian ist wieder da, wir gehen jetzt zu ihm. Lone nickte nur; sie sagte nichts, sondern nickte nur, gerade als sei ihr keine andere Wahl geblieben. Daß nicht sie es gewesen war, die auf Begegnung gedrängt hatte, daran gab es für mich keinen Zweifel; gewiß hatte er sie zu einer sogenannten Aussprache bestellt. Aussprache – wenn ich das schon höre! Gewöhnlich machen Aussprachen alles noch viel schlimmer. Diesmal sagte ich nichts Unbedachtes, ich meine: ich hielt mich mit Wünschen und

Ratschlägen zurück und sagte nur: Macht's gut, ihr beiden; und während sie den Sandweg hinaufgingen, winkte ich ihnen noch lange nach – mit so einem ziehenden Gefühl in der Bauchhöhle.
Weil mir nicht nach Reden zumute war, stieg ich leise die Steintreppen hinauf und versuchte, ebenso leise über den Korridor zu kommen, doch an diesem Tag warteten wohl alle meine Leute auf mich. Die Tür zur Wohnung stand offen, und als ich mich vorbeidrücken wollte, hörte ich Betty rufen: Pummel? Bist du es, Pummel? Mir blieb nichts anderes übrig, als zu antworten und der Aufforderung zu folgen, schnell mal zu ihr zu kommen, in die Küche, wo sie einen großen schwarzen Topf auf dem Herd hatte, in dem es knackte und explodierte und aus dem scharfe kleine Spritzer herausflogen. Siedendes Fett war in dem Topf, und auf einem mehlbestäubten Brett, fein aufgereiht, lagen Teigbatzen, ihre sagenhaften Pfannkuchen, die mit Apfelmus gefüllt werden sollten. Weiß der Kuckuck, wie sie auf den Gedanken gekommen war, nach Ewigkeiten wieder mal Pfannkuchen zu machen, das in Fett gegarte Lieblingsgebäck meines Alten, von dem er noch nie hatte genug kriegen können. Betty war ganz schön aufgeregt. Sie nahm die Zigarette aus dem Mund und blies sich übers Gesicht. Sie deutete auf die Teigschüssel. Sie sagte: Probier mal – ich hab gar keinen Geschmack mehr vom vielen Probieren. Ich stippte den Finger in den Teig und konnte ihr nur bestätigen, daß er nie besser geschmeckt hatte.
Ich sah ihr zu, wie sie die Teigkugeln in das siedende Fett tunkte, behutsam, um nicht von den Spritzern erwischt zu werden. Wie rasch sich der Teig bräunte, wie erkennbar Bettys Nervosität sich legte, als sie sah, daß alles zu gelingen schien. Sie strich sich das Haar

zurück. Erleichtert zwinkerte sie mir zu und forderte mich mit einer Handbewegung auf, sitzenzubleiben und auf die erste gebackene Probe zu warten. Weil es mich auf einmal zu beschäftigen begann, fragte ich Betty, und es muß wohl reichlich unvermittelt geschehen sein: Was hältst du eigentlich von Selbstverwirklichung? Anscheinend brauchte sie eine ganze Weile, bis sie begriff, daß ich ihr tatsächlich diese Frage gestellt hatte. Dann aber wandte sie sich mir zu und fragte: Wovon? Von Selbstverwirklichung, sagte ich ruhig; man begibt sich auf den Weg nach innen und dergleichen, man versenkt sich, und eines Tages trifft einen die Erkenntnis, für was man bestimmt ist; du findest die völlige Übereinstimmung mit dir selbst. Betty sah mich mit einem Blick an, in dem mehr Sorge als Erstaunen lag, und ihre Stimme klang teilnahmsvoll, als sie fragte: Um Himmels willen, wie bist du darauf gekommen? Sieh mal, Betty, sagte ich, jeder von uns wird doch rangiert, und die meisten landen zuerst auf einem Neben- und dann auf einem Abstellgleis, ohne daß sie die Chance gehabt hätten, sich mit Hingabe ihrer wahren Möglichkeiten zu bedienen. Die wahren Möglichkeiten nämlich sind meist verschüttet; sie müssen erst freigelegt werden, durch Selbstversenkung und all das. Einen Augenblick musterte Betty mich, als hätte ich nicht mehr alle Tassen im Schrank, doch dann witterte sie wohl, daß ich meinen eigenen Grund hatte, ihr mit diesem Zeug zu kommen, und lachte einmal kurz auf. Sie lachte wirklich nur kurz auf und sagte: Das Bild möchte ich sehen, Pummel – du, meditierend im Schneidersitz, mit einem gefüllten Wasserkrug auf dem Kopf und die Bhagavad-gita in beiden Händen. Warum ich ihr darauf einen Kuß gab, das weiß sie vermutlich bis heute nicht.

Vor diesen rotierenden Stangen, die wohl ein Zählwerk in Gang setzten, flammte plötzlich ein Blitzlicht auf, zwei Typen traten auf mich zu und zogen mich zur Seite, und als ich protestieren wollte, ergriffen sie meine Hand und gratulierten mir überschwenglich. Die mußten Übung im Gratulieren haben, denn sie hielten meine Hand nur solange, bis das Blitzlicht über uns hinweggewittert war, danach ließen sie meine Hand sofort los. Einer der beiden, der sich als stellvertretender Direktor der städtischen Wasserwerke vorstellte, begrüßte dann in mir den hunderttausendsten Besucher des Freibades; er hielt wahrhaftig eine kurze Rede, in der es um gestiegene Freizeitwerte und Gesundheit ging und um die Selbstverpflichtung der Wasserwerke im Hinblick auf eine ausreichende Badeversorgung der Bevölkerung und dergleichen. Während ich Jette nur ratlos anblickte, krümmte die sich vor Lachen oder Schadenfreude oder was weiß ich. Nachdem der Oberwasserwerker mit seiner Rede zu Pott gekommen war, gab er einem verdammt gut aussehenden Mädchen ein Zeichen, und das überreichte mir lächelnd einen Nelkenstrauß, eine Flasche Sekt und eine Dauerkarte, die allerdings, wie ich belehrt wurde, erst mit meinem Namenszug Gültigkeit erhielt. Obwohl ich damit rechnete: einen Kuß bekam ich nicht. Das Mädchen trat bescheiden zurück und machte dem Fotografen Platz, der noch einmal ein Gruppenfoto schoß und sich dann ein paar Daten notierte, Name, Adresse, Beruf und so. Als Beruf gab ich selbstverständlich Lehrer an. Der Fotograf versprach, mir drei Exemplare der Zeitschrift »Wasserfreuden« zuzuschikken – das war die Hauszeitschrift der Wasserwerke –, und die Gratulanten verabschiedeten sich von mir mit den besten Wünschen zur laufenden Badesaison. Der

Beifall, der darauf zu hören war, gab mir fast den Rest. Auf Jettes Rat überließ ich meine Trophäe der freundlichen alten Frau in der Erfrischungsbude zur Aufbewahrung, und dann zuckelten wir – ich immer noch mit diesem albernen Beifall im Ohr – zu den Umkleidekabinen.

Als ich meine Badehose aus der Plastiktüte hervorholte, bekam ich einen Schreck: das Ding schien in den Jahren, in denen es nur rumgelegen hatte, geschrumpft zu sein. Es schien gerade auszureichen, um ein Knie zu bedecken. Doch es half nichts. Ich zog und zerrte den verschossenen Wollstoff auseinander und pellte mir die Hose an, deren Gummizug ziemlich tief ins Bauchfleisch schnitt. Selbstverständlich beschloß ich, mir bei nächster Gelegenheit in unserer Sportabteilung eine geräumigere Badehose zu besorgen. Nach kurzem Atemtraining verließ ich die Kabine, von Jette bereits ungeduldig erwartet. Junge, wie freimütig sie mich beäugte. Sie kam und kam nicht von meinem Anblick los, verwundert und spottlustig zugleich musterte sie jeden, buchstäblich jeden Quadratzentimeter an mir. Ist was, fragte ich, worauf sie mir auf den Bauch klatschte und vergnügt sagte: Ich habe mir gerade vorgestellt, daß ich dich operieren müßte. Das war alles, was sie mir nach ihrer eingehenden Inspektion zu sagen hatte. In ihrem schwarzen Badeanzug ging sie mir dann voraus zur Liegewiese und suchte uns einen Platz in der Nähe des Schwimmbeckens.

Weiß der Teufel, woher es kommt, daß ich immer Mitleid empfinde, wenn ich ausgezogene Leute sehe – ich meine nicht nur knochige alte Männer oder Frauen mit lauter Dellen und bläulichem Adergeflecht an den Schenkeln; auch bei halbnackten flachen Knirpsen überkommt mich das Gefühl. Es gibt allerdings auch

Ausnahmen. Mit diesem sonnengebräunten Burschen, der in weißer Badehose unentwegt auf den Sprungturm stieg, um immer nur den gleichen anderthalbfachen Schraubensalto vorzuführen – einen anderen Sprung konnte er gewiß nicht –, empfand ich zum Beispiel kein Mitleid. Und auch mit den drei stimmbrüchigen Strolchen nicht, die nur herumlungerten und einzelne Mädchen belästigten, indem sie ihnen das Handtuch unter dem Körper wegzogen oder sie mit Wasser bespritzten. Aber sonst taten mir die meisten leid, die da ihre Bäuche und Schultern und Füße – gerade auch ihre Füße – sehen ließen. Während Jette mich einkremte, besah ich mir liegend unsere Nachbarn, junge Leute mit erstaunlichen Haltungsschäden, hinfällige Ehepaare, einen säbelbeinigen Dreikäsehoch, der vor Wut den Rasen betrommelte; und dabei fiel mir wie von selbst Doktor Demus ein, mein alter Biologielehrer, der immer nur vom Wunderwerk des Körpers sprach. Wunderwerk des Körpers – daß ich nicht lache. Jette wollte nicht eingekremt werden, sie mußte erst einmal ins Wasser, und nachdem sie sich rasch abgeduscht hatte, stieg sie tatsächlich auf den Sprungturm hinauf – allerdings nicht, um sich bei einem überanstrengten Sprung bewundern zu lassen. Sie hielt sich nur die Nase zu und ließ sich vom Dreimeterbrett fallen.

Ich war nicht gerade versessen darauf, ins Wasser zu gehen. In Jettes Badetasche – als eifrige Besucherin des Freibades besaß sie selbstverständlich eine Badetasche – entdeckte ich ein Buch, aus dem eine gezeichnete Eule als Lesezeichen hervorragte. Es war ein Band mit Tiergeschichten. Das überraschte mich, immerhin hatte Jette den ganzen Tag mit kranken Kleintieren zu tun, und ich konnte mir kaum vorstellen, daß sie Spaß daran hatte, in ihrer Freizeit auch noch Geschichten über Tiere zu lesen. Ich blätterte in dem Buch, las planlos die eine und andere Geschichte und ärgerte mich bald so, daß ich den Band wieder zuklappte. Schon als Kind habe ich mich darüber geärgert, wenn Tiere so menschlich gesehen werden, ich meine, wenn Enten oder Maulwürfe oder Tausendfüßler sich menschlich betrugen, also handelten und redeten wie Menschen, ihre Gewohnheiten annahmen, ihre Gedanken und all das. In Jettes Buch ging es leider nur so zu. Ich hatte schon genug, als da ein junges Fischfräulein Flossenfroh genannt wurde und der Barsch, der sie unbedingt heiraten wollte, sogar Herr von Kiemenroth. Blödsinnigere Namen konnte man sich wohl nicht ausdenken! Regelrechte Bauchschmerzen aber bekam ich, als ich las, daß ein kleiner Tausendfüßler, dessen Eltern zu arm waren, um ihm jedes Jahr fünfhundert Paar Schuhe zu kaufen, eine Arbeit als Telegrammbote annahm und, weil er wahnsinnig fleißig und schnell wie der Blitz war, soviel Trinkgelder erhielt, daß er sich eines Tages eine Schuhfabrik kaufen konnte. Um es mal auszusprechen: ich bezweifle, daß ein Herr von Kiemenroth überhaupt auf Hochzeitsgedanken käme, wenn er im Rhein oder in der Elbe leben müßte, und ich bin auch ganz und gar nicht sicher, daß Fleiß und Schnelligkeit ausreichen, um zu einer Schuhfabrik zu kommen. Jedenfalls, mehr als deprimiert steckte ich das Buch wieder in Jettes Badetasche, streckte mich aus und wartete dösend auf ihre Rückkehr.

Ich weiß nicht, wie lange ich so lag, betäubt von dem Lärm, den Badende wohl immer machen müssen, als es auf einmal in meinen Nacken tropfte, stetig, wie gezielt. Ich dachte sofort, daß es einer dieser Hohlköpfe wäre, die, wie Jette meinte, nichts anderes im Sinn haben, als Badbesucher zu belästigen; wie der Teufel fuhr ich auf und packte eines der Beine, die unmittelbar neben mir waren, und hielt es fest. Fritz stand neben mir und zappelte und quietschte, und hinter ihm stand Lone, die mir mit einer Geste des Bedauerns zu verstehen gab, daß sie an allem unschuldig sei. Lone sah einfach umwerfend aus, wirklich. Sie trug einen gelben Badeanzug, das Gelb leuchtete wie Sonnenblumen. Auf ihrer gebräunten Haut flimmerten goldene Härchen. In ihrem Badeanzug wirkte sie weniger zart als in dem marineblauen Pullover mit dem Aufnäher, und was der Pullover nur vermuten ließ: sie hatte tatsächlich einen kleinen festen Busen.

Ich lud beide ein, sich neben mich zu setzen; aber sie hatten keine Lust, sie wollten ins Wasser. Lone hatte von der Liegewiese aus mitbekommen, daß ich fotografiert und geehrt worden war, und fragte, wozu sie mir gratulieren dürfte, und ich sagte, daß man mich gerade zum beliebtesten Badegast der Saison gewählt hatte und daß man mir demnächst eine Ehrentafel in den Wasserwerken widmen würde. Sie lachte und sagte, daß auch sie mich zum beliebtesten Badegast gewählt haben würde, und dabei sah sie mich so an, daß ich es ihr glauben mußte. Den wahren Grund meiner Ehrung fand sie allerdings zum Kringeln, weiter nichts.

Wie gesagt, ich war nicht versessen darauf, ins Wasser zu gehen; doch weil der Junge nicht aufhörte, zu drängeln und uns zu schubsen, und weil er uns schließlich beide an die Hand nahm, trottete ich mit ihnen zum Nichtschwimmerbecken. Ich hatte mich noch nicht einmal untergetaucht, da umklammerte schon ein Kleinkind meine Waden, und vor meinem Bauch tauchte mit verklebten Wimpern ein Mädchen auf und schrie zum Spaß um Hilfe. Wohin man trat, überall waren ein Bein, ein Kopf, ein kleiner Hintern; überall bespritzte man sich, spie sich Wasser ins Gesicht oder versuchte sich gegenseitig zu ertränken – spielerisch, meine ich. Ich war nie ein großer Schwimmer gewesen und wagte es deshalb nicht, in das tiefere Becken auszuweichen, wo Könner lässig ihre Bahnen zogen; ich blieb im sogenannten Planschbecken und suchte festen Stand zu bewahren gegen alles, was da gegen mich anbrandete.

Aber dann kam ich doch zu Fall, denn Fritz sprang mich so überraschend von hinten an, daß ich sein Gewicht nicht abstemmen konnte, und mit ihm auf dem Rücken tauchte ich unter Wasser. Herr im Himmel, das muß geschwappt haben, als sei ein Nilpferd ins letzte Wasserloch eines sonst ausgetrockneten Flußbettes gesprungen; selbst am Grund des Beckens hörte ich noch die Schreie der Entrüstung. Ich öffnete unter Wasser die Augen, sah unmittelbar vor mir Lones Schenkel, sah auch, wie der Junge seinen Kopf zwischen sie brachte, geradeso, als wollte er Lone im Reitersitz auf seine Schultern nehmen, aber er schaffte es selbstverständlich nicht, er erreichte nur, daß sie umkippte und halb auf mich fiel. Jeder wird verstehen, daß Lone im Fallen nach einem Halt suchte, und da ich am nächsten dran war, war ich es, den sie zu fassen bekam. Wir halfen einander, wieder hochzukommen, wir hielten einander ziemlich fest, und als wir Stand gewonnen hatten, lösten wir uns keineswegs gleich voneinander, sondern hoben mit zusammengelegten Händen den Jungen aus dem Wasser und schleuderten ihn fort, einmal und noch einmal. Komisch, wie unverfänglich Berührungen im Wasser werden, sie bekommen eine ganz unerwartete Unschuld, und selbst in nur

hüfthohem Wasser kann man sich leisten, was man auf der Liegewiese nicht so ohne weiteres riskieren würde. Wir wanden und schlängelten uns umeinander herum – besonders nachdem beide es darauf abgesehen hatten, mich unter Wasser zu kriegen; wir wendeten mindestens sieben Griffe an, zerrten und drückten, rangen auch ein bißchen, doch länger als eine Sekunde ließ Lone sich nicht festhalten, einfach weil sie so verdammt gelenkig war. Um kein Spielverderber zu sein, ließ ich mich schließlich umwerfen und unter Wasser drücken, und zum Spaß ließ ich noch ein paar Luftblasen hochwackeln, sozusagen als letzten Gruß vor dem Ertrinken.
Ich weiß nicht, ob Lone auf einmal wirklich um mich besorgt war, als ich da, Gesicht nach unten, mit weggestreckten Armen und Beinen herumschwabbelte, sie packte mich jedenfalls beidhändig an einem Fußknöchel und schleppte mich dorthin ab, wo das Wasser nur knietief war. Ich hätte nichts dagegen gehabt, wenn sie nun einige Wiederbelebungsversuche mit mir angestellt und mich mit Mund-zu-Mund-Beatmung auf die Beine gebracht hätte; ich hätte bestimmt nichts dagegen gehabt. Fritz machte das alles unnötig. Fritz, der mich im Wasser immer an eine Bisamratte erinnerte, legte sich auf mich und fing an, mich unter den Armen zu kitzeln, und das brachte mich sofort hoch. Ich hüpfte abwechselnd auf einem Bein, um das Wasser in meinen Ohren loszuwerden, und dabei hörte ich immer deutlicher meinen Namen, eine wohlbekannte Stimme rief mich, aber ich brauchte lange, um herauszufinden, woher sie kam. Daß es Jette war, die mich rief, war mir bald klar, doch ich vermutete sie nicht auf dem Dreimeterbrett, und als ich sie endlich entdeckte, war ich ganz schön verblüfft. Sie stand dort nämlich mit diesem

Burschen in der weißen Badehose, der immer nur seinen jämmerlichen Schraubensalto vorgeführt hatte; Hand in Hand wippten sie jetzt, ließen sich von dem höllisch federnden Brett immer höher schnellen, und auf einmal sprangen sie ab und landeten, zur Hocke gekrümmt, im Wasser. Unter uns nannten Jette und ich diesen Sprung Arschbombe. Als ich sah, wie beide sich auf den Rand des Schwimmbeckens setzten und mit heftig schlagenden Beinen Gischt entstehen ließen, war ich erleichtert: nun konnte ein anderer Jette vor den Belästigungen dieser Hohlköpfe schützen.

Ohne daß Lone mich dazu aufgefordert hätte, schnappte ich mir mein Zeug und folgte ihr und dem Jungen in den äußersten Winkel der Liegewiese; mehr für sich konnte man dort wahrhaftig nicht sein: die Wildrosen, die den Zaun verdecken sollten, hingen einem fast ins Gesicht, und man hatte ständig das Rascheln der Pappeln im Ohr. Ich behielt meine nasse Badehose an, Lone aber sagte: Leih mir mal deinen Rücken, und nachdem ich mich vor sie gesetzt hatte, pellte sie sich im Nu aus und zog etwas Zweiteiliges an, einen Sonnenanzug oder so. Weiß der Kuckuck, woher es kommt, daß Mädchen sich so schnell und so geschickt umziehen können, und das auf allerengstem Raum. Während Fritz an seiner Limonadeflasche nukkelte, trocknete sie ihr Haar und bot mir dann ihr feuchtes Handtuch an und danach auch ihren Taschenspiegel, damit ich sehen konnte, wie gerötet meine Augen waren von dem vorschriftsmäßig gechlorten Wasser. Schließlich bot sie mir auch einen der beiden Äpfel an, die sie mitgebracht hatte, doch weil ich wußte, daß einer dem Jungen zugedacht war, verzichtete ich. Mit einem Seufzer legte sich Lone auf den Bauch und begann zu essen, und ich hatte auf einmal

den verrückten Wunsch, unsichtbar zu sein, nur um sie freimütig und in aller Ruhe betrachten zu können, ich meine: alle Einzelheiten des Körpers, von den Zehen, die ein paar verhornte Druckstellen hatten, bis zu ihrem schönen Hals. Als sie auf einen anfragenden Blick hin zu mir aufsah, legte ich mich neben sie und besah mir den Talisman, den sie an einem silbernen Kettchen am Handgelenk trug. Es war ein Anker, in dessen Griff ein Herz eingelassen war, keine überwältigende Arbeit, weiß Gott nicht, ein typisches Konfirmationsgeschenk, das Lone von ihrem Vater und nicht, wie ich zunächst angenommen hatte, von Julian bekommen hatte.
Anker und Herz, sagte ich, deutlicher geht's nicht. Manche legen Wert darauf, sagte Lone und fügte leise hinzu: Ich zum Beispiel. Sie schrabte mit den Zähnen an ihrem Apfel und starrte das Gehäuse mit den braunen Kernen an, und plötzlich wandte sie den Kopf zur Seite und hörte mit dem Kauen auf. Ich konnte mir anfangs gar nicht erklären, warum sie so dauerhaft wegguckte, ohne sich zu rühren, bis auf einmal ein Schauer über ihren Körper lief und sie nach dem Handtuch griff; da sah ich, daß sie weinte. Sie weinte nicht herzbewegend oder dergleichen, dennoch ging es mir verflucht nahe, nicht zuletzt, weil ich glaubte, ihr mit meiner blöden Bemerkung über Anker und Herz wehgetan zu haben. Ich entschuldigte mich auch gleich, aber das bekam sie wohl nicht mit, weil sie ihr Gesicht im Handtuch verbarg und so eine ganze Weile verharrte. Ich war nur froh, daß Fritz nicht mehr bei uns war, er rannte mit anderen Kindern zum Schwimmbecken, wo offenbar gerade jemand vom Bademeister gerettet worden war.
Lone, sagte ich, Lone, was ist los? Habe ich was Verkehrtes gesagt? Sie nahm das Handtuch vom Ge-

sicht und schüttelte den Kopf. Dann sagte sie: Es geht schon wieder, es geht bestimmt schon wieder; nur manchmal, da kommt einfach zuviel zusammen, entschuldige. Ich hätte gern gewußt, was sie meinte, denn mir war es mehr als einmal so gegangen, daß ein einziger Satz ausreichte, um eine ganze Kette von Problemen entstehen zu lassen, von der man sich auf einmal eingeschnürt fand. Unterirdisch hängen Probleme nämlich auf gottverfluchte Weise zusammen, im Ernst. Mir fiel nichts anderes ein, als Lone meine Hilfe anzubieten; obwohl ich voraussah, daß sie wieder nur den Kopf schütteln würde, fragte ich: Kann ich helfen, Lone? Kann ich dir irgendwie helfen? Nein, sagte sie, nein, ich muß da allein durch. Sie dachte eine Weile nach und sagte dann: Außerdem habe ich mich bereits entschieden. Da war ich ganz schön alarmiert. Ich versuchte, gelassen zu bleiben, fing mir etwas Sonne im Taschenspiegel und ließ den hellen Fleck durch die Wildrosen wandern. Ihr wollt also ausziehen bei uns, fragte ich, äußerlich ruhig, und Lone darauf: Warum meinst du das? Weil dein Mann jetzt hier ist, sagte ich, und weil er doch sicher will, daß ihr zusammenzieht. Ich kann mir denken, daß er nach der langen Trennung und so weiter ... Lone unterbrach mich. Ja, sagte sie, Julian will, daß wir wieder zusammenziehen, ihm scheint sogar sehr daran zu liegen; aber er hat eine Bedingung gestellt. Er hat eine Bedingung gestellt, die ich nicht erfüllen kann.

Ich konnte mir gleich denken, welche Bedingung es war, aber ich sprach es nicht aus, weil ich Lone nicht verletzen wollte und weil ich spürte, daß sie bereit war, es selbst zu sagen. Sie mußte erst eine Hemmung überwinden, diese typische Hemmung, die jeder empfindet, der sich zum ersten Mal über sein schwierigstes

Problem äußert. Und nachdem es ihr gelungen war, bestätigte sie, was ich bereits vermutet hatte: Lones Mann wollte nicht, daß der Junge bei ihr blieb. Er hatte ihr geraten, Fritz in ein Heim zu geben, er hatte sich auch bereiterklärt, regelmäßig Geld an dieses Heim zu schicken, doch ihn aufnehmen, das konnte er nicht, dazu fühlte er sich außerstande. Aber warum will er es nicht, fragte ich. Spannungen, sagte Lone, er sieht Spannungen und Belastungen voraus, er fürchtet, daß sich unser Leben komplizieren könnte, wenn tagaus, tagein ein Dritter dabei ist. Lone zögerte einen Augenblick, schloß die Augen, strich sich über die Schläfe und fuhr dann fort: Julian glaubt tatsächlich, daß Fritz ihm seinen Entwurf kaputtmachen könnte, diesen Lebensentwurf, den er sich für uns ausgedacht hat. Er ist überzeugt, daß man sich nur zu zweit vervollkommnen kann.
Großer Gott, ich brauche wohl kaum zu sagen, wie bedient ich war, als ich das hörte. Vervollkommnung – daß ich nicht lache. Ich gab mir alle Mühe, sachlich zu bleiben, und fragte Lone, ob das Leben denn jemals aufhöre, kompliziert zu sein, und ob sich nicht die älteste und komplizierteste Geschichte immer nur zwischen zwei Menschen ereigne. Ich fragte sie sogar, ob man überhaupt etwas eine Liebesgeschichte nennen kann, wenn es in ihr keine Kompliziertheiten und Verwicklungen und all das gibt. Einmal in Fahrt, ersparte ich ihr auch nicht mein Bekenntnis, daß man gut daran täte, mißtrauisch zu werden, sobald alle Kompliziertheiten sich aufgelöst hätten –, doch ich merkte, daß meine Worte Lone nicht erreichten; und wenn sie sie erreichten, dann fühlte sie sich außerstande, darauf zu antworten, weil etwas anderes sie beschäftigte, etwas, das sie bedrückte und zweifeln ließ.

Plötzlich kam ein kleines Gespenst auf uns zu, ein Kind, das sich eine Decke über den Kopf geworfen hatte und sich stolpernd bewegte, es konnte nicht sehen, wohin es trudelte – es wollte nichts als unsichtbar sein und zerrte einen Teil der Decke als Schleppe hinter sich her. Hinter ihm ging seine Mutter und rief: Wo ist Marion, wo ist bloß meine kleine Marion, aber das Kind antwortete nicht; es fiel über meine Beine, und ich lüpfte die Decke und sagte schnell: Ich verrat dich nicht, doch da hatte sich das Mädchen schon anders entschlossen: es warf die Tarnkappe ab und ließ sich von der ziemlich fülligen Mutter, die sich bei uns entschuldigte, in die Arme schließen.
Ich mußte gleich daran denken, wie Fritz sich einmal vor Lone versteckt hatte, hinter den schrundigen Bäumen am Wanderweg, und ich sagte: Das müssen sie wohl alle ausprobieren, sie müssen einfach herausfinden, wieviel Angst man um sie hat. Oder was glaubst du, Lone? Wieder antwortete sie nicht direkt; doch mit einer Stimme, die so klang, als sei sie kilometerweit weg, sagte sie: Nein, Jan, wir ziehen nicht aus bei euch. Fritz ist sehr glücklich, und ich – ich bin dir noch immer dankbar, daß du uns zu euch geholt hast. Aber dein Mann, sagte ich, was sagt Julian dazu? Mein Gott, sagte Lone, Julian hofft, daß wir zu einem Kompromiß kommen. Ich bin immer für Kompromisse, aber es gibt Lagen, in denen man sie einfach nicht eingehen darf. Ich habe ihm gesagt, daß ich nicht bereit bin, mich von Fritz zu trennen, auch vorübergehend nicht. Und ich habe ihm auch gesagt, daß es für mich nicht in Frage kommt, den Jungen nur an Wochenenden zu uns zu holen. Ganz oder gar nicht: etwas anderes gab und gibt es nicht für mich. Und er, fragte ich. Julian hofft, daß ich Verständnis habe, sagte Lone, für ihn und seine

Forderung. Er bat mich mehrmals um mein Verständnis, aber er fragte nicht, warum es mir unmöglich ist, seine Bedingung anzunehmen. Das hat mich traurig gemacht. Aber entschuldige, das alles sind wohl meine Probleme; ich will dich nicht damit behelligen. Du behelligst mich nicht, sagte ich, und weil mir im Augenblick nichts anderes einfiel, sagte ich: Schließlich leben wir unter einem Dach.

Wir schwiegen eine Weile und horchten auf den Wind in den Pappeln, es war ein scharfer plötzlicher Zug, ein Vorbote, eine Ankündigung, denn nach einem heftigen Aufrauschen war es wieder still. Es ist fast immer so, Lone, sagte ich, fast immer ist es nur einer, der Verständnis erwartet und daß man auf ihn eingeht; merkwürdigerweise übersieht er dabei, daß auch der andere Verständnis beanspruchen darf. Sie schüttelte den Kopf, nicht über das, was ich gesagt hatte, sondern wohl in Gedanken an etwas Zurückliegendes, das sie anscheinend nicht begreifen konnte. Und dann sagte sie leise: Julian glaubt, daß ich nur tue, was ich meiner Schwester schuldig bin; für ihn ist es eine Pflicht unter Verwandten, und Pflichten dieser Art, so meint er, müssen nicht ewig dauern. Er meint, ich hätte genug getan für den Jungen. Vermutlich wird er nie einsehen, daß es noch etwas anderes gibt als Pflichtgefühl, etwas, das viel mehr bedeutet. Sie wandte sich mir zu, sah mich betrübt an, gerade als hätte sie sich bereits mit der Entscheidung abgefunden. Weißt du, sagte sie, kurz nachdem ich Fritz zu mir genommen hatte, fuhren wir einmal in den Sachsenwald. Er war furchtbar schreckhaft. Er war so nervös und zappelig, daß ich ihn kaum beruhigen konnte; auch nachdem wir lange gegangen waren, kam er nicht zur Ruhe. Immer rannte er zwischen den Bäumen hin und her und betrommelte sie

mit seinem Stock. Einmal kam er zu einem Holzstapel, auf dem ich saß, und wollte ein Papiertaschentuch haben. Er nahm nicht eines, er nahm das ganze Päckchen und verschwand gleich wieder. Und dann sah ich ihn eine ganze Zeit nicht mehr. Als er endlich wiederkam, war er völlig erschöpft. Er war erschöpft, aber voller Zufriedenheit. Von den Papiertaschentüchern hatte er nur ein einziges übrig behalten, und in dem hatte er viele Harztropfen gesammelt. Er gab es mir und sagte: Nun weinen die Bäume nicht mehr. Er hatte ihnen die kleinen Tränen abgetrocknet und die dicken abgepflückt und in das Papiertaschentuch eingebunden. Du hättest seinen Ernst sehen sollen und seine Zufriedenheit. Da wurde mir klar, daß ich den Jungen liebte. Vielleicht ahnte ich es schon früher, aber in diesem Augenblick wußte ich es.
Sie machte eine Pause und fragte dann unsicher: Kannst du das verstehen? Und ob ich es verstehen konnte! Du lieber Himmel, wie oft ist es mir so gegangen, daß ich etwas nur unbestimmt fühlte, vage und so, daß es noch keinen Namen verdiente, bis es auf einmal, hervorgerufen durch ein Erlebnis, durch eine Beobachtung oder Stimmung, ganz deutlich wurde und in einem einzigen Wort aufging. Ich sagte: Ähnliches habe ich auch schon erlebt; ich meine, daß ich regelrecht überrascht wurde durch eine Erkenntnis; du tappst lange herum und erwägst und sortierst, und auf einmal schlägt es bei dir ein. Schneller als mir war Lone bewußt, daß mein Bekenntnis eine Anspielung enthielt und daß es durchaus auf uns beide bezogen werden konnte; sie drehte lächelnd den Kopf zur Seite und nahm den angebissenen Apfel in die Hand, ohne jedoch weiterzuessen. Sie betrachtete und drehte das Gehäuse mit den dunklen Kernen und sagte: Ich weiß

nicht, vielleicht hat Julian recht, vielleicht muß man – ganz allgemein – bestrebt sein, seinem Leben eine Richtung zu geben, damit es auf ein Ziel hinausläuft. Aber man kann es doch nicht tun, ohne Rücksicht zu nehmen, Rücksicht auf andere. Er glaubt, daß es möglich ist, einen eigenen Weg zu gehen, unbeirrt, rigoros, mit dem Ziel, sich zu vervollkommnen. Ich glaube es nicht. Wenn wir uns schon eine Richtung geben, müssen wir wohl auch an die denken, die von uns abhängen.
Weiß der Kuckuck, ich mußte mir bei diesen Worten Lones Mann vorstellen, wie er in seinem gerade eröffneten Meditationszentrum saß, vermutlich angetan mit einem weißen Frotteemantel oder so, und mit geölter Stimme seine deprimierenden Weisheiten ablaichte. Obwohl ich ihm nie begegnet war, hörte ich ihn auf Lone einreden. Leute, die auf Selbstsuche gehen, haben alle den gleichen Tonfall. Es fehlte tatsächlich nicht viel, und ich hätte Lone gesagt, was ich von diesem Aufbruch in die Vervollkommnung hielt und was für mich dahinterstand: nämlich schön verschleierte Selbstsucht. Ich verkniff es mir aber und sagte stattdessen: Wählen oder bestimmen kannst du schon eine Richtung, doch du wirst bald merken, daß andere die Weichen stellen. Es gibt nämlich einen Haufen verfluchter Weichensteller, und während du vielleicht noch glaubst, auf der Hauptstrecke zu sein, haben die schon dafür gesorgt, daß du auf einem Nebengleis ausrollst. Jetzt sprichst du von dir, sagte Lone. Kann sein, sagte ich, aber was man an sich erlebt, das betrifft auch andere. Dennoch, sagte Lone, man kann doch nicht richtungslos hinleben, ein Ziel muß man sich doch setzen, auch wenn man es nie erreicht. Sie sah mich an, sie sah mich an mit diesem offenen, warmherzigen

Blick, der mich ganz widerstandslos machte, und fragte: Und du, Jan, hast du gar kein Ziel? Um die Wahrheit zu sagen, das hatte mich noch niemand, das hatte ich mich noch nicht einmal selbst gefragt, zumindest solange ich als Hausdetektiv in der Lebensmittelabteilung beschäftigt war. Ein Ziel – Menschenskind! Ich mußte ungefähr eine Stunde nachdenken, so jedenfalls kam es mir vor, dann aber sagte ich: Du wirst es nicht glauben, Lone: Gleichmut. Der gute alte verläßliche Gleichmut, der dich alles überstehen läßt. Ich habe ihn weiß Gott noch nicht, aber ich möchte ihn eines Tages erwerben. Ja, das ist mein Ziel, soviel Gleichmut zu besitzen, daß dich nichts mehr irritiert an den Leuten, daß dir jede Erregung als Verschwendung erscheint und daß du nur lächelst, wenn weise Männer bei dir anklopfen und dir sagen, wie du garantiert weiterkommst. Lone schmunzelte. Ist das wirklich dein Ziel, fragte sie. Einstweilen jedenfalls, sagte ich, bestimmt aber für den Rest des Jahres. Dann legst du sicher auch keinen Wert darauf, glücklich zu sein, sagte Lone, denn wenn Gleichmut dein Ziel ist, hat Glücklichsein doch nichts zu bedeuten, oder?
Ach, Lone, sagte ich, früher, vor vielen hundert Jahren, da hatte ich eine Vorstellung von dem, was zum Glücklichsein gehört, für mich, meine ich. Ohne ihn jemals ausgeübt zu haben, liebte ich den Beruf, für den ich mich entschieden hatte. Du glaubst gar nicht, wie oft ich mich in Gedanken vor meiner Klasse stehen sah und was alles ich mir vornahm. Ziele – damals waren sie definiert, bescheidene, erreichbare Ziele. Ich weiß, ich habe nicht Reimunds Kaliber, aber ich traute mir zu, den kleinen Krabben in den Bänken vor mir etwas vermitteln zu können. Es ist zum Lachen – ich sah mich auch schon als ganz alten Lehrer, den seine ehemaligen

Schüler besuchten, erstens, um ihm zu zeigen, was aus ihnen geworden war, und zweitens, um ihm dafür zu danken, daß er sie immer nur als Kinder behandelt hat und nicht als kleine Erwachsene oder sowas. Aber dann passierte, womit ich nicht gerechnet hatte: Abschied von allen Vorstellungen und Träumen, ein Sturz, wenn du willst, ein freier Fall, der immerhin mit einem erkenntnisreichen Aufschlag endete. Obwohl ich zuerst ziemlich benebelt war, begann ich nämlich einzusehen, daß es fast immer auch von andern abhängt, ob man glücklich sein kann.
Ich wollte noch sagen, daß man wirklich glücklich nur in der Erinnerung oder in der Erwartung sein kann, doch plötzlich klemmte sich Fritz zwischen uns und sagte aufgeregt: Er lebt wieder; zuerst war er tot, aber jetzt lebt er wieder. Wer, fragte Lone. Der Junge, sagte Fritz, er war schon untergegangen, aber der Bademeister hat ihn gerettet und aufgepustet, und nachher hat seine Schwester ihn ausgeschimpft, weil er ins Schwimmerbecken gesprungen ist. Da siehst du, was passieren kann, wenn man ins Tiefe geht, sagte Lone. Fritz griff sich die Limonadeflasche, und obwohl sie leer war, setzte er sie an und saugte und ließ Geräusche hören wie von einer Äolsharfe. Den Apfel, den Lone für ihn aufgehoben hatte, wollte er nicht, er wollte Limo, und weil er nicht aufhörte zu quengeln – und weil mir plötzlich etwas einfiel –, zog ich ihn hoch und marschierte mit ihm zur Erfrischungsbude. Die freundliche alte Frau erkannte mich sofort wieder; ich ließ mir die Flasche Sekt aushändigen, bat um zwei Pappbecher, kaufte Fritz seine Limo, und als ich erfuhr, daß die Bude bald schließen würde, nahm ich auch meine Blumen mit, die die alte Frau fürsorglich in einen Eimer mit Wasser gestellt hatte. Junge, wie einige

Badegäste glotzten, als ich mit Blumen und Sekt an ihnen vorbeizog; ein fetter alter Typ murmelte hörbar: Baden und Saufen – das hab ich gern, und zwei Mädchen tuschelten: Ist das nicht... ja, das ist er. Sie hatten wahrhaftig den Ehrengast des Tages erkannt.
Wir hockten uns hin, in der äußersten Ecke der Liegewiese, ich öffnete die Flasche gegen Lones Willen, ich schenkte uns ein, und dann sagte ich: Frag mich nicht, warum, aber ich freu mich einfach. Lone war nicht überrascht, sie senkte den Blick, starrte in den Pappbecher, in dem das lauwarme Zeug burbelte und brauste, sie starrte ziemlich lange hinein, entschloß sich dann aber doch, einen Schluck zu nehmen. Und dann sagte sie etwas, das ich nicht verstand, es war norwegisch, und sie wollte es vorerst nicht übersetzen, sie meinte nur: Es ist gesagt, und das ist die Hauptsache. Ich gab mich nicht zufrieden, ich bat sie ein paarmal, mir zu übersetzen, was sie in der fremden Sprache gesagt hatte, doch sie schüttelte den Kopf. Komisch, sagte sie, daß ihr alles wissen müßt. Gut, sagte ich, aber wenn ich es wüßte, könnte ich mich dann zumindest darüber freuen? Ach, Jan, sagte sie, oft hilft Wissen überhaupt nicht, es verhindert sogar die Freude. Aber diesmal, sagte ich, diesmal doch wohl nicht. Lone seufzte, musterte mich mit Verwunderung und zuckte die Achseln. Also meinetwegen, sagte sie schließlich, damit du es weißt: Ich sagte, es ist schön, mit dir zusammenzusein. Danach nahm sie noch einen schnellen kleinen Schluck aus dem Pappbecher und stellte ihn weg, sichtbar entschlossen, von meinem Prämiengetränk nichts mehr anzurühren. Ich wußte nicht, ob ich zu einer Entschuldigung ansetzen oder ihr mit einem Händedruck danken sollte, ich wußte es wirklich nicht, jedenfalls, ich nahm ihre Hand, von Fritz interessiert beobachtet,

zog sie zu mir herüber und drückte sie gegen meine Wange.
Weil ich meine Augen dabei offenhielt, merkte ich, wie auf einmal ein Schatten auf uns fiel, und bevor ich mich noch aufrichtete, hörte ich meine Schwester sagen: Wir wollen nicht stören, wir wollen das Familienidyll nicht stören. Sie stand angekleidet vor uns, und hinter ihr stand der Kunstspringer – weißes Polohemd, himmelblaue Hose – und blickte uns mit bemühter Freundlichkeit an. Jette machte uns miteinander bekannt. Es kam ihr nicht in den Sinn, den Nachnamen des Burschen zu nennen, sie sagte nur: das ist Gernot, und sie empfand es als ausreichend, auch nur unsere Vornamen zu nennen. Gernot war angeblich sehr erfreut, uns kennenzulernen, zumindest sagte er das, als er uns die Hand reichte. Sehr erfreut – wenn ich das schon höre! Wie immer hatte Jette einen Auftrag für mich, diesmal sollte ich zu Hause bestellen, daß wir ihr nichts vom Abendbrot aufheben sollten. Zum Abschied sagte sie: Tschüß, ihr drei, und darin lag nichts weniger als ihre Sympathieerklärung für uns.
Es wunderte mich nicht, daß Lone ihrerseits meine Schwester liebgewonnen hatte; noch bestand zwar keine Freundschaft zwischen ihnen, doch daß sie etwas füreinander übrig hatten, ließ sich nicht übersehen. Während sie den beiden nachblickte, sagte sie: Ich mag Jette, sie ist so – wie soll ich sagen – so fürsorglich. Und besonders zu Kleintieren, sagte ich, sie würde glatt zehn Meilen weit laufen, um ein Salatblatt für ihre kranke Schildkröte zu holen. Um gerecht zu sein, fügte ich aber hinzu, es stimmt schon, sie ist wirklich fürsorglich; vermutlich hat sie schon die Geschenke für meinen übernächsten Geburtstag gekauft. Wo du nämlich bei ihr hintrittst, überall sind diese verdammten

Geschenke versteckt. Unvermittelt fragte Lone: Weißt du eigentlich, daß du sehr oft fluchst? Darauf muß ich wohl ganz schön entgeistert dreingeschaut haben. Lone erweiterte ihre Feststellung und sagte: Es scheint dir gar nicht bewußt zu sein, doch ich habe tatsächlich noch keinen getroffen, der so häufig flucht wie du. Gut, sagte ich, ab heute wird nicht mehr geflucht, ab heute hört man von mir nur noch Koseworte. Was sind Koseworte, fragte Fritz. Also, sagte Lone und sah mich dabei an, wenn man sehr nett sein will, dann gebraucht man Koseworte. So ist es, sagte ich, du stippst die Worte in Honig, bis sie höllisch süß schmecken.
Auf solch unterhaltsame Weise mit uns selbst beschäftigt, hatten wir in unserer Ecke gar nicht mitbekommen, daß der Badelärm sich gelegt und die Liegewiese sich entvölkert hatte, wir gehörten wahrhaftig zu den letzten Besuchern und blickten erstaunt zum Bademeister auf, der sich eigens zu uns bemüht hatte, um zu verkünden, daß bei Kleinem Feierabend sei. Wörtlich sagte er: Schluß, meine Herrschaften, bei Kleinem ist Feierabend. Vermutlich hätte er sich friedlich getrollt, wenn ihm nicht im Abdrehen die Sektflasche aufgefallen wäre. Was is'n das? fragte er. Das hab ich besonders gern, wenn Leute genau erkennen, was da vor ihnen ist und dennoch fragen: Was is'n das? Sie meinen wohl die Saftflasche, sagte ich. Nein, sagte er, ich meine die Sektflasche; der Genuß von Alkohol ist hier nämlich nicht erlaubt. Ich ging zwar nicht an die Decke, war aber gleich geladen. Sie können ja mal probieren, sagte ich; Sie werden bestimmt nicht tot umfallen. Hören Sie, sagte er, und dann unterbrach er sich, man konnte sehen, wie ihm etwas dämmerte, und er fuhr fort: Sind Sie nicht unser Festgast? Der bin ich, sagte ich, und wir hatten nichts anderes vor, als auf das Wohl der

städtischen Wasserwerke zu trinken. Dann entschuldigen Sie, sagte er, und in einem Ton des Bedauerns: Aber bei Kleinem ist hier Feierabend. Er schlurfte davon in seinen weißen Holzpantinen.
Jetzt lachte Lone los, wie ich sie noch nie hatte lachen hören, sie bog sich regelrecht und schüttelte sich, und auf einmal gab sie mir einen Kuß, so einen Knallkuß, den man wohl bis zum Rathausmarkt hörte. Sie war im Ernst kurz davor, sich schiefzulachen, und gerade als ich dachte: hoffentlich stößt sie nicht die Flasche um, da erwischte sie sie auch schon mit einer flatternden Bewegung. Sofort hörte sie zu lachen auf und griff erschrocken nach der Flasche, um sie wieder aufrecht hinzustellen. Auch ich griff zu, doch nicht in derselben Absicht wie Lone: ich legte vielmehr meine Hand auf ihre Hand und drückte stetig und sah zu, wie mein Prämiensekt gluckernd auslief und die Erde näßte. Das zischte und kochte, bis die kleinen Blasen wegplatzten und der Schaum sich auflöste. Fritz mußte selbstverständlich seinen Finger hineinhalten, und als er ihn ableckte, sagte er nur: Bitter. Zuletzt blieb nur ein dunkler Fleck auf der warmen bröckeligen Erde zurück. Nun können wir gehen, sagte ich, und beide stimmten mir zu.

15

Sie stellten uns wahrhaftig auf die Probe. Weil der Schwund in unserer Lebensmittelabteilung offenbar ein Ausmaß annahm, das die Typen in der Direktion ziemlich beunruhigte, nahmen sie den Vorschlag von Strupp-Schönberg an und beauftragten ihn, die Wachsamkeit der Hausdetektive überprüfen zu lassen. Die Wächter überwachen zu lassen: auf solch eine Idee konnte nur ein Strupp-Schönberg kommen, wirklich.
Gottseidank war ich auf das Affentheater vorbereitet. Willi mit seinem guten Draht nach oben hatte zeitig genug erfahren, wann man uns unter die Lupe nehmen wollte, er wußte sogar, daß wir durch sogenannte »hauseigene Kräfte« überprüft werden sollten und nicht, wie ich anfangs tatsächlich geglaubt hatte, durch angemietete Professionals. Hätten sie Berufsmäßige aus Fuhlsbüttel angeheuert, wäre es zumindest spannend gewesen; vielleicht hätten wir das sogar als Herausforderung empfunden und mit besonderem Ehrgeiz beantwortet – das möchte ich schon annehmen. Hauseigene Kräfte hingegen, das weiß jeder, sind nur für Notlösungen gut, bei ihnen kann man eine gewisse Stümperhaftigkeit ruhig voraussetzen.
Ich möchte nicht zuviel sagen, aber als der alte Plambek in seinem verschossenen Hausmeisterkittel unsere Lebensmittelabteilung betrat, tat er mir einfach leid; ich

wußte sofort, mit welchem Auftrag er gekommen war. Er war der Chef von zwei jüngeren Hausmeistern, stand kurz vor der Rente, ein immer gutgelaunter, etwas schwerhöriger Mann, der sich vermutlich nur kopfschüttelnd auf all das hier eingelassen hatte. Junge, wie der sich bewegte! Während ein fauler Kunde bemüht ist, seine Absicht zu verbergen, ließ sich diese ehrliche Haut so ziemlich alles ansehen, was sie in unsere Abteilung geführt hatte. Statt sich gelassen zu geben, zeigte er ein nervöses Zucken, statt sich selbstbewußt und unbekümmert zu bewegen, schlich er bange und lauernd an den Regalen entlang, unentwegt sichernd, wie es nur ein lächerlicher Amateur tut. Und als er endlich seine Chance gekommen sah, schnappte er sich einen Klarsichtbeutel mit Friesentee und ließ ihn in die ausgeweitete Tasche seines Hausmeisterkittels rutschen. Danach ging er eilig in Richtung Kasse, griff sich aber noch im Vorübergehen ein Päckchen mit unseren Waffeln, die so hart waren, daß wir sie eigentlich nur zusammen mit einem Hämmerchen hätten verkaufen dürfen. Er steckte auch die Waffeln in die Tasche – das heißt, er wollte sie in die andere Tasche stecken, doch er war so erregt, der arme Kerl, daß er das Päckchen vorbeischob und gar nicht merkte, daß es auf den Boden fiel. Als er an der Kasse Zigaretten kaufte und nur diese berechnen ließ, drückte ich den Alarmknopf, worauf Strupp-Schönberg ein bißchen zu prompt aus seinem Glaskäfig stürmte, um den gutwilligen Hausmeister abzuführen.

Etwas weniger ungeschickt, aber immer noch stümperhaft genug, erfüllte das Mädchen aus der Kosmetikabteilung seinen Auftrag. Schläfrig, wie all diese Geschöpfe da oben, glitt es heran, um meine Wachsamkeit zu testen. Leider erkannte ich sie gleich wieder, denn bei ihr hatte ich das Toilettewasser »Frühlingswehen« für Betty gekauft, und jeder wird verstehen, daß ich sie nicht eine Sekunde aus den Augen ließ. Wie überrascht und naserümpfend sie unsere pelzigen, schwitzenden Dauerwürste anstarrte, gerade als mutete man ihr den Anblick von etwas Unanständigem zu. Und in die Fleischauslagen starrte sie derart ungläubig, daß man zweifeln konnte, ob sie jemals Karbonade und Gulasch und all das gegessen hatte. Bei manchen Leuten muß man sich einfach fragen, wovon sie sich ernähren. Jedenfalls überraschte es mich nicht, daß sie von unseren Fleisch- und Backwaren wegstrebte und sich von der Obst-und- Gemüseabteilung anziehen ließ. Zu gern hätte ich gewußt, woran sie dachte, als sie eine der bulgarischen Honigmelonen streichelte, nachdenklicher kann man nämlich keine Frucht streicheln. Schließlich hob sie mit spitzen Fingern eine Schachtel mit Datteln auf und gleich darauf eine Schachtel mit Feigen. Sie las die Aufschrift. Es schien ihr zu gefallen, was da stand, denn auf einmal wandte sie sich um und ging zur Kasse, und vielleicht hätte ein unerfahrenes Auge nichts an ihr bemerkt. Mir aber fiel sofort auf, daß sie einen angewinkelten Arm unnatürlich gegen den Körper preßte, und wie sich bald darauf herausstellte, hatte das Mädchen eine Schachtel mit Datteln unter ihr mit goldenen Knöpfen besetztes Jäckchen geschoben und beklemmte es laienhaft. Die zuvorkommende Art, in der Strupp-Schönberg sie abführte, gab mir fast den Rest. Selbstverständlich ließ ich den dritten miesen Kunden diesmal nicht davonkommen. Es waren übrigens zwei rothaarige Jungen, die sich ziemlich happig mit Gummibonbons bedient hatten.

Ich glaubte mich bewährt zu haben, und als Willi mit üblicher Verspätung erschien, um mich abzulösen, dankte ich ihm für die Warnung und den Tip und so weiter. Willi indes gab nichts auf meinen Dank. Verdrossen, wie er hereingekommen war, knallte er seine Lehrbücher auf den Tisch, überflog das Rapportbuch und schien alles zu überhören, was ich ihm zu sagen hatte. Nie zuvor hatte ich ihn so übellaunig erlebt. Weil ich dazu neige, die Schuld an gewissen Vorkommnissen zunächst auch bei mir zu suchen, fragte ich ihn, ob ich irgend etwas verkehrt gemacht oder ihn sonstwie enttäuscht hätte, worauf er mir mit einem brummelnden Laut antwortete. Plötzlich aber ließ er eine lasche Hand auf seine Lehrbücher fallen und murmelte: Hier hast du es, Jan. Ich warf einen Blick auf die Lehrbücher. Es war nicht die Einführung in Nurmis Sprache, die da lag, sondern ein Schnellkurs in zwölf Lektionen zur Erlernung des Holländischen. Ich denke, du lernst Finnisch, sagte ich. Das war einmal, sagte er, und kam dann nach und nach damit heraus, daß er leichtsinnig genug gewesen war, in eine Zwischenprüfung zu steigen, nur weil einige Leute in seinem Kurs danach verlangten. Und? fragte ich. Statt mir das genaue Resultat mitzuteilen, sagte er: Hoffnungslos, Jan. Weiß der Teufel, wofür die finnische Sprache gemacht ist, jedenfalls nicht für Prüfungen. Du kannst noch soviel gebüffelt haben: in der Prüfung läßt dich diese Sprache im Stich. Ich versuchte, ihn zu trösten. Ich sagte: Diese blöden Prüfungen kann man doch wiederholen. Nicht im Finnischen, sagte Willi entschieden, im Arabischen vielleicht oder Tamilischen, aber nicht im Finnischen. Was hältst du vom Holländischen, fragte er auf einmal. Eine nicht sehr verbreitete, aber bedeutende Sprache, sagte ich, und außerdem ist sie mit unserer Sprache verwandt. Genau, sagte Willi, und darum hab ich mich aufs Holländische geworfen.

Geworfen, sagte er im Ernst, und danach tischte er mir wieder mal seine umwerfende Überzeugung auf, daß man sich weiterbringen müsse. Mit dieser Feststellung hob sich auch gleich seine Laune. Er nahm meinen wiederholten Dank an und hörte mir zu, offenbar gefiel ihm, wie ich meine Prüfer hatte hochgehen lassen. Zum Abschied sagte ich: Jetzt kannst du es ihnen zeigen. Worauf du dich verlassen kannst, sagte Willi und grinste.

Es verblüffte mich nicht, daß, als ich an dem Glaskasten des Abteilungsleiters vorbeiwollte, Strupp-Schönberg heraustrat; es sollte wie zufällig wirken, und gerade darum wirkte es nicht so. Doch dann tat er, was er noch nie getan hatte, dieser einmalige Vorgesetzte: er wünschte mir einen guten Feierabend, wobei er, da das Kontrollieren seine Lieblingsbeschäftigung war, ganz automatisch auf seine Uhr sah. Daß er mir obendrein einen sogenannten wohlgefälligen Blick schenkte, wird wohl nicht allein daran gelegen haben, daß ich die Prüfung bestanden hatte, sondern weil ich auch außerhalb des Dienstes einen Schlips trug; ich hatte vergessen, ihn abzubinden. Mit einer angedeuteten Verbeugung dankte ich für seine guten Wünsche und sah zu, daß ich aus seinem Blickfeld verschwand.

Falls jetzt der Eindruck entstanden sein sollte, daß unser Kaufhaus mir herzlich gleichgültig wäre, dann möchte ich das richtigstellen. Sicher, am Anfang bestand nur ein eher neutrales Verhältnis, ich empfand für das Haus nicht mehr, als was die meisten für ihren Arbeitsplatz empfinden; wohl oder übel überwachte ich die erdrückende Kundenschar und wurde dafür pünktlich bezahlt. Aber mit der Zeit – und ohne daß ich es im einzelnen bemerkte – änderte sich das Verhältnis. Nicht, daß ich mit ihm auf japanische Art verwuchs oder etwa davon träumte, eines Tages dorthin aufzusteigen, wo die Direktoren hinter Polstertüren saßen und den Reingewinn errechneten. So weit ging es nicht. Die Veränderung bestand vielmehr darin, daß mir, wie den meisten Mitarbeitern, allmählich verdammt viel daran lag, unsere Kunden zufrieden zu stimmen. Weiß der Kuckuck, woher dieses Bedürfnis kam, aber auch ich wollte zufriedene Kunden sehen und wies jedem den Weg, der sich im Stockwerk geirrt hatte oder sich beschweren oder etwas umtauschen wollte. Einmal gelang es mir sogar, den wütendsten Kunden zu besänftigen, den ich jemals erlebt habe; angeblich hatte seine Frau einen Einkaufstick, das heißt, sie kaufte widerstandslos alles zusammen, was ihr vor die Augen kam, und da sie zu Hause kaum etwas davon gebrauchen konnte, schleppte er uns die Waren wieder an und wollte das Geld zurückhaben; er bekam es auch, wenigstens zum Teil.

Man kann sich gewiß denken, daß ich nach bestandener Probe nicht schlecht aufgelegt war, als ich unsere Lebensmittelabteilung verließ, obwohl ich mich wie immer an schwer bepackten Kunden vorbeidrücken und mich noch viel häufiger dafür entschuldigen mußte, daß ich ihre Gespräche unterbrach. Es gibt tatsächlich eine Menge Kunden, für die das Kaufhaus auch ein Ort des Palavers ist, an dem man sich über Urlaubserlebnisse und Kochrezepte und Krankheiten und was nicht noch austauschen kann. Vor der Drehtür machte ich noch einmal kehrt und blickte zurück, und ich staunte nicht schlecht, als ich auf der Rolltreppe, halb verdeckt von einem Matrosen, meinen Alten erkannte. Er hatte Fritz an der Hand und fuhr nach oben.

Ich wußte gleich, daß sie nicht vorhatten, mich zu besuchen, aber es interessierte mich doch, was sie hier wollten, darum kehrte ich um und trat gleichfalls auf die Rolltreppe. Selbstverständlich fuhren sie in die Spielwarenabteilung hinauf. Ein mir unbekannter junger Verkäufer, den sie befragten, hob bedauernd die Schultern, anscheinend hatte dieser Strolch keine Lust, sie zu bedienen, doch ein älterer Kollege, der alles mitangehört hatte, bat sie freundlich, ihm zu folgen. Er lotste sie zu einem Regal, in dem Miniaturwerkzeug ausgestellt war; Laubsägekästen lagen da und ganze Ausrüstungen für den »Kleinen Schiffbauer« und den »Kleinen Erfinder«. Wenn ich daran denke, was wir alles an nützlichem Spielzeug führten, es geht wirklich auf keine Kuhhaut. Um meinen Leuten behilflich zu sein, ging ich zu ihnen und begrüßte sie, und es rührte mich, wie erfreut beide waren. Der alte Verkäufer war nicht ganz sicher, ob das, wonach mein Alter gefragt hatte, noch am Lager war, doch er scheute keine Mühe; er schleppte eine Trittleiter heran und forschte und kramte unter den weniger gängigen Artikeln auf dem obersten Bord, und er schien nicht nur froh, er war es wirklich, als er das Gewünschte entdeckte. Auf beiden Armen trug er den Kasten heran und setzte ihn vor uns ab; es war ein Werkzeugkasten, auf dem Deckel stand: Der kleine Steinmetz. Fritz hüpfte vor Erwartung. Der Verkäufer überließ es meinem Alten, den Kasten zu öffnen. Merkwürdig, wenn Werkzeug nur so verstreut herumliegt, sagt es einem nicht allzuviel, und man sieht darüber hinweg, aber wenn es auf engem Raum nach Größe und Funktion und ich weiß nicht was bedachtsam zusammengestellt ist, dann kann es einen begeistern – mich wenigstens. Auf einen Blick offenbart es nämlich die Vielfalt von Erfahrung und fast auch schon das Meistern von Aufgaben.

Es war schon sehenswert, was der Kasten enthielt.

Sorgfältig zwischen Querbrettchen eingelagert sah ich da ein Schlageisen und ein Spitzeisen und den sogenannten Hundezahn; eine Handsäge war da, ein Klippel; es fehlten weder Greifzirkel noch Winkel, und selbst ein Bohrer mit Meißelschneide war vorhanden. Mein Alter nahm jedes Stück aus dem Kasten, benannte es und gab es an den Jungen weiter, der jetzt gar nicht mehr zappelig und aufgeregt war, sondern alles mit erstaunlicher Ruhe betrachtete, jedes Ding in der Hand wog und drehte und spielerisch ansetzte, nicht anders, als überprüfte da schon ein Fachmann die Eignung eines Werkzeugs. Was mich dann aber nicht weniger erstaunte, war die Sicherheit, mit der Fritz jedes Stück an seinen vorgesehenen Platz zurücklegte, er paßte alles schön in die Löcher und Lager ein und brauchte sich kaum einmal zu korrigieren. Nehmen wir das, fragte mein Alter, was meinst du: nehmen wir das? Der Junge war so überwältigt, daß er nur nickte und wortlos nach der Hand meines Alten griff.

Selbstverständlich hatte mein Alter nicht nach dem Preis gefragt, und als der Verkäufer ihn nannte, war nur ich es, der zusammenzuckte. Einhundertachtzig Mark: mir schien das so happig, daß ich dem Verkäufer meinen Hausdetektiv-Ausweis zeigte und ihn fragte, ob er uns nicht den Rabatt für Angestellte des Hauses einräumen könnte, wenn nicht fünfzehn, so doch vielleicht zehn Prozent. Immerhin war der Kollege insofern entgegenkommend, als er sofort zum Telefon ging, um sich nach den Möglichkeiten zu erkundigen. Leider, sagte er dann mit geöffneten Armen, leider ist Spielzeug vom Rabatt ausgenommen. Das sah denen da oben wieder einmal ähnlich: für Skibindungen und Sonnenschirme waren sie bereit, einen Preisnachlaß einzuräumen, für Spielzeug nicht. Da mein Alter nicht so viel Geld bei sich

hatte, um den vollen Preis bezahlen zu können, durfte ich den Rest zuschießen, und dann zogen wir ab; und ich möchte nicht zuviel sagen, aber wir waren alle drei in verflucht guter Stimmung: Fritz, der darauf bestand, den Kasten selbst zu tragen; mein Alter, dem das Geschenk eingefallen war, und ich, der es zum guten Teil bezahlen durfte. Draußen suchten wir eine Weile unseren ramponierten Transporter; zuerst dachten wir, daß sie ihn gestohlen oder abgeschleppt hätten, doch sie hatten ihn nicht abgeschleppt, obwohl er wie so oft im Halteverbot stand – mein Alter wußte nur nicht mehr genau, wo er ihn geparkt hatte. Zufriedener als an diesem Tag bin ich selten nach Hause gefahren, und wenn ich auch im allgemeinen bei Hupsignalen auf die Palme gehe: diesmal regte ich mich nicht auf, als wir hupend durch unser Tor fuhren.
Wir hielten vor der Werkstatt. Fritz trug nicht gleich, wie ich vermutet hatte, seinen Kasten hinein, sondern schleppte ihn ins Haus, vermutlich, um ihn Lone zu zeigen. Während wir ihm nachblickten – darauf gefaßt, daß er stolpern und hinfallen würde –, klopfte mein Alter mir leicht auf die Schulter und sagte: Danke, Jan. Du kriegst natürlich alles zurück, und zwar mit Zinsen. Nicht nötig, sagte ich, mir hat's doch auch Spaß gemacht. Dann ist es gut, sagte er, band sich die steife Schürze um und musterte mit schräggelegtem Kopf den Block, aus dem er das Mädchen herausholte – Schulter und Brust und das zurückgewandte Gesicht waren schon erkennbar, und die Geste hilflosen Bedauerns, mit der es davonging, ließ sich schon ahnen. Er schlurfte um das entstehende Grabmal herum, grübelnd verglich er das Bild, das er in sich trug, mit der Gestalt, die sich bereits abzeichnete, er schien einverstanden zu sein mit dem, was er bisher aus dem Stein genommen hatte.

Früher hätte ich ihn kaum gefragt, ob er zufrieden sei, aber nun tat ich es, und er sagte: Vorläufig, mein Junge, vorläufig – solange es bei dem ursprünglichen Blick bleibt. Was nämlich den Blick angeht, da kannst du nicht sicher sein, er ändert sich, mal siehst du alles mit dem Morgenblick, mal mit dem Abendblick. Du merkst doch selbst, wieviel Sehweisen es gibt, und das ist es, was dich schwanken läßt.
Ich setzte mich auf die Holzbank, um ihm eine Weile bei der Arbeit zuzusehen, doch er hatte kaum den Finnhammer zur Hand genommen, als wir Betty rufen hörten; es war dieser blödsinnige Huhu-Ruf, mit dem sie sich bemerkbar machte, ein Anruf, den ich noch nie habe ausstehen können. Huhu – wenn ich das schon höre. Sie kam nicht allein, sie schleppte tatsächlich Armin Prugel an, meinen Patenonkel, der seinen breitkrempigen Hut in der Hand trug. Dem alten Koloß konnte man ansehen, daß er nicht allzu bereitwillig mitkam, denn Betty zog und schubste ihn ständig und redete auf ihn ein. Mein Alter warf den Hammer hin und sah ihnen aus verengten Augen entgegen. Leine ziehen wie sonst konnte er nun nicht mehr. Sieh mal, wen ich hier bringe, rief Betty – was freilich mehr als überflüssig war, denn jeder von den beiden hatte schon den Blick des andern aufgenommen. Junge, solch einen Blickaustausch habe ich nur selten erlebt; man konnte wirklich auf allerhand gefaßt sein, ich meine: auf einen Ausbruch von Wiedersehensglück ebenso wie auf knappe Zurückweisung. Dann standen sie sich gegenüber, die beiden Weggefährten, die so vieles geteilt hatten, und zuerst sagte mein Alter: Na, du Künstler, und darauf sagte Armin Prugel: Na, du Schuft, und während sie nicht aufhörten, sich forschend zu mustern, neigten sie sich einander zu und umarmten sich,

wobei einer dem andern den Rücken beklopfte – allerdings nur in Zeitlupe, wie ich erwähnen möchte. Du hast lange gebraucht, sagte mein Alter, nachdem sie sich voneinander gelöst hatten, vermutlich war dir da oben die Sicht versperrt auf uns hier unten. Keine Anzüglichkeiten, sagte Betty energisch. Armin ist hier, weil er etwas wiedergutmachen will; wir hatten nämlich eine Karambolage, wir beide, und ich finde es sehr nett von ihm, daß er noch einmal vorbeigekommen ist. Wenn du arbeiten mußt, sagte mein Patenonkel: ich will nicht lange stören. Red nicht, sagte mein Alter, red nicht und setz dich hin. Für gewisse Unterbrechungen waren wir schon immer dankbar – oder etwa nicht? Mein Patenonkel nickte, und dann begrüßte er mich mit dem üblichen Kuß.
Damit wir alle sitzen konnten, schleiften wir Böcke heran und legten Bretter drüber. Armin Prugel, die kalte Pfeife zwischen den Fingern, sah sich ausdauernd in der Werkstatt um, er inspizierte sie regelrecht, und wir ließen ihm Zeit dazu. Das entstehende Grabmal betrachtete er nicht nur, er stand auf und betastete den Stein und wischte über ihn hin, nicht anders, als wollte er seine Eigenschaft, sein Gefüge feststellen. Ebenso wie ich merkte auch Betty, daß mein Alter etwas auf der Zunge hatte, doch bevor er es loswerden konnte – es war vermutlich irgendeine Anzüglichkeit –, kam sie damit heraus, daß mein Patenonkel ein paar Sachen mitgebracht hätte, etwas sehr Gutes. Sie schlug vor, es hier draußen auszupacken und zu probieren, und da keiner etwas dagegen sagte, schickte sie mich los. Steht alles in der Küche, rief sie mir nach, und rief auch: Bring Gläser mit.
Es war schon sehenswert, was Armin Prugel als Bußgeschenk angeschleppt hatte – ich meine die Anzahl der

Rotweinflaschen und die Mengen an Käse und Salami und Bündnerfleisch; ich mußte tatsächlich zweimal gehen, um alles in die Werkstatt zu bringen. Nikolas, der auch aufgekreuzt war, hatte einen Behelfstisch aufgestellt, auf dem lud ich alles ab. Wenn mein Patenonkel Nikolas anredete, nannte er ihn »altes Haus«. Nun schenk uns mal ein, altes Haus, und dergleichen. Betty, wachsam und hellhörig, achtete darauf, daß keines ihrer beiden alten Sorgenkinder sich im Wort vergriff, sie schien entschlossen, dazwischenzufahren, sobald sie sich miteinander anlegten, und nicht nur dies: behutsam weckte und knüpfte und lenkte sie alles, was die beiden zusammenbrachte. Allzuviel Mühe brauchte sie sich allerdings nicht zu geben, denn nach einer nur kurzen Zeit erträglicher Bissigkeit war mein Alter nicht wiederzuerkennen. Es warf mich fast um, als er auf einmal von sich aus die Plastik »Redner und Zuhörer« erwähnte, die Armin Prugel der Stadt geschenkt hatte. Er sagte: Ich hab sie mir angesehen, Armin, da ist alles drin, da läßt sich nichts hinzufügen; und später sagte er auch: Bei deinem »Redner und Zuhörer« ist mir etwas eingefallen: nämlich daß man nur die überzeugen kann, die schon überzeugt sind. Der alte Wels freute sich bestimmt darüber, doch er schwieg zu diesen Worten, schwieg und stürzte den Wein hinunter und langte beim Bündnerfleisch zu. Da er wieder mal keinen Tabak bei sich hatte, nahm er zwei von Bettys Zigaretten, riß sie auf und schüttete die Krümel in seine Pfeife; was vorbeifiel und auf seiner Jacke, seiner Hose hängenblieb, wischte Betty fürsorglich ab. Paffend versenkte er sich in den Anblick des entstehenden Grabmals, er wollte wissen, für wen es gedacht war, und mein Alter erzählte von dieser kleinen Kunsttischlerin und woran sie starb; und mit beiden Händen sein Glas umspannend, erzählte er

auch von seinem Auftraggeber, den er den verzweifeltsten Menschen nannte, dem er je begegnet sei. Kannst dir ja denken, daß ich hier alle Spielarten der Verzweiflung erlebe, aber so eine versteinerte Verzweiflung hab ich nur an ihm erlebt, an diesem Professor.
Armin Prugel betrachtete während der ganzen Zeit die beiden aus dem Stein herauswachsenden Figuren, jetzt nickte er zum Mann hinüber und sagte: Die Rose da, Hans, ich glaube, die ist nicht nötig; wozu soll er eine Rose halten? Mein Alter schmunzelte und sagte erfreut: Du merkst wirklich alles auf den ersten Blick, Armin, auch ich meine, daß die Rose überflüssig ist, aber er hat sie sich ausdrücklich gewünscht, mein Auftraggeber, und im Unterschied zu dir muß ich Zugeständnisse machen. Ich mache sie nicht immer, aber manchmal habe ich keine Wahl. Auch ich mache Zugeständnisse, sagte Armin Prugel versöhnlich, und wenn du an die ganz Großen denkst: die waren ebenfalls dazu bereit; Zugeständnis heißt doch nicht gleich Verrat und Selbstaufgabe und peinliches Entgegenkommen; für mich heißt Zugeständnis: sich an einen anderen zu wenden, an einen Unbestimmten, der die gleichen Wünsche und Ängste hat wie ich. Na ja, sagte mein Alter, aber das ist wohl etwas anderes. Diese Rose, meine ich: obwohl sie entbehrlich ist und mir gegen den Strich geht, wird die Figur sie in der Hand halten. Knick sie doch, sagte mein Patenonkel, rupf ihr die Blütenblätter ab, mach sie trostlos, und mit der veränderten Erscheinung ändert sich auch die Bedeutung. Überleg mal, fügte er hinzu und hob sein Glas gegen meinen Alten und trank es in einem Zug leer. Betty, die unaufhörlich einen Ohrring befummelte, schenkte uns allen nach, sie glühte vor guter Laune. Wißt ihr was, Kinder, sagte sie plötzlich, ihr solltet euch mal verabreden. Ihr solltet euch die Zeit

nehmen, um etwas gemeinsam zu machen, ganz außer der Reihe. Ich meine es im Ernst. Es muß nichts Großes sein, aber es sollte von euch beiden stammen. Ich stell es mir wunderbar vor. Und wenn ihr im Zweifel sein solltet, wem es zugedacht werden könnte – ihr dürft es gern mir vermachen.

Ach, ihr drei – nun regte sich wieder der alte Lieblingswunsch, nun kamt ihr noch einmal mit dem alten Plan, den ihr doch schon selbst ein für allemal widerlegt hattet, damals, als ihr in diesem Teespeicher lebtet. Von Betty weiß ich, daß ihr hauptsächlich an die Möglichkeit glaubtet, etwas gemeinsam machen zu können; ja, am Anfang träumtet ihr davon, daß alles, was in dem zugigen Atelier entstand, ein Werk der Gemeinsamkeit sein sollte. So manches Mal habe ich mir vorgestellt, wie ihr in der Zeit des Aufbruchs zusammenhocktet, entschlossen, euch zu Wort zu melden, überzeugt davon, daß gebündelte Fähigkeiten euch eher ans Ziel bringen würden als mühsames Einzelgängertum. Der Entwurf auf dem Tisch. Die Bewertung. Der Wunsch, zu korrigieren. Die endlosen Gespräche, und immer neues Ungenügen, und dann die Entdeckung, daß das, was entstehen sollte, keinem mehr richtig gehörte. Übersättigt von Zusätzen, verringerten sich Wagnis und Freude. Ihr gabt auf; auf halbem Weg gabt ihr auf, von der Einsicht unterwandert, daß am Ende alles nur bei einem allein liegen kann: das Scheitern ebenso wie das Gelingen. Am Ende blieb euch nur, das Einzelgängertum zu bestätigen; und gewiß war es auch das, was Armin Prugel damals bewog, auszuziehen und für sich allein zu arbeiten.

Nach Bettys Vorschlag tauschten die beiden einen langen Blick, und sie schienen nicht abgeneigt, noch einmal zu versuchen, was ihnen als Anfängern danebengegangen war – nicht ernsthaft allerdings, sondern spielerisch und eher Betty zu Gefallen. Was meinst du, sagte der eine, und der andere: Versuchen könnte man es ja einmal. Betty, gleich in ihrer Hoffnung bestärkt, glaubte schon, von einer tollen Sache reden zu können, sie begeisterte sich immer mehr an ihrem Vorschlag, sah Kenntnis und Könnerschaft einmalig zusammenwachsen, schwärmte bereits von einer Arbeit, bei der keiner sagen könnte, was denn nun von wem stammte – so ineinander aufgegangen stellte sie sich alles vor. Und mit ihrer Leidenschaft fürs Entwerfen ging sie noch weiter und meinte, daß etwas Gültiges, Repräsentatives entstehen müßte, etwas, in dem die Zeit ihren Ausdruck fände und dergleichen. Junge, da hätte man Armin Prugels Gesicht sehen müssen; ich meine, als sie von Gültigkeit und repräsentativem Ausdruck sprach; so kummervoll hab ich ihn selten gesehen. Schnell wickelte er hauchdünnes Bündnerfleisch um ein Stück Käse, schob es sich in den Mund und trank gleich nach, und dann sagte er: Heiliger Bimbam, du stellst aber Ansprüche. Wieso, sagte Betty, wenn ihr beide euch etwas gemeinsam vornehmt, dann kann man doch wohl etwas Besonderes erwarten, oder? Was sagst du, Hans, fragte Armin Prugel meinen Alten. Der zuckte die Achseln, der bedachte sich. Eine Erfindung, sagte er dann langsam, entweder ist das Repräsentative eine Erfindung oder eine Sinnestäuschung.

Weiß der Kuckuck, warum sich mir auf einmal ein Bild aufdrängte; ich sah etwas vor mir, das wirklich repräsentativ genannt werden konnte, für die Zeit, für Millionen von Leuten. Ich sagte: Auch wenn ihr es für blödsinnig haltet, es gibt durchaus etwas, das unsere Zeit kennzeichnet, ein nützlicher Gegenstand, der zugleich ein Symbol ist. Und wenn ihr wissen wollt, was

es ist: der Warenkorb – mit Rädern oder nur zum Tragen, jedenfalls der Warenkorb. Ich möchte nicht zuviel sagen, aber darauf sahen mich beide mit einem so fragenden Blick an, als glaubten sie, ich hätte nicht mehr alle Tassen im Schrank. Betty allerdings nahm meine Partei; nachdem sie sich von einer gewissen Überraschung erholt hatte, sagte sie: Das stimmt, Jan hat gar nicht so unrecht; der Warenkorb ist wirklich ein Symbol unserer Zeit. Stellt euch vor: noch nie in der Geschichte der Menschheit konnten so viele es sich leisten, am Konsum teilzuhaben. Früher, da waren die Erzeugnisse wenigen vorbehalten; heute kann sich fast jeder nach Lust bedienen. Seht euch nur mal an, was in den Warenkörben liegt, ich meine, an Notwendigem und an Überflüssigem. Was der Warenkorb ausdrückt, spricht buchstäblich Bände.
Ach, Betty, sagte mein Alter nachsichtig und legte ihr einen Arm um die Schultern, um das Repräsentative soll sich kümmern, wer es nötig hat. Was meinst du, Armin? Mein Patenonkel nickte zögerlich, er wirkte ziemlich geistesabwesend, anscheinend gab ihm mein Vorschlag mehr zu denken als meinem Alten, und vielleicht, wer weiß, sah er bereits einen Korb vor sich, wie er auch mir vorschwebte, nicht allein angefüllt mit Verbrauchsgütern, sondern mit allem, was in unserer Zeit zur Ware verkommen ist. Betty ließ sich nicht abspeisen, sie setzte gerade an und wollte gewiß beweisen, daß es für jede Zeit einen eigentümlichen Ausdruck gibt, in dem etwas gesammelt, zusammengefaßt wird, als Ernie auftauchte.
Mit seinem rollenden Gang, den Kopfhörer auf den Ohren, kam er aus dem Haus, ab und zu schnippte er mit den Fingern. Man wird sich denken, daß Betty mehrmals Huhu schreien mußte, bis er merkte, daß er

gemeint war. Ohne Eile kam er zu uns, begrüßte Armin Prugel, bewunderte die guten Sachen, die auf dem Behelfstisch standen, und sagte zu Betty: Na, Mutterherz, darf dein darbender Sohn hier auch mal kosten? Setz dich, sagte Betty, ich möchte dich etwas fragen. Und dann fragte sie, ob er sich zufällig mal Gedanken gemacht habe über die Zeit, in der er lebte, und ob er dabei etwas Typisches oder Repräsentatives entdeckt habe, in dem die Zeit deutlich werde. Ernie sah plötzlich aus, als wollte er einen Hilfeschrei ausstoßen, zu dem ihm nur die Luft fehlte. Überleg mal, sagte Betty, irgend etwas wird dir doch wohl aufgefallen sein, etwas, das sein Licht wirft auf die Zeit. Licht, wiederholte Ernie, was meinst du mit Licht, Scheinwerfer oder so? In deiner Klasse zum Beispiel, sagte Betty, gibt es da nichts, was euch verbindet, worin ihr euch erkennt, was euch bezeichnet? Keine Ahnung, sagte Ernie, aber auf einmal fiel ihm doch etwas ein, und er meinte: Vielleicht Musik? Es gibt wohl keinen bei uns, der sie nicht braucht, selbst bei den Schularbeiten.

Na siehst du, sagte Betty und schob ihm ihr Glas hin und forderte ihn auf, zuzulangen. Sie war überzeugt, daß der irre Musikkonsum Ernies Zeit kennzeichnete, und weil sie gern weit ausholte, erwähnte sie wieder die Geschichte der Menschheit und stellte fest, daß, soweit es sich übersehen ließ, niemals zuvor Leute so begierig nach Musik waren wie heutzutage. Ich sehe schon, sagte mein Alter gutmütig, jetzt fangen die Diskussionen an, wie damals. Laß mal, sagte Betty, es war eine lehrreiche Zeit. Sie blickte meinen Patenonkel an, der ihr komplizenhaft zuzwinkerte und dann zu meinem Alten sagte: Wir kommen wohl nicht drum herum, Hans, etwas müssen wir wohl zusammen versuchen.

Sie prosteten sich zu, man konnte die Sache für beschlossen halten. Betty war dermaßen erfüllt von Freude, daß sie diesem Plan gleich vorgriff und im Ernst erklärte, bereits einen Platz für die Plastik zu wissen; was immer sie darstellte, sie sollte an der Grenze des Werkplatzes stehen, zum Strom hin, dessen silbriges Band den Hintergrund bilden sollte. Na, fragte sie, was haltet ihr davon? Ich weiß nicht, sagte mein Patenonkel, ich weiß wirklich nicht, und dann, mit einer für ihn ungewohnten resignierten Bitterkeit: Vielleicht wäre es angebracht, alles, was wir heute noch machen, gleich mit einer Schutzschicht auszurüsten. Besser wäre noch, etwas gleich in doppelter Ausführung zu machen – die Kopie zum Anschauen, das Original zur Aufbewahrung in einem stillen Keller.
Das glaubst du doch selbst nicht, sagte mein Alter, mein Gott, Armin, jetzt fängst auch du schon an zu unken. Du kennst doch den Stein, du weißt, was ihm schon immer zugesetzt hat, weißt auch, daß am Ende auf ihn Verlaß ist. Der große Armin Prugel kippte ein halbes Glas und wischte sich über die Augen und sagte: Das hab ich auch alles geglaubt; ich habe mich nicht anstecken lassen von dem Katastrophengeraune, lange nicht. Damals, als das in Sanssouci passierte, überall redeten sie davon, da hab ich noch gedacht: ein Einzelfall, Lehmnester im Marmor oder so etwas. Was war in Sanssouci, fragte Betty. Eine Marmorstatue, sagte Armin Prugel leise, keine besondere Erschütterung, kein Unwetter, nix; sie stürzte einfach vom Sockel und zersprang. Steinzerfall. Die Untersuchung ergab Steinzerfall. Er unterbrach sich, blickte über uns hinweg auf das entstehende Grabmal und schüttelte den Kopf, als könnte er nicht fassen, woran er gerade dachte. Am letzten Sonnabend, Hans, sagte er – er zögerte und fing

dann noch einmal an: Ich hab mal ein Stück gemacht, »Alte Reisigsammlerin«, vielleicht kennst du es. Eine gute Arbeit, sagte mein Alter, und ich fügte hinzu: Ich hab sogar geträumt von ihr. Sie stand am Stadtpark, fuhr mein Patenonkel fort, aber das ist ja egal; sie stand frei, kein Tropfenfall von Bäumen, kein Verkehr in unmittelbarer Nähe. Es waren ein paar Leute da, Eltern mit ihren Kindern, als es am Sonnabendnachmittag passierte; einige hörten nur den Aufschlag, zwei aber sahen, wie die Reisigsammlerin sich plötzlich neigte und stürzte und zersprang. Das Ergebnis der Untersuchung liegt noch nicht vor. Ich brauch es nicht, ich weiß, was geschehen ist.

Und nach einer Pause sagte Betty: Das ist ja kaum zu glauben, und mein Alter, erschreckt und auch zweifelnd: Das kann doch nicht wahr sein. Es ist wahr, sagte Armin Prugel, und glaub nicht, daß das nur ein zufälliges Ereignis ist. Vielleicht erinnerst du dich noch an Maltzahn, er war mit uns in der Meisterklasse; wenn du ihn mal triffst, dann frag ihn nach seinen italienischen Erlebnissen, danach, was in Florenz los ist, in Neapel oder in Rom. Stell dir vor – in Rom wollte er das Standbild von Marc Aurel sehen, aber die Restauratoren hatten es vom Capitolplatz geholt, vor acht Jahren oder so. Sie haben es aufgemöbelt und in ihrem Keller behalten – das Risiko, es der Welt zugänglich zu machen, ist anscheinend zu groß. Und so geht es vielerorts, mit vielen Stücken; was in Jahrhunderten entstanden und uns anvertraut ist, jetzt ist es nicht allein bedroht, sondern schon verurteilt zum Zerfall, und uns bleibt nur übrig, zu schützen, zu bergen, in Verwahrung zu nehmen, wo es noch möglich ist. Hör dich nur mal um, Hans, laß dir erzählen, was in Krakau geschehen ist, in Prag oder in Reims, überall steigen

Apostel und Könige buchstäblich von den Galerien herab, blind und zernagt stürzen sie auf den Boden der Tatsachen, und die erste dieser Tatsache heißt: Steinzerfall. Wir müssen Abschied nehmen von unserem Kinderglauben, daß der Stein alles überdauert; auch seine Tage sind gezählt. Ich weiß, es klingt so – so unglaubwürdig. Vermutlich, weil es einfach unsere Vorstellungskraft übersteigt; doch wenn du alles zusammennimmst, was geschehen ist und weiterhin geschieht, dann mußt du zugeben, daß kein Verlaß mehr ist auf die Dauer des Steins.
Da alle nur betreten dasaßen, schenkte er sich selbst und auch uns ein und prostete Nikolas zu, der ein paarmal still genickt hatte bei seinen Worten. Ich wußte schon im voraus, daß mein Alter nicht einer Meinung war mit Armin Prugel, und das bewies er auch gleich mit der Frage, ob die alte Reisigsammlerin aus Sandstein gemacht wurde. Dichter Kalkstein, sagte mein Patenonkel darauf, und da er ahnte, worauf mein Alter hinauswollte, fügte er hinzu: Der Sandstein ist wohl am schlimmsten dran, aber es hat auch die anderen erwischt, die Buntkalke zum Beispiel. Damit du es weißt, Armin, sagte mein Alter gedehnt: Einiges ist mir auch nicht verborgen geblieben; da ist etwas abgesandet, abgeschalt; da hat sich etwas aufgelöst; da ist, vermutlich unter chemischem Einfluß, sogar etwas abgebrochen, das man mir ins Haus geschickt hat; fast immer war es Sandstein. Es mag sein, daß der in unserer Zeit besonders gefährdet ist; aber das kann doch wohl nicht für das gesamte Naturgestein gelten. Ich wünschte, du hättest recht, sagte mein Patenonkel, aber laß dir mal erzählen, was die heute alles entdeckt haben – ich meine, an Bakterien zum Beispiel, die Salpetersäure produzieren und den Kornverbund im

Stein kaputtmachen. Da läßt du den Hammer fallen, wirklich. Wenn du das hörst, setzt du dich hin und läßt den Hammer fallen.
Zu meinem Erstaunen sagte mein Alter nichts darauf – vielleicht, weil er sich nicht erschüttern lassen wollte in seiner Zuversicht, vielleicht aber auch, weil er fürchtete, daß die Unterhaltung mit einem Streitgespräch enden könnte, und das wollte er nicht; denn nicht nur Betty, auch ihm konnte man anmerken, wie sehr er sich über Armin Prugels Anwesenheit freute.
Es war bestimmt ganz nach seinem Sinn, als auf einmal Lone und Fritz aus dem Haus kamen und gleich auf uns zusteuerten, er winkte ihnen lebhaft, er stand sogar auf und winkte energisch, als die beiden bei unserem Anblick zögerten. Nun kommt schon. Lone wollte nur danken für das kostbare Geschenk, wie sie sagte, sie glaubte, es nicht annehmen zu können, doch er überging allen Dank und machte sie und den Jungen mit meinem Patenonkel bekannt und nötigte sie, sich zu uns zu setzen. Fritz stellte seinen Werkzeugkasten ab, über den er gerade hinwegschauen konnte, er war ganz aufgeregt vor Beschäftigungseifer und betrachtete wahrhaftig maßnehmend das entstehende Grabmal für Thérèse, gerade als wollte er die Arbeit fortsetzen, wo der Meister sie unterbrochen hatte. Mein Patenonkel legte den Kopf schräg, las die Aufschrift auf dem Kasten und sagte lächelnd: Nun man los, du kleiner Steinmetz, zeig uns mal, was du kannst. Ist noch zu früh, sagte mein Alter, zuerst müssen wir uns mit dem Werkzeug vertraut machen, nicht, Fritz, zuerst müssen wir noch ein bißchen lernen. Wenn ihr hier sitzt, kann ich doch arbeiten, sagte Fritz, und mein Alter darauf fröhlich: Klar, das kannst du, und dann deutete er auf die Spaliere der Grabsteine und schlug ihm vor, die

Steine mit einem trockenen Lappen abzuwischen. Da wollte der Junge wissen, ob das wichtig ist, und als es ihm bestätigt wurde, ließ er sich von Nikolas trockene Lappen geben und trollte sich. Na, sagte Armin Prugel, der Nachwuchs regt sich wohl schon bei euch. Was bleibt uns zu tun, sagte mein Alter, wir müssen doch weitermachen, oder? Armin Prugel verkniff sein Gesicht, anscheinend wog er da grübelnd etwas gegeneinander ab, und schließlich antwortete er: Ja, Hans, das glaub ich auch – wir können nur weitermachen. Vielleicht sind wir erst die vorletzten, die es mit den Steinen halten, ich weiß es nicht; aber auch wenn wir die letzten wären, es bleibt uns nichts anderes übrig, als weiterzumachen. Weil sie älter sind als das Leben, vertrauen wir ihnen. Weil sie alles überstanden haben – Zeit und Unwetter und die Gewalt des Wassers –, tragen sie noch unsere Hoffnung. Verflucht nochmal, sie können doch nicht vergänglich sein.

Als mein Alter darauf das Glas hob und seinem alten Gefährten zutrank, empfand ich eine merkwürdige Sympathie für ihn, die ich nicht richtig begründen konnte, und ich wollte es auch nicht. Manches sollte man nicht zu begründen versuchen. Ich ahnte jedoch auf einmal mehr als jemals zuvor, daß das, was diesen krummen alten Mann nicht nur erfüllte, sondern auch trug, ein überwältigender Trotz war. Weiß der Kukkuck, zum ersten Mal in meinem Leben hatte ich den Wunsch, ihm zuzutrinken; es gelang mir nicht. Ich konnte einfach nicht seinen Blick auffangen, weil er unentwegt Betty umsorgte und Lone, und weil er sich ganz besonders Armin Prugel widmete, der von sich aus anfing, Erinnerungen aufzutischen.

Warum viele Leute sich langweilen, wenn Erinnerungen ausgetauscht werden, habe ich nie verstanden; für mich

gibt es kaum etwas Interessanteres; denn wenn sich einer erinnert, beschreibt er immer zugleich die Rolle, die er gern gespielt hätte. Auf einmal ging es jedenfalls los mit: weißt du noch, und kennst du noch, und es ging weiter mit: wann war das nur, und wie hieß doch gleich, und wieder mal kam die vergoldete Armut ihrer Anfänge zum Vorschein und ihre Genügsamkeit und ihr Übermut. Noch einmal machten sie zu dritt den Ausflug nach Cuxhaven, wo sie die Zeche prellten; sie ahmten ihren Lehrer nach, beschworen große Besäufnisse und verloren noch einmal fast das ganze Geld des ersten Stipendiums, das mein Patenonkel erhielt, im Wettbüro auf der Trabrennbahn. Rasch wurde deutlich, daß Armin Prugel gern der Anstifter, der Wortführer gewesen wäre – zumindest sah er sich bei allem in dieser Rolle –, aber an Bettys Lächeln erkannte ich, daß sie es besser wußte. Manchmal, wenn ziemlich dick aufgetragen wurde, linste ich zu Lone hinüber, und ich war beruhigt, als ich sah, daß sie sich bestens unterhielt und den Erinnerungen der beiden einiges abgewinnen konnte.
Unter all den Reden fiel die Dämmerung ein, wir stellten Windlichter auf und saßen und redeten weiter bei diesem fabelhaften Wein, solange, bis der Junge zurückkam und sagte, daß er ziemlich viele Steine abgewischt hätte. Dafür lobte ihn mein Alter und ließ ihn einen kleinen Schluck aus seinem Glas nehmen. Plötzlich sagte Betty: Du bleibst heute nacht bei uns, Armin, und an uns gewandt: Was meint ihr? Wir lassen ihn einfach nicht weg, sagte mein Alter; er sollte es nur versuchen, gegen uns alle.

16

Lone kam und kam nicht. Nachdem ich unsere Karten an der Kasse abgeholt und einen Beutel Erdnüsse gekauft hatte, postierte ich mich vor dem lausigen Kino und linste zur Bushaltestellte hinüber und zu der elektrischen Uhr, an deren Fuß ein ziemlich albernes Wahlplakat aufgestellt war. Ich habe nichts gegen Wahlen, um das gleich zu sagen, im Gegenteil: Wahlen sind das schönste und aufregendste Geschenk, das vernünftige Leute sich machen können. Aber wenn auf einem Wahlplakat nur ein Seemann im Südwester zu sehen ist, der hinter einem Steuerrad steht und verspricht: Wir halten Kurs auf die Zukunft, dann kann man doch nur deprimiert sein. Während ich nach Lone Ausschau hielt, streifte mein Blick immer wieder diesen gischtumsprühten Steuermann, der Kurs auf die Zukunft hielt, und als ich das Gefühl bekam, daß er es besonders auf mich abgesehen hatte, gab ich meinen Posten auf, ging in den Vorraum des Kinos und besah zum zehnten Mal die ausgehängten Fotos. »Kinderspiel« hieß der Film, den Lone unbedingt sehen wollte, nicht zuletzt, weil Sjöberg ihn überschwenglich gelobt hatte. Sie kam nicht. Wir hatten ausgemacht, uns viertel vor acht vor dem Kino zu treffen und nach der Vorstellung noch in die »Muschel« zu gehen – zu Bernhard Sulzer, der mit mir am gleichen Tag Examen gemacht hatte.

Doch um zehn nach acht war sie immer noch nicht erschienen. Da der Hauptfilm jeden Augenblick beginnen mußte, deponierte ich eine Karte für sie an der Kasse und ließ mich von einer flüsternden Platzanweiserin zu meinem Sessel führen. Um die Wahrheit zu sagen: ich war ziemlich besorgt, denn Lone hatte mich noch nie enttäuscht; ich meine, was Verabredungen und all das anging.

Es lief noch der sogenannte Kulturfilm, ein öder Streifen, in dem der Auftrieb der Milchkühe auf eine Gebirgsalm gezeigt wurde. Daß die Sennerinnen und Sennen sich für diesen Tag festlich herausgeputzt hatten, konnte ich noch verstehen; daß man aber auch die Tiere mit Blumengebinden und Halskränzen und weiß der Teufel was schmückte, machte mich ganz elend. Am schlimmsten aber war, daß der Pfarrer es sich nicht nehmen ließ, die Kühe zu segnen. Die abgründige Gleichgültigkeit, mit der die Tiere ihn anglotzten, war wirklich sehenswert. Und Lone kam immer noch nicht. Unmittelbar vor mir nahmen zwei sehr junge Mädchen Platz, die schon kicherten, als sie sich aus ihren Parkas schälten, und die aus dem Kichern nicht mehr rauskamen, wenn die gesegneten Tiere die Rücken krümmten und mit stierem Ausdruck verharrten. Oben auf der Alm scheuerten die Sennerinnen Kessel und Kannen und machten alles bereit, um den schwangeren Kühen die Milch abzunehmen, die von Rechts wegen den Kälbern gehörte. Als zum Schluß auch noch gejodelt wurde, gab es mir fast den Rest.

Dann begann der Spielfilm, und obwohl ein paar Kinobesucher sich neben mich setzen wollten, gab ich den Platz nicht frei, weil ich immer noch auf Lones Erscheinen hoffte.

In der Hauptrolle war dieser Udo Vandenbergh zu

sehen, der mich früher schon als Förster, als vertrottelter Lehrer und einmal auch als Pfarrer genervt hatte; sein Humor war wirklich zum Davonlaufen. Diesmal spielte er einen sehr hektischen, gestreßten Großunternehmer, der für seine drei minderjährigen Kinder keine Zeit übrig hatte. Da er Witwer war, hatte er für seine Brut eine Erzieherin mit Familienanschluß engagiert, eine gutherzige Frau, die sich gleich in der ersten Szene weinend verabschiedete; die Kleinen hatten sie dermaßen zur Verzweiflung gebracht, daß sie nur noch das Handtuch werfen konnte – was übrigens auch schon einige ihrer Vorgängerinnen getan hatten. Der Großunternehmer war nach dieser Kündigung ziemlich ratlos und gereizt; er, der in mindestens fünfzig Aufsichtsräten saß, war dermaßen geschafft, daß er die Kinder zusammentrommelte und ihnen allen Ernstes auftrug, diesmal selbst eine Anzeige aufzugeben und sich nach Gutdünken eine Erzieherin zu suchen. Danach mußte er gleich nach Hongkong, wo etwas ins Wanken geraten war.

Die Kinder hielten erst einmal Kriegsrat, und mit dem psychologischen Scharfblick, der ihnen im allgemeinen eigen ist, erkannten sie tatsächlich, daß ihnen weniger eine Erzieherin als eine Mutter fehlte und ihrem Vater eine Frau. Also setzten sie mit Hilfe ihres Großvaters eine längere Anzeige auf, in der drei Kinder eine Mutter suchten und ein häufig durchgedrehter Vater eine Frau. Nachdem die Anzeige erschienen war, machten sie sich einen Spaß daraus, alle möglichen Bewerberinnen zu prüfen; nicht nur, daß sie aus ihrem Leben erzählen mußten: man setzte sie auch allerhand kniffligen Situationen aus, täuschte zum Beispiel Ohnmachten vor, ließ auf Sitzkissen dunkle Wasserflecken zurück oder erschreckte die Bewerberinnen, die eine

Probenacht im Haus zubringen mußten, in der üblichen Gespensterverkleidung. Wenn es nach den Kindern gegangen wäre, hätte die Prüfung der Bewerberinnen jahrelang dauern können, so unterhaltsam war das Spiel.
Eines Tages aber erschien überraschend eine elegante, kühle und selbstbewußte Dame und verkündete, sie sei die neue Erzieherin, und zum Beweis legte sie den Kindern einen Vertrag vor, den ihr Vater bereits unterschrieben hatte. Anscheinend hatte er die Dame unterwegs kennengelernt und sie in seiner Zerstreutheit vom Fleck weg engagiert; so etwas geschieht ja häufig im Leben. Und obwohl die Kinder bereits eine Kandidatin in ihr Herz geschlossen hatten – eine kleine vergnügte Frau, die sämtliche Vogelstimmen imitieren konnte –, mußten sie die neue Lage anerkennen, was aber nicht hieß, daß sie willens waren, sich mit ihr abzufinden. Ich möchte es mir ersparen, alles zu schildern, was die Kinder unternahmen, um die kühle Dame aus dem Haus zu ekeln, doch was immer ihnen einfiel, es blieb erfolglos. Und der Vater überhörte alle Klagen und Beschwerden seiner Kinder, anscheinend hatte es ihm die neue Erzieherin selbst angetan, zumindest schleppte er sie auf alle Empfänge und so weiter mit und warb wahrhaftig um ihr Lächeln. Es wunderte mich nicht, daß er sie, als er wieder mal nach Kapstadt mußte, mit Platin behängte. Umwerfend.
Der Kriegsrat, den die Kinder nachts hielten, brachte sie ihrem Ziel nicht näher, wohl aber, wie so häufig im Leben, ein glücklicher Zufall. Das älteste Mädchen wurde nämlich zufällig Zeuge, wie sich die mißliebige Erzieherin mit einem sehr zweifelhaften Typ traf, der sie zunächst ungestüm küßte, sich dann etwas aushändigen ließ und ihr zuletzt ernsthaft drohte. Selbstver-

ständlich hatte das Mädchen nichts Eiligeres zu tun, als diese Beobachtung seinen Geschwistern mitzuteilen, und in demselben Augenblick, in dem ich dachte: großer Gott, hoffentlich fangen sie jetzt nicht an, Detektiv zu spielen, da beschlossen sie es auch schon und nahmen sich gleich die Handtasche der Dame vor. Der Rest war vorauszusehen, zumindest hörte ich bereits die Vogelstimmen, mit denen ein nicht mehr hektischer, sondern entspannter, in seinem Garten schlafender Großunternehmer an den Teetisch gelockt wurde.

Mir langte das, ich stand auf und klemmte mich durch meine Reihe; bevor ich den Gang erreichte, zischte eine Frau mich wütend an. Sie hatte wahrhaftig Tränen in den Augen. Es gibt Leute, die sich alles zu Herzen nehmen können. Rasch verließ ich das Kino; von Lone war nichts zu sehen. Ich war so beunruhigt, daß ich beschloß, zu Hause anzurufen und Jette oder Ernie zu bitten, bei Lone anzuklopfen; es gelang mir nicht. Kaum war ich nämlich in der verdreckten Telefonzelle, da pochte schon jemand mit seinem Regenschirm gegen die Glaswand. Ich wandte mich ab, wählte unsere Nummer und betrachtete, während das Besetztzeichen ertönte, die säuischen Zeichnungen auf der Zellenwand und auf der Vorderseite des Telefonbuchs. Immer ungeduldiger hämmerte der Knauf des Regenschirms gegen die Glastür, und dann wurde die Tür aufgerissen, und ein rotgesichtiger Kerl wollte wissen, wie lange ich noch das Telefon zu blockieren gedächte. Junge, war ich geladen. Wenn ich auch nur eine Minute länger dringeblieben wäre, hätte der mich bestimmt niedergeschlagen. Es gibt solche Zeitgenossen, im Ernst. Ich überließ ihm das verdammte Telefon und machte mich auf den Weg zur »Muschel«, immer dicht an den Häuserwänden entlang; auf dem Bürgersteig türmte sich Sperrmüll, all das unförmige, ausrangierte Zeug.

In der »Muschel« hatte noch nie Gedränge geherrscht; auch an diesem Abend waren von den schätzungsweise zwölf Tischen allenfalls fünf besetzt. Das Lokal war schlecht beleuchtet, ich kann auch sagen, man saß bei gedämpftem Licht, in einer gedämpften Atmosphäre. Bernhard Sulzer freute sich aufrichtig, als ich auf einmal vor seiner Theke stand; er spendierte mir gleich ein Bier, machte mich mit seinem neuen Kellner bekannt und rief dann ein hübsches Mädchen aus der Küche heraus und machte mich auch mit ihr bekannt. Das ist er, von dem ich euch erzählt habe, sagte er, mein alter Kumpel, Jan Bode, ohne den ich nie durchs Examen gekommen wäre. Ganz so unrecht hatte Bernhard wohl nicht, schließlich hatte ich dem ewig übermüdeten Kumpel, der nachts Taxi fuhr und oft genug in den Vorlesungen einschlief, all meine Notizhefte und Bücher und fotokopierten Exzerpte überlassen. Er nahm mein Gesicht in beide Hände, knetete es, sah mich nicht ohne Wehmut an und sagte: Wir, Jan, was? Wir verhinderten Leuchten der Pädagogik – aber was soll's, sollen die Idioten sehen, wie sie ohne uns zurechtkommen. Dann bugsierte er mich zu einem Tisch in einer Nische und schlug mir aus heiterstem Himmel vor, eine Kneipe in der Nachbarschaft zu übernehmen, die gerade in Konkurs gegangen war; und nicht nur das: er zählte mir auch gleich auf, welche Kredite man bei den Brauereien bekäme, und empfahl mir, es bei der kalten Küche zu belassen. Mehrmals versprach er mir ein ganz neues Lebensgefühl. Ich ließ ihn reden und probierte einen Augenblick tatsächlich die Vorstellung aus, als mein eigener Chef hinter der Theke zu

stehen, Bier abzufüllen, Schnäpse einzuschenken und kalte Frikadellen und Soleier und dergleichen weiterzureichen; mehr als einen Gewerbeschein und Geduld brauchte man ja nicht, um eine Kneipe aufzumachen. Aber dann sah ich mich in Gedanken in Rauchschwaden stehen, umringt von Mühseligen und Beladenen und wer weiß welchen armen Hunden, die jemanden brauchten, um ihre Lebensgeschichte loszuwerden, lallend, rotäugig, immer mit denselben abgenutzten Worten, und ich wußte, daß ich nicht der Mann dafür war. Ich meine, Lebensgeschichten konnte und kann ich von morgens bis abends hören, in dieser Hinsicht hielt ich mich schon für geeignet, aber ich wußte, daß ich zu viele Gratisschnäpse und Freibiere einschenken würde und nach einem Jahr oder so nicht mehr über die Runden käme. Das wußte ich einfach, und deshalb winkte ich ab und versicherte Bernhard, daß das Leben als Hausdetektiv einstweilen auszuhalten sei.
Als er mal abberufen wurde, ging ich zum Telefon, das am Rande der Theke stand. Bernhards Klavierspieler saß gerade in der Küche und aß. Ich wählte unsere Nummer und ließ es an die zwanzigmal klingeln; schließlich meldete sich Ernie. Hör zu, Ernie, sagte ich, du mußt mir einen Gefallen tun. Wer is'n da, fragte er. Jan, du Penner, hier ist Jan, und ich bitte dich um einen Gefallen. Weißt du, wie spät es ist, fragte er. Es ist nur eine Kleinigkeit, sagte ich, bist du noch da? Statt zu antworten, gähnte er und stieß so geräuschvoll Luft aus, daß seine Lippen hörbar flatterten. Also hör zu, sagte ich, geh mal rüber und schau nach, ob Lone zu Hause ist. Was? Du sollst nachschauen, ob Lone zu Hause ist. Jetzt gleich? Ja, jetzt gleich, sagte ich, es ist wichtig. Er schwieg, offenbar dachte er nach. Wenn Ernie müde war, konnte er eine ganze Stunde brau-

chen, um einen einfachen Satz zu begreifen. Nach einer Ewigkeit fragte er: Und wenn sie schläft? Soll ich sie wecken, wenn sie schläft? Natürlich nicht, sagte ich, geh nur rüber und sieh nach, ob noch Licht bei ihr ist. Okay, sagte er, okay und trottete davon und kam nach überraschend kurzer Zeit wieder und sagte: Dunkel, alles ist dunkel. Danke, Ernie, sagte ich und wollte auflegen, da fragte er: Ist was passiert? Nichts, sagte ich, überhaupt nichts. Aber du hörst dich an wie aus dem Grab, sagte er. Ich bin in der »Muschel«, sagte ich. Wo? Das Lokal heißt »Muschel«, und nun sieh zu, daß du wieder ins Bett kommst.

So oft Bernhard ein paar freie Minuten hatte, setzte er sich zu mir. Er trank nur Kaffee. Mitteilsam, wie er immer gewesen war, vertraute er mir an, daß er im Laufe eines halben Jahres von zwei Freundinnen verlassen worden war. Sie hatten ihm keinen Grund genannt, warum sie ihm den Laufpaß gaben, und darunter litt er am meisten. Angeblich kam er aus dem Grübeln gar nicht mehr heraus. Mitunter fragte er sich, ob es der Kneipengeruch gewesen sein könnte, den er allnächtlich nach Hause brachte. Ich konnte Bernhard gut verstehen: wer verlassen wird, hat einen Anspruch darauf, zumindest die Gründe zu erfahren. Dann wollte er von mir wissen, ob ich in festen Händen sei – er sprach wahrhaftig von »festen Händen«, und ich weiß nicht, was in mich fuhr, als ich darauf nicht nur nickte, sondern auch – Lones Erscheinung vor Augen – knapp bemerkte, daß es eine ernste Angelegenheit sei. Er hakte gleich nach und wollte wissen, ob wir schon zusammenwohnten und all das, und ich sagte, daß wir jedenfalls unter einem Dach lebten und einen siebenjährigen Jungen angenommen hätten. Anscheinend hatte Bernhard mir das nicht zugetraut. Er sah mich erstaunt, aber auch zweifelnd an; vielleicht belustigte ihn sogar die Vorstellung, in mir einen angehenden Familienvater vor sich zu haben. Das reizte, das wurmte mich, und wie oft bei solchen Gelegenheiten ließ ich mich fortreißen und fing an, ziemlich dick aufzutragen. Mit ruhiger Stimme behauptete ich glatt, Lone sei eine der angesehensten Übersetzerinnen aus dem Norwegischen. Ich strich ihre Selbständigkeit heraus, bemerkte nebenher, daß sie ein Herz für Kinder hätte, vergaß nicht, ihre Toleranz zu erwähnen, und verstieg mich sogar zu der Behauptung, daß wir manchmal schon in »stillem Einverständnis« handelten. Das »stille Einverständnis« erwähnte ich selbstverständlich nur, um Bernhard anzudeuten, welche Tiefe meine Beziehungen zu Lone erreicht hatten. Ich ging ganz schön ran und sah dabei immer Lone vor mir, mit ihrer Sanftmut und ihrem umwerfenden Lächeln. Und was das schönste war: ich glaubte selbst alles, was ich sagte. Bernhard sagte da nicht mehr viel; ich mußte ihm nur versprechen, Lone so bald wie möglich einmal mitzubringen, und ich ließ durchblicken, daß er sie unter Umständen schon sehr bald kennenlernen würde.

Dann machte Bernhard mich mit dem Klavierspieler bekannt, er hieß Herbert Findeisen oder so ähnlich, und dieser Herbert, ein freundlicher, melancholischer Zeitgenosse, fragte mich nur: Magst du Gershwin?, und ich antwortete: Warum nicht? Und dann spielte er Gershwin, aus »Rhapsody in Blue«, aus »Porgy and Bess« und »Lady Be Good«; ich möchte nicht zuviel sagen, aber mit Herberts Spiel wäre sogar Gershwin selbst einverstanden gewesen. Vergnügt huldigte er dem Jazz, ließ den Geist der Operette sprühen, zitierte hingebungsvoll ein klassisches Konzertstück – Herr im

Himmel, da mußte einfach jedem aufgehen, was alles bei Gershwin drin war.
An den Tischen redete keiner mehr. Angezogen von Herberts Spiel schneiten nacheinander ein paar junge Leute herein, sie bestellten Cola und blieben an der Theke stehen und hörten zu. Nur ein Mädchen mit schmalem, angespanntem Gesicht und einer Männerfrisur kam an meinen Tisch, fragte blickweise um Erlaubnis, sich zu setzen, und dann drehte es den Stuhl, auf den ich gezeigt hatte, in Richtung Klavier und lauschte nur noch. Sie war bestimmt eine von denen, die jede Note von Gershwin kannten, denn instinktiv bewegte sie die Finger, als spielte sie selbst, oder lächelte mitunter wie bei einem glücklichen Wiedererkennen. Herbert verausgabte sich ganz schön, und als er eine wohlverdiente Pause einlegte, klatschte das Mädchen wie besessen. Dann wandte sie sich – aufgelöst und schwimmend in Begeisterung – zu mir und fragte: Ist er nicht einmalig? Ich wußte zwar nicht, wen sie meinte, Gershwin oder Herbert – aber ich stimmte ihr zu. Sie war überraschend zutraulich, sie forderte mich auf, eine Zigarette aus ihrer Packung zu nehmen, und als der Kellner vorbeiging, fragte sie, ob sie mich zu einem Glas Weißwein mit Soda und Zitrone einladen dürfte. Obwohl ich noch mein halbvolles Bierglas vor mir stehen hatte, nahm ich ihre Einladung an. Ich tat es wirklich. Sie zog ihre schwarze Jacke aus und hängte sie über die Stuhllehne, und ich machte mich bereits auf sogenannte intelligente Konversation gefaßt, als ich von der Theke her das Telefon läuten hörte.
Seltsam, ich wußte sofort, daß der Anruf mir galt, und tatsächlich winkte Bernhard mich zu sich und gab mir den Hörer mit den Worten: Ein Aufgeregter. Mein Bruder Ernie war am Apparat, diesmal nicht verschla-

fen und maulend, sondern aufgeregt und hellwach. Bist du's, Jan, fragte er. Ja, was ist los? Sie ist nach Hause gekommen, sagte Ernie, sie hat nur für einen Augenblick Licht gemacht. Dann ist ja alles in Ordnung, sagte ich, und er darauf: Glaube ich nicht; ich bin rübergegangen und wollte klopfen und ihr sagen, daß du dir Sorgen machst, da... Was da, fragte ich. Da hörte ich, wie sie heulte, sagte er, sie saß im Dunkeln und heulte; ich dachte, du solltest das wissen, Jan. Und weil ich nicht gleich reagierte, fragte Ernie: Du mußt es doch wissen, oder? Ich dankte Ernie und legte auf; ich ging nicht mehr zu meinem Platz zurück, winkte Bernhard nur kurz zu und verließ die »Muschel«.

Weil mein Alter mir am Morgen einen Teil seiner Schulden zurückgezahlt hatte, leistete ich mir eine Taxe – um ehrlich zu sein: ich hätte mir auch dann eine Taxe geleistet, wenn er mir das Geld nicht zurückgezahlt hätte. Um nach Hause zu kommen, konnte es mir nicht schnell genug gehen; und der Taxichauffeur fuhr, als wüßte er das. Er war einer dieser Kamikazefahrer, der keinen vor sich duldete, und zu allem Überfluß mußte er mich unentwegt darauf aufmerksam machen, wie gemeingefährlich – er sagte: gemeingefährlich – sich die anderen Verkehrsteilnehmer verhielten, ob sie nun zu weit links fuhren oder zu spät blinkten oder noch bei Gelb eine Kreuzung nahmen. Sehen Sie sich das an, knurrte er immer wieder, nun sehen Sie sich diese Idioten an, und dabei drehte er sich zu mir um und ächzte vor Empörung. Ich möchte nicht zuviel sagen, aber es war ein kleines Wunder, daß ich lebend nach Hause kam. Mit Hund, der am Tor auf mich gewartet hatte, mochte ich mich nicht abgeben, ich tätschelte ihn nur im Gehen und ließ ihn vor der Haustür zurück und ging gleich zu mir. Ich schloß die

Tür nicht übertrieben behutsam, ich trat auch fest auf und öffnete das Fenster und hakte es fest – falls Lone noch nicht schlief, sollte sie hören, daß ich nach Hause gekommen war. Bei ihr war es dunkel. Es regte sich nichts. Ich ließ mich in meinen alten, abgeschabten Sessel fallen, fischte den mahnenden Zettel vom Schreibtisch und las: Bitte gib den Zwergkaninchen Mohrrüben. Jette.

Großer Gott, das war typisch für meine kleine Schwester. Ratlos hielt ich den Zettel mit dem rot eingekastelten Text und den sieben Ausrufungszeichen in der Hand, als ich vor meiner Tür ein Geräusch hörte. Auf ein zaghaftes Klopfen rief ich: Herein, doch niemand erschien. Ich ging also an die Tür, öffnete sie und sah Lone auf dem Korridor stehen, mit schuldbewußter Miene. Sie wollte sich nur entschuldigen. Sie sagte: Es tut mir sehr, sehr leid, Jan, aber ich konnte wirklich nicht kommen. Sie zögerte, fragte dann aber leise, wie denn der Film gewesen sei, den Sjöberg so dringend empfohlen hatte. Als ich ihr bekannte, daß ich mir das Ende geschenkt hätte, meinte sie, daß mir wohl der Höhepunkt entgangen sei – zumindest hatte Sjöberg den Schluß als Höhepunkt empfunden. Lone bedauerte, daß der Film mich enttäuscht hätte; sie versprach, es gutzumachen, zumindest wollte sie mich zu einem nächsten Kinobesuch einladen.

Sie wollte gehen. Ich hielt sie an der Hand fest. Wie schlaff und willenlos ihre Hand war, und wie geistesabwesend sie zu mir aufsah, als ich sie an mich zog, nicht abrupt, nicht mit Gewalt, sondern ganz behutsam. Als hätte ich einen bereits vergessenen Schmerz in Erinnerung gebracht, lief ein Zittern über ihr Gesicht und sie schloß für einen Moment die Augen. Leise fragte ich: Was ist los, Lone, bitte, sag es mir. Sie schüttelte den

Kopf, sie sagte: Nicht hier, Jan, und ging zur Tür und forderte mich mit schüchternem Lächeln auf, ihr zu folgen.
Wir gingen zu ihr hinüber, wo sie mich zunächst einen Blick auf den schlafenden Jungen werfen ließ, der zusammengekrümmt auf der Seite lag und leise schnaufte. Mit einer beruhigenden Geste gab sie mir zu verstehen, daß Fritz einen festen Schlaf hätte und nicht so leicht aufwachte, und wohl, um mir eine Freude zu machen, deutete sie auf den Werkzeugkasten des kleinen Steinmetzen, der am Fußende auf dem Boden stand. Dann setzten wir uns an den Rundtisch, der wie auf Zehenspitzen stand. Lone fragte, ob sie mir einen Tee machen sollte, doch ich winkte ab, und sie schien erleichtert über meinen Verzicht. Schweigend musterte sie mich eine Weile.
Auf einmal sagte sie: Wenn ich ein bißchen verheult aussehe – es besagt nichts, es soll dich nicht irritieren. Sie fuhr mit einem Finger über ihre Wangen, wie um zu prüfen, ob da noch eine Träne war. Es ist wirklich schon ausgestanden, fügte sie hinzu und richtete sich auf und sagte: Ich muß dir etwas erklären, Jan. Es ist nicht nötig, sagte ich, denn ich spürte, daß es sie eine Menge kostete. Doch, sagte sie, gerade dir schulde ich eine Erklärung – nach allem; zumindest mußt du wissen, warum ich nicht gekommen bin. Und stockend, aber erstaunlich gefaßt erzählte sie, daß sie sich mit Julian getroffen hatte – er hatte auf diesem Treffen bestanden –, und daß es nun endgültig vorbei war. Nicht Lone, er hatte den Vorschlag gemacht, auseinanderzugehen, und er hatte es auch übernommen, die Scheidung einzureichen. Sie war vorbereitet gewesen; schon als sie seine dringende Einladung erhielt, hatte sie mit dieser Möglichkeit gerechnet. Dennoch hatte sie

nicht geglaubt, daß sie ohne Bedenkzeit einwilligen könnte. Auf dem Heimweg erst wurde ihr bewußt, wie wenige Worte sie gebraucht hatten, um sich einig zu werden. Ich weiß nicht, ob ich sie richtig verstanden habe, aber sie sprach von einer Verspätung der Gefühle; während sie sich beredeten und schließlich einigten, war sie ganz unerregt gewesen und hatte alles geradezu furchtbar sachlich bedacht und erwogen, und erst nachdem sie sich entschieden hatten und Lone auf dem Heimweg war, bekam sie das Ausmaß der Entscheidung zu spüren, die plötzliche Leere, die verlorenen Hoffnungen und all das. Um überhaupt etwas zu sagen, fragte ich, wo sie sich getroffen hätten. Es war in dem neueingerichteten Meditationszentrum gewesen, das Julian leitete, und das ich in meiner Vorstellung genau vor mir sah, mit den glänzenden Fußböden und den Kissen und den weißgekleideten Assistentinnen, die einen nur unter halbgeschlossenen Lidern ansahen. Gerade wollte ich Lone mit der nicht eben umwerfenden Erfahrung trösten, daß eine Entscheidung, auch wenn sie zunächst schmerzhaft sei, klare Verhältnisse schaffe, und daß es mitunter hilfreich sei, reinen Tisch zu machen, als sie selbst davon anfing. Sie sagte: Es ist merkwürdig, Jan; einerseits bin ich zufrieden, daß nun klare Verhältnisse bestehen, andererseits merke ich, daß klare Verhältnisse auch nicht froh machen – auf einmal ist alles endgültig, und die Verluste zählen anders. Gut, sagte ich, aber man wird doch auch offener für das, was vor einem liegt, man gewinnt an Möglichkeiten, oder? Ich weiß nicht, Jan, sagte Lone, ich weiß nur: eine Trennung, die dir etwas bedeutet, dauert verdammt lange, die zieht sich hin, die kannst du täglich neu und anders erleben. Endlich, sagte ich, endlich hast du auch mal geflucht, worauf Lone wie

ertappt lächelte und meinte, daß dies wohl schon mein Einfluß sei.
Weiß der Kuckuck, aber nachdem sie das gesagt hatte, legte sich diese seltsame Befangenheit oder ich weiß nicht was, ich fühlte mich einfach nicht mehr so beklommen und blockiert, und ich stand auf und versicherte ihr, daß sie immer auf mich zählen könnte. Ich hatte vor, ihr noch mehr zu sagen, denn sie tat mir so leid wie nie zuvor, doch plötzlich stand der Junge da, barfuß, mit verschwitztem Haar. Er hatte Durst. Er sagte nicht mehr als: Durst, Lone, und tappte langsam und schlafbefangen auf sie zu und schmiegte sich an sie.
Ach Junge, du mit deiner Phantasie und deiner Arglosigkeit! Nachdem ich den Apfelsaft aus meinem Zimmer geholt hatte, kamst du zu mir, hobst dich auf meine Knie, hieltest mit beiden Händen das Glas und trankst es auf einen Zug leer. Dann versprachst du, schon am nächsten Tag mit der Arbeit zu beginnen, du sahst auch schon vor dir, was du für Lone anfertigen wolltest und was für mich. Onkel Hans – wie du meinen Alten nanntest – hatte dir erlaubt, bei ihm in der Werkstatt zu sitzen, von ihm hofftest du Abfallgestein zu bekommen, vielleicht Marmor von dem großen Grabmal, und daraus wolltest du für Lone ein schönes glänzendes Ei machen und für mich einen kleinen Grabstein mit einem Fenster drin. Du warst so zappelig vor Begeisterung, daß du kaum merktest, wie ich dich in dein kleines Hinterteil kniff, und als sich die Jacke deines Schlafanzugs hochschob und ich die Narben auf deinem Rücken berührte, zucktest du nicht wie sonst zusammen. Du warst enttäuscht, weil es draußen noch nicht hell wurde, und als Lone sagte, daß wir nun alle schlafen müßten, gingst du nur zögernd zu deinem Bett.

Ich sagte Lone Gute Nacht, und während sie mich zur Tür brachte, fiel mir etwas ein, das ich gleich loswerden mußte. Ohne es zu begründen, machte ich ihr den Vorschlag, für ein langes Wochenende zu dritt an die Küste zu fahren, in eine kleine Pension, in der auch Reimund manchmal gewohnt hatte, wenn er von uns nichts hören und nichts sehen wollte. Ich bat sie, sich diesen Vorschlag zu überlegen, doch sie brauchte es nicht zu tun; fest drückte sie meinen Arm und sagte: Gern, Jan, sehr gern.

17

Einmal wollte ich dahinterkommen. Einmal wollte ich herausfinden, warum Bettys Morgenmantel, in dem sie so oft den ganzen Vormittag herumlief, so verflucht schwer war, und darum hängte ich ihn nicht gleich weg, sondern durchstöberte, während sie sich im Schlafzimmer anzog, die tiefen Taschen. Herr im Himmel, was da zum Vorschein kam! Mehrere angebrochene Zigarettenpackungen zog ich heraus, Streichhölzer noch und noch, Emser Salz in Tablettenform, einen Schraubenzieher, eine Flasche Hustensaft, ein verkratztes metallenes Uhrarmband, Aspirintabletten, eine Schachtel Reißzwecken, ein Fingernagelbesteck in Lederhülle, mehrere Kugelschreiber und ein ausziehbares Metermaß. Ich möchte nicht allzuviel sagen, aber was ich da zutage förderte, war eine einmalige Mischung von Hausapotheke und Werkzeugkasten, eine typische Betty-Mischung. Auf dem Grund der Taschen erfühlte ich noch Tabakkrümel und etliche Münzen, doch die ließ ich drin. Um ein bißchen Ordnung zu schaffen, stopfte ich dann das Werkzeug in die eine, Medizin und Zigaretten in die andere Tasche, überzeugt davon, daß Betty es nie bemerken würde, und hängte den Morgenmantel an seinen Platz im Badezimmer. Es war nutzlos, sie zu mahnen, sie an die Abfahrzeiten des Busses zu erinnern; ich mußte warten, bis sie

fertig war, angezogen und zurechtgemacht für die Fahrt in die Stadt, wo sie ein paar Einkäufe machen, vor allem aber meinen Arbeitsplatz besichtigen wollte. Ich muß doch mal sehen, wo du für Gerechtigkeit sorgst, hatte sie gesagt. Als sie endlich kam, sah sie fabelhaft aus, wirklich. Sie trug ihre gelbe Bluse und dazu diese tiefblaue Strickkombination, und weil Regen sich ankündigte, hatte sie sich den schwarzen, lackglänzenden Regenmantel lose um die Schultern gehängt: Na, nimmst du mich so mit? Klar, sagte ich, aber nun müssen wir uns beeilen.
Betty überhörte das; was ihr nicht paßte, das überhörte sie einfach. Sie hakte sich bei mir ein, und wir schlenderten über den Korridor, stiegen die Treppe hinab, schlenderten über den Werkplatz, und als wir die Richtung zum Tor einschlugen, rief mein Alter uns zurück. Er war in der Werkstatt, er hielt ein Prelleisen in der Hand; hinter dem mächtigen Grabmal hockte Fritz und schlug die Kanten von einem kleinen Werkstein weg, an dem er sich wohl erproben sollte. Junge, war das ein Bild, beide am Arbeitsplatz, hingebungsvoll, eifrig und gewiß auch glücklich. Es gab für mich keinen Zweifel, daß sie sich bei der Arbeit besprachen und aus derselben Seltersflasche tranken und gemeinsam ausruhten und ihre Werke begutachteten. Die hatten sich einfach gefunden, die beiden. So, daß es Fritz nicht mitbekam, erinnerte uns mein Alter daran, eine Schultüte aus der Stadt mitzubringen, nach Möglichkeit die größte, die aufzutreiben war – mit Bändern verzieren und mit Tier- und Sternbildern bekleben und natürlich auch füllen wollte er sie selbst.
Betty hörte nur halb hin. Sie hatte sich am Grabmal festgesehen, genauer, am Gesicht des davongehenden Mädchens. Staunend und ergriffen zugleich trat sie

näher heran und hob langsam die Hand, als wollte sie das Gesicht berühren, doch sie wagte es nicht, eine plötzliche Scheu ließ sie innehalten. Unwillkürlich sah auch ich mir das Gesicht etwas näher an: es hatte jetzt einen endgültigen Ausdruck: der Gehorsam, mit dem das Mädchen dem Ruf folgte, und das hilflose Bedauern wurden zwar nicht aufgehoben, aber doch tröstlich gemildert durch ein Lächeln – ein ahnbares Lächeln, das eine Gewißheit preisgab, vielleicht die rätselhafte Gewißheit, daß die Trennung nicht für immer galt. Ausgerechnet in diesem Augenblick sagte mein Alter etwas, das er wohl seit zwanzig Jahren nicht mehr gesagt hatte; mit ruhiger Stimme stellte er nämlich fest: Gut siehst du aus, Betty. Das warf mich fast um, im Ernst. Betty schmunzelte nur und trat zu Fritz und fragte ihn, was er gerade machte, aber der Junge hatte angeblich keine Zeit und wollte ihr später erklären, was er für wen anfertigte. Jetzt war tatsächlich höchste Eisenbahn. Um den verdammten Bus zu erreichen, legte ich Betty einen Arm um die Schulter und führte sie einfach weg – keine Sekunde zu spät, wie sich an der Haltestelle zeigte: der Halunke am Steuer wollte gerade abfahren; nur weil ich ziemlich heftig klopfte, öffnete er noch einmal die Tür.

Wir fanden einen Platz und setzten uns eng nebeneinander, und nachdem ich ihr beigebracht hatte, daß sie im Bus nicht rauchen dürfe – weil da überall Aschenbecher waren, mißtraute sie dem Rauchverbot –, kramte sie ein Röhrchen mit Halstabletten hervor. Wie zu Kinderzeiten sagte sie: Mund auf – Augen zu, legte mir eine Tablette auf die Zunge und nahm dann selbst eine. Ich mußte immer noch an das Kompliment denken, das mein Alter ihr gemacht hatte, und ich überraschte mich dabei, wie ich sie von der Seite ansah – ich taxierte sie

wahrhaftig und ließ sie gut und gern für sechsundvierzig durchgehen –, und nicht nur dies; auf einmal hörte ich mich halblaut sagen: Er hat recht, Betty, du siehst heute wirklich gut aus. Sie sah mich belustigt an, nicht verblüfft oder nachdenklich, sondern nur belustigt, und nach einer Weile sagte sie: Ach, Pummel, und das war schon alles. Mir war nicht entgangen, daß sie mehr hatte sagen wollen – bei Betty konnte man regelrecht sehen, wie Gedanken entstanden, wie Sätze sich bildeten –, doch sie beließ es bei einem Seufzer und wollte danach gleich wissen, ob es in unserem Kaufhaus auch Schultüten zu kaufen gab. Sie hatte vor, dazu noch einen Zirkelkasten und einige Malbücher zu kaufen, die sie von sich aus in die Tüte legen wollte; zur Einschulung sollte der Junge unbedingt etwas von ihr persönlich bekommen. Meine Bedenken, daß der Zirkelkasten wohl ein verfrühtes Geschenk sei, ließ sie nicht gelten. Was heißt zu früh, sagte sie, man kann in jedem Alter Entdeckungen machen; du warst sechs, als du deinen ersten Kreis geschlagen hast. Daß Fritz mit Verspätung eingeschult wurde, hielt sie für bedeutungslos; sie erinnerte mich daran, daß auch Reimund ein ganzes Schuljahr verloren hatte, sie sagte: unser Reimund.
Ein verlorenes Jahr war in Bettys Augen kein nutzloses Jahr, sie war vielmehr der Ansicht, daß das Leben ab und zu auf der Stelle treten und jedes Ziel vergessen müßte, unbekümmert darum, wievel Zeit verlorengeht. Ich würde mich nicht wundern, sagte sie, wenn Fritz einmal eine Klasse überspringt; und sie sagte auch: Er hat uns Freude gebracht, der Junge.
Wir fuhren am Strom entlang, hinter dem eine schwere Regenwand hing. Ein tiefliegendes Küstenmotorschiff, dessen Deck von kabbeligen Wellen überspült wurde, mühte sich stromaufwärts, es tuckerte der weißen Eng-

landfähre entgegen, die über die Toppen geflaggt hatte und groß wie ein Gebirge aufkam. Betty blickte hinaus, und ohne sich mir zuzuwenden, fragte sie plötzlich: Weißt du schon, wann ihr fahrt? Ich war so verdutzt, daß ich erst mit Verzögerung antwortete. Wer soll fahren? Ihr wolltet doch in diese Pension, sagte Betty, ins »Haus zur Düne« oder wie das Ding heißt, wo unser Reimund manchmal war. Woher weißt du das, fragte ich. Woher wohl, sagte sie; Lone hat's mir erzählt, und damit du es weißt, ich halte das für eine gute Idee. Sie merkte wohl, wie überrascht ich darüber war, daß Lone mit ihr über meinen Plan gesprochen hatte, und darum wandte sie sich zu mir und sagte: Guck nicht so erstaunt, Jan; wenn man so nahe beieinander wohnt, trifft man sich bisweilen – und dann redet man auch miteinander, offen, wie Frauen miteinander reden können. Dann weißt du wohl alles, fragte ich, und Betty darauf: Alles weiß keiner, aber mir ist klar, daß Lone es schwer hat. Sie dachte nach und sagte: Vielleicht hat sie es deshalb so schwer, weil sie ein heimliches Schuldgefühl mit sich herumträgt. Sie klagt sich nicht an, das nicht, aber sie ist ziemlich überzeugt davon, daß sie manches verkehrt gemacht hat. Kann sein, daß es so ist, ich kann das nicht beurteilen, aber wenn einer sich zu eigenen Fehlern bekennt, dann heißt das schon etwas. Im allgemeinen sind wir doch alle darauf aus, uns freizusprechen. Großer Gott, sagte ich, man kann es einem doch nicht zum Vorwurf machen, daß er sich selbst beschuldigt, oder? Ich hab das doch nicht vorwurfsvoll gemeint, sagte Betty, ich hab nur etwas zu erklären versucht.

So hatten wir noch nie über Lone gesprochen, und um endlich zu wissen, was Betty von ihr hielt, fragte ich: Was hältst du eigentlich von ihr? Sie lächelte, tippte

mir aufs Kinn und sagte: Wenn du die ganze Wahrheit wissen willst – ich bin froh, daß sie bei uns ist; genügt dir das? Um ehrlich zu sein, hatte ich da gleich noch eine Frage anschließen wollen, denn es war mir nicht gleichgültig, was sie von Lone und mir hielt und so weiter, doch ich kam nicht dazu, weil ein Kontrolleur unsere Fahrausweise sehen wollte. Diese verfluchten Kontrolleure erscheinen wirklich immer im ungünstigsten Augenblick. Nachdem der Kerl, dessen Höflichkeit wie blanker Hohn wirkte, außer Hörweite war, richtete Betty sich auf und blickte hinaus und begann langsam vor sich hin zu sprechen. Ich verstand nicht alles, doch was ich mitbekam, machte mich tatsächlich glücklich. Sie sagte nichts Atemberaubendes, sie sagte nur, daß sie nichts mehr wünsche, als daß alles so bliebe, wie es im Augenblick sei. Ich verstand auch, daß sie sich nicht mehr daran erinnern konnte, wann sie diesen Wunsch, daß etwas fortdauern möchte, zum letzten Mal gehabt hatte.
Weiß der Kuckuck, woran es lag, doch nachdem wir den Bus verlassen hatten, nahmen wir uns wahrhaftig an die Hand, und nun war es Betty, die mich vorwärts zog und noch bei Gelb über die Straße mußte. Hand in Hand gingen wir auf den »Wächter« zu, rasch zuerst und dann immer verhaltener, und vor der Einfassung des Rosenbeetes blieben wir stehen, nicht gerade andächtig, aber doch versonnen. Zu meiner Überraschung hatte sich niemand an der Figur vergangen, nichts war beschmiert oder vorgebunden oder mutwillig versaut, die erste Auftragsarbeit meines Alten bot sich uns rein dar wie selten. Mir fiel ein Stein vom Herzen. Betty ging einmal um das Beet herum und betrachtete den »Wächter« von allen Seiten, ein kleines Leuchten lag auf ihrem Gesicht, ihre Lippen murmel-

ten etwas, bestimmt kamen ihr eigene Erinnerungen. Vielleicht dachte sie an die Zeit des Aufbruchs, an das Zutrauen und die Hoffnung der frühen Jahre, ich weiß es nicht, ich weiß nur, daß sie bewegt war von diesem Wiedersehen. Als sie wieder neben mir stand, seufzte sie auf, es war aber kein Seufzen des Bedauerns, sondern der Verwunderung: Kaum zu glauben, was ihm einmal gelungen ist. Es hätte nicht viel gefehlt, und sie wäre zu einigen Passanten gegangen, um sie auf die Figur des »Wächters« aufmerksam zu machen – umzusehen begann sie sich jedenfalls schon. Einmalig, oder? sagte ich. Sie antwortete nicht, vermutlich weil Freude und Stolz oder ich weiß nicht was sie einfach stumm machten. An diesem Tag bekam der Wermutbruder, der vor dem Eingang unseres Wohnhauses herumlungerte, ein Zweimarkstück.

Man hätte die Mädchen in unserer Lebensmittelabteilung sehen müssen, als ich mit Betty aufkreuzte: kein Winken, kein zwinkernder Gruß, kein Scheinkuß, dafür Ungläubigkeit und tuschelndes Herumrätseln. Ich genoß die Verwirrung und machte mir einen Jux daraus, sie mit besonderer Gemessenheit zu grüßen, wobei ich, als führte ich lässig einen Besitz vor, eine Hand auf Bettys Schulter liegenließ. Ohne uns aufzuhalten, gingen wir in mein Büro. Ich bot Betty den Beobachtungsstuhl an, doch sie mochte sich nicht gleich setzen; amüsiert und sonderbar gehemmt inspizierte sie den Raum, wischte einmal über den Tisch, musterte den Kalender an der Wand, öffnete das Rapportbuch und beklopfte sanft den noch toten Bildschirm. Dann sagte sie: Reichlich spartanisch, was? Das fördert die Aufmerksamkeit, sagte ich und schaltete die elektronische Kamera ein und holte uns das Bild der Abteilung herein, in die gerade die Kunden hineinströmten. Jetzt

setzte sich Betty, von Neugier ergriffen und vielleicht auch schon von detektivischer Lust; sie stellte ihre Handtasche ab und konzentrierte sich auf das Geschiebe und Gedränge draußen. Ich ließ die bewegliche Kamera an den Regalen entlangspitzeln, hob mit ihrer Hilfe Einzelheiten hervor – Gesichter, Geldbörsen, grabbelnde Finger – und stellte Betty auf dem Bildschirm einige unserer Verkäuferinnen vor. Sie war begeistert, wirklich. Sie war so aufgeregt, daß sie sich beinahe zwei Zigaretten gleichzeitig angesteckt hätte. Nachdem ich ihr gezeigt hatte, wie man Alarm auslöst, vertiefte sie sich derart in die Kontrolle des Bildes, als wollte sie selbst einmal einen Spitzbuben ertappen. Kann sein, daß es ihr auch gelungen wäre, aber auf einmal stand Strupp-Schönberg im Raum.
Auf seinen Blick möchte ich nicht näher eingehen. Fassungslosigkeit war so ziemlich das mindeste, was er preisgab. Mit einer Geste aus dem Handgelenk winkte er mich vor die Tür. Dann zischte er mich nicht allzulaut an: Seit wann empfangen Hausdetektive Damenbesuch, wie? Seit wann – in der Arbeitszeit? Würden Sie mir das bitte erklären? Ruhig erklärte ich ihm, daß es meine Mutter war, die einmal meinen Arbeitsplatz kennenlernen wollte, nur das – worauf ihm nichts anderes einfiel als die Bemerkung: Warum sagen Sie das nicht gleich? Und danach ließ er es sich nicht nehmen, Betty persönlich zu begrüßen, er säuselte sie regelrecht an und glaubte ihr versichern zu müssen, daß ich eine sehr verantwortungsvolle Aufgabe erfüllte und dergleichen. Und weil Betty, wie alle Mütter, gern wissen wollte, ob ihr Sohn sich auch bewährte, fragte sie das rundheraus, und mein Vorgesetzter sagte ihr selbstverständlich, was sie hören wollte, und lobte meine Wachsamkeit und all das. Als er ihr zum Schluß positive

Eindrücke wünschte, wurde mir fast schlecht. Betty glaubte ihm jedes Wort; wenn ihre Kinder gelobt werden, sind Mütter die leichtgläubigsten Menschen auf der Welt, im Ernst.
Kaum hatte er uns allein gelassen, da zog es sie auch schon wieder an den Bildschirm, und während ich meine Eintragung ins Rapportbuch machte, überwachte sie mit eingeschalteter Kamera die Heerscharen draußen. Was sie zu sehen bekam, war wohl nicht immer erfreulich und unterhaltsam, denn manchmal legte sie Einspruch ein: Na, na, na, oder: Wirst du das wohl lassen – und einmal murmelte sie auch peinlich berührt: Igittigitt. Es fiel mir nicht schwer zu erraten, was sie auf ihre Art kommentierte. Plötzlich rief sie: Schnell, Jan, der mit der Motorradbrille – ist das nicht...?
Es war Sjöberg, der Seemannspastor. Er hielt nur Ausschau. Eilig drängte er sich an Kunden vorbei, linste hierhin und dorthin, dämpfte mit beschwichtigender Geste aufkommende Erregung. Vielleicht sucht er dich, sagte Betty. Er suchte mich tatsächlich. Ich beobachtete, wie er sich in seiner Ratlosigkeit an Doris wandte, die ihn freundlich anhörte und dann zu mir herübernickte, das heißt: zum Büro des Hausdetektivs. Da das Betreten unseres Büros Unbefugten verboten war, trat ich vor die Tür und erwartete ihn. Ich möchte nicht übertreiben, aber er ging wohl fünfzig Meter mit ausgestreckten Armen auf mich zu, nachdem er mich erkannt hatte, meine ich, und begrüßte mich wie einen Freund: Jan, alter Junge, sagte er. Ohne Umschweife, direkt, wie Norweger nun mal sind, teilte er mir mit, daß er Hamburg in den nächsten Tagen verlassen müßte, gegen seinen Willen übrigens, man habe ihn nach Trondheim gerufen. Er bat mich, gleich nach der

Arbeit zu ihm zu kommen, in die Seemannsmission, er habe mir etwas Wichtiges zu übergeben; ob er mich erwarten könnte? Klar, sagte ich, selbstverständlich. Doch dann fragte ich auch schon: Ist was mit Lone? Ja, sagte er, wir müssen etwas regeln. Da ich Ungewißheiten nur schwer ertragen kann, fragte ich ihn, ob er mir nicht schon jetzt sagen könnte, um was es ging, doch er wollte es nicht; nicht hier vor der Tür. Er schüttelte mir dankbar die Hand und ruderte durch den Strom der Kunden davon.

Betty stand abschiedsbereit neben dem Tisch und blickte nur noch skeptisch auf den Bildschirm. Sie hatte etwas entdeckt und für sich beschlossen: Nie, niemals würde sie meine Lebensmittelabteilung betreten, um hier ihre Einkäufe zu machen; der Gedanke, bei einem so intimen Vorgang bespitzelt zu werden, mache sie krank. Du kannst ruhig zugeben, Jan, im Grunde ist es unerhört, daß einer immer dabei ist und mitsieht, was du an Aufschnitt, Müsli und ich weiß nicht was einpackst. Eben habe ich sogar einem armen Kerl ins Portemonnaie geguckt und habe mit ihm seine lausigen Kröten gezählt. Wo bleibt da der Schutz der Intimsphäre? Wo? Und dann sagte sie: Glaub mir, Junge, wenn die Leute da draußen wüßten, daß ihnen ein Spion bei allem zuguckt, sie würden sich schön bedanken und lieber da einkaufen, wo ihnen keiner notorisch mißtraut. Betty war ehrlich aufgebracht, und bevor sie sich in Erbitterung hineinredete, unterbrach ich sie und sagte besänftigend: Du hast recht, Betty, wenn alle Kunden so wären wie du, brauchte es keine Hausdetektive zu geben, dann wäre die Überwachung wirklich etwas Unerhörtes. Aber leider sind nicht alle wie du; es gibt Spitzbuben, die täglich für Schwund sorgen, für unglaublichen Schwund. In der Direktion haben sie ausgerechnet, daß wir jährlich um etliche Millionen erleichtert werden, das heißt, um Waren in diesem Wert. Wir verhindern nur, daß nicht noch mehr abgeschleppt wird und wir eines Tages dichtmachen müssen. Großer Gott, ich redete wahrhaftig schon wie Strupp-Schönberg. Verstehst du, Betty? Sie verstand; sie überlegte und gab mir auf ihre Art – indem sie eine wegwerfende Handbewegung machte – widerwillig recht, konnte es aber nicht unterlassen, mir einen typischen Betty-Stich zu versetzen: Ich wußte gar nicht, Pummel, daß so ein netter kleiner Polizist in dir steckt. In den meisten Leuten hier, Betty, sagte ich, in den meisten steckt so ein kleiner Polizist, und wer es von sich nicht glaubt, der sollte mal einen Tag lang hier neben mir sitzen. Sie hielt mir die Wange hin. Ich küßte sie. Daß du mir nicht auf die Idee kommst, mich mit diesem Dingsda zu verfolgen, sagte sie zum Abschied und nickte zum Bildschirm hinüber. Ich tat es dennoch, ich holte sie mir groß herein und erlebte mit, wie Strupp-Schönberg aus seinem Glaskäfig stürzte und Betty beflissen den Weg zur Rolltreppe wies.

Vermutlich wird man schon gemerkt haben, daß nicht allzuviel nötig ist, um mich zu beunruhigen; wegen meines Talents, immer gleich an die schlimmste Möglichkeit zu denken, nannte Ernie mich manchmal Panik-Jan. Ich konnte nichts dagegen tun, daß ich, die wuselnde Kundenschar im Auge, ständig an Sjöbergs Aufforderung denken mußte, ihn zu besuchen; wie er gesagte hatte, wollte er mir Wichtiges mitteilen und etwas übergeben, das Lone betraf, und ich saß grübelnd und versuchte mir vorzustellen, was das sein könnte. Es ist kaum zu glauben, was ich mir da alles ausdachte; es war blödsinnig, aber ich dachte unter anderem an ein geheimes Tagebuch, das er mir anver-

trauen wollte, dachte an gesammelte Briefe und sogar an einen Haufen Schuldscheine, ich verstieg mich zu der Annahme, daß er mir irgendein dunkles Kapitel aus Lones Leben auftischen wollte – Filme, in denen so etwas vorkam, hatte ich ja bis zum Erbrechen gesehen. Bei all diesen Erwägungen und Selbstbeunruhigungen mußte ich mir eingestehen, daß ich Lone wirklich noch nicht gut kannte, und bei dem Gedanken, Sjöberg könnte mir mit so einer verdammten Enthüllung kommen, brach mir der Schweiß aus. Schon sah ich meine Pläne bedroht und davonschwimmen: die gemeinsame Fahrt an die Küste, die Wanderungen, die Abende und Nächte im »Haus an der Düne«.
Weiß der Teufel, woran es lag, daß ich an diesem Tag nicht ein einziges Mal den Alarmknopf drücken mußte. Vielleicht übersah ich die faulen Kunden, vielleicht langten während meiner Schicht auch nur ausgepichte Profis zu, denen nichts nachzuweisen war, ich weiß es nicht. Natürlich konnte es auch sein – und damit würde ich mich abfinden müssen –, daß unsere Lebensmittelabteilung das Wunder eines ladendiebfreien Tages erlebte; jedenfalls brauchte ich meine Anwesenheit nicht zu rechtfertigen. Ein einziges Mal hätte ich es fast getan; als dieser junge, schwarzhaarige Typ – er sah so aus, wie ich mir immer den Zaubergeiger Paganini vorstellte – eine Dose Salzmandeln in seiner Tasche verschwinden ließ und nur mit einer Rügenwalder Teewurst in der Hand zur Kasse strebte, hätte ich beinahe den Alarm ausgelöst, doch auf einmal wandte sich der Zaubergeiger um und trug, von seinem Gewissen oder seinem Gedächtnis beraten, die Dose brav an ihren Platz zurück. Vielleicht wird man es mir kaum glauben, aber an diesem Tag mußte ich mehrmals an eine Bemerkung meines Kollegen Willi denken, der

einmal vor sich hingemurmelt hatte, daß Ehrlichkeit schläfrig machen kann, ich meine, wenn man sie als Hausdetektiv erlebt.
In Willis Schubfach lag immer noch das Buch, das man ihm zum fünfjährigen Arbeitsjubiläum überreicht hatte, selbstverständlich mit Widmung, in Anerkennung seiner zur Zufriedenheit ausgeübten Pflichten und so weiter. Um mich ein wenig abzulenken, zog ich es zum ersten Mal heraus, ein typisches Anerkennungsgeschenk, wie es sich nur die Direktoren eines Kaufhauskonzerns einfallen lassen konnten; schon der Titel sagte genug: Die Wunderwelt des Warenhauses. Daß das Warenhaus eine Entstehungsgeschichte hat, erstaunte mich nicht, aber es verblüffte mich schon, als ich erfuhr, daß der erste Tempel dieser Art in Frankreich und nicht in Amerika eröffnet wurde. Der Mann, dem wir das Wunder zu verdanken haben, hieß Boucicaut, und sein Erfolgsrezept lautete: niedrige Handelsspanne, schneller Lagerumschlag und schließlich, damit das verfluchte Feilschen aufhörte, gut leserliche Preise auf allen Waren. Spannend war die Lektüre anfangs wirklich nicht, und ich hatte zunächst auch kein übertriebenes Interesse, etwas über Mengenrabatte zu lernen, über wissenschaftliche Qualitätskontrollen und die sozialen Auswirkungen des Warenhauses, ich blätterte nur so herum und überflog die Kapitelüberschriften, bis ich auf eine ganz bestimmte Betrachtung stieß. Die nannte sich: Der Einsatz des produktiven Personals, und das Wort Einsatz, das ja aus der Militärsprache stammt, machte mich neugierig. Was ich erfuhr, stimmte mich auch nicht gerade heiter: hier brachte so ein Generalstäbler des Konsums mir bei, warum die bescheidenen Gehälter, die man uns zahlte, durchaus angemessen waren. Dabei wurde ein-

fach vorausgesetzt, daß unser Personal erheblich unter dem Durchschnittsniveau der Fachgeschäfte stand. Uns wurde nachgesagt, daß Schulung und Ausbildung sich bei uns kaum lohnten, weil wir zu häufig den Arbeitsplatz wechselten. Und weil es uns auch an Verkaufstraining fehlte, schrieb man uns sogar Umsatzverluste zu. Es warf mich fast um, als ich las, daß junge weibliche Angestellte die Kalkulation weniger belasteten, da die meisten, wie es hieß, gut mit kleinen Gehältern auskommen und, wenn das nicht der Fall sein sollte, von ihren Eltern unterstützt werden. Zum Platzen! Danach entwarf dieser Fachmann Strategien für den Einsatz eines produktiven Personals, die mich noch mehr deprimierten. Ich möchte nicht allzuviel sagen, aber auf seine Art war er ein Moltke oder ein Clausewitz, jedenfalls einer von denen, die auch in friedlichen Zeiten immer nur an Schlachten denken. Und dann wurde mir bewußt, daß alles auf eine lautlose Umfassungsstrategie des Kunden hinauslief. Verbiestert legte ich das Buch wieder zurück und beschloß, bei Gelegenheit mit Willi über einzelne Kapitel zu sprechen.

Dieser Tag zog und zog sich hin, als einzige Besucherin erschien in meinem Büro Sophie vom Obststand; sie sammelte Spenden für ein Geburtstagsgeschenk, das unsere Abteilung dem Dekorateur machen wollte. Ich hatte diesen Dekorateur nur ein paarmal gesehen; dennoch stiftete ich einen Zehner wie alle bei uns.

Endlich kroch der Dienstschluß heran; mit dem ersten Gongschlag war ich schon draußen, hastete zur Rolltreppe und hätte mir am Eingang fast mein blödes Genick gebrochen. Zwei Arbeiter bargen da nämlich diese albernen Windmühlen, die den Eingang flankierten, und bei dem Versuch, eine Mühle anzuheben, stürzte sie um, mir vor die Füße; und um ja nicht einen ihrer Flügel zu zertreten, machte ich einen Satz, blieb aber mit dem Fuß an dem gottverdammten Plastikflügel hängen. Die Arbeiter fanden keine Worte des Bedauerns für mich, und ich hörte nur, wie einer zum anderen sagte: Warum hast du das Miststück nicht höher angehoben? Miststück nannte der Kerl die Mühle, tatsächlich. Ohne mich mit ihnen abzugeben, klopfte ich meine Hose ab und ging zur Bushaltestelle.

Zur Seemannsmission fand ich mühelos, doch Sjöberg wohnte dort nicht, er wohnte in einem dieser traurigen Häuser in der Nachbarschaft. Ein bezopftes Mädchen mit Zahnspange führte mich bis vor seine Tür. Sjöberg, der gerade beim Packen war, ließ es sich nicht nehmen, mir nach der Begrüßung seine bescheidene Wohnung zu zeigen – zwei Zimmer mit Küche. Er zog mich an jedes Fenster und rühmte die Aussicht, er schleppte mich vor sein Bett, vor seinen Schreibtisch, vor sein Bücherregal, über dem ein schlichtes Kruzifix an der Wand hing, und allmählich hatte ich das Gefühl, daß er mir die Wohnung anpreisen wollte. Zum Tee, den er schon vorbereitet hatte, gab es Knäckebrot, das mit süßem, dunklem Käse belegt war. Wir saßen an seinem Schreibtisch und tranken und aßen, und er nickte ein paarmal zu den herumstehenden Koffern und Kisten hinüber und wunderte sich und schüttelte den Kopf. Er wunderte sich, weil sich seine Sachen ins Unbegreifliche vermehrt hatten, er sagte: Da achtet man darauf, mit dem Nötigsten auszukommen, und unter der Hand sammelt sich wer weiß was an und sucht Unterschlupf bei dir. Von vielen Sachen hätte er sich bereits getrennt, aber einige fühlten sich so wohl bei ihm – wie er meinte –, daß sie mit nach Trondheim

sollten. Laß fahren dahin, das sei leichter gesagt als getan.
Ich hielt es kaum noch aus vor Ungeduld, ich wollte endlich erfahren, warum er mich zu sich bestellt hatte, aber der Seemannspastor nahm sich Zeit und stellte bekümmert fest, daß es Wesen gab, die er nur schweren Herzens zurückließ, und danach deutete er aufs Fenstersims, auf dem sich Tauben und Spatzen eingefunden hatten. Es war wohl gerade Fütterungszeit. Als einige Vögel fordernd gegen das Fenster pickten, stand er auf, zerdrückte eine Scheibe Knäckebrot in der Hand und streute die Krümel auf dem Fenstersims aus. Die Vögel stoben nur auf und kehrten nach knappem Rundflug zurück und begannen wie verrückt zu pikken. Sein Strahlen war sehenswert.
Auf einmal änderte sich der Ausdruck seines Gesichts, es war, als ob das Strahlen abgewischt wurde, schnell, hart, und an seiner Stelle, wie aufgeklebt, ein neuer Ausdruck zum Vorschein kam. Sorge beherrschte nun sein Gesicht, sprach auch aus seiner Haltung. Jan, sagte er, ach Jan, und blickte auf seine Hände und zog dann einen kleinen, altmodischen Koffer hinter dem Schreibtisch hervor. Vorsichtig hob er ihn auf die Schreibplatte und ließ die Schlösser aufschnappen. Ich bekam einen ganz schönen Schreck, als ich die Sachen sah, die, stümperhaft in Zeitungspapier eingewickelt, im Koffer lagen. Beim Anblick eines Silberbestecks, einer fein getriebenen Schale, Leuchtern und wertvollen Porzellanfiguren mußte ich, um die Wahrheit zu sagen, sofort an Diebesgut denken. Ich mußte es einfach. Sjöberg ahnte das wohl; er klopfte mir beruhigend auf die Schulter und vertraute mir an, daß alles, was im Koffer lag, Lone gehörte. Es ist ihr Eigentum, sagte er, und wenn ich fort bin, wirst du es ihr geben. Warum kannst

du es ihr nicht selbst geben, fragte ich, und da rückte er damit heraus, daß er all die Sachen auf Lones Bitte hatte verkaufen sollen. Immer, wenn es bei ihr knapp wurde, hatte sie ihn gebeten, irgendein Stück zu verkaufen, doch er tat es nicht, sondern sammelte und bewahrte nur, was sie ihm überlassen hatte. Das Geld, das er ihr gab, war sein eigenes; er sagte, er hätte es leicht entbehren können.

Ach, Niels, je mehr ich von dir erzähle, desto schmerzlicher spüre ich, wie du mir fehlst. Du mit deiner Offenheit und deiner ewigen Erwartung wärst der Freund gewesen, der uns alles leichter hätte bestehen lassen. Aber die Türen der Vertrautheit öffneten sich erst, als du dabei warst, uns zu verlassen. Weil du Lone die Konflikte ersparen wolltest, die aus anhaltender Dankbarkeit entstehen, übergabst du mir die Dinge, die du stillschweigend für sie bewahrt hattest; ich mußte dir versprechen, den Koffer heimlich nach deiner Abreise in Lones Zimmer zu stellen und nie etwas zuzugeben. Und nachdem ich es dir versprochen hatte, sagtest du ganz beiläufig, daß Lone auf mich hält, und weil ich nicht begriff, was du damit meintest, entschuldigtest du dich dafür, daß du nachlässig übersetzt hättest und daß du wirklich hattest sagen wollen: Lone hat dich sehr gern. Ich fragte dich, ob du deine Abreise nicht verschieben könntest, mir war auf einmal sehr daran gelegen, daß du bei uns bliebst, doch alles war beschlossen, und du konntest es nicht rückgängig machen. Bevor ich dich verließ, lobtest du noch einmal die kleine Wohnung, und plötzlich fragtest du, ob sie nichts für uns wäre, für Lone und mich, und weil ich darauf nichts sagen konnte, erwähntest du, daß Lone einen Schlüssel hätte und wir uns ja auch später beratschlagen könnten.

Sjöberg bestand darauf, mich mit seinem Motorrad nach Hause zu fahren. Er bot mir Helm und Brille an, und dann knatterten wir in der Dämmerung los. Den Koffer hielt ich mit beiden Händen fest, verzweifelter wurde noch nie ein Koffer festgehalten. Über das Fahrgefühl möchte ich nicht allzuviel sagen, aber soviel vielleicht doch: wer unbedingt herauskriegen möchte, welche Gedanken einem in unmittelbarer Todesnähe durch den Kopf gehen, der hätte sich nur einmal auf Sjöbergs Maschine zu schwingen brauchen. Vielleicht bilde ich es mir nur ein, aber als ich auf dem Sandweg kurz vor unserem Werkplatz ausstieg, schoß Hund aus der Dunkelheit heran und umsprang und begrüßte mich mit derart dauerhafter Freude, als ahnte er, daß ich in diesem Augenblick ihm und dem Leben zurückgegeben worden war. Der Abschied verlief wieder mal gegen meinen Wunsch: ich hatte vor, Sjöberg noch eine Menge zu sagen, doch dann langte es nur zu einem Händedruck und zu einem kaum erkennbaren Winken. Es war ein Abschied, der einfach zuviel übrigließ und unzufrieden stimmte.

Da ich den Koffer heimlich in mein Zimmer bringen wollte, näherte ich mich unserem Haus nur langsam; immer wieder blieb ich stehen und lauschte und starrte in die Dunkelheit, die an einigen Stellen des Werkplatzes aufgehoben wurde durch das trübe Licht der Bogenlampen. Komisch, wenn ich mich aus dem Dunkeln einem Haus nähere, dessen Fenster erleuchtet sind, beschleunige ich im allgemeinen meinen Gang: ich finde es nicht anständig, Leuten zuzusehen, die sich in ihrer Häuslichkeit unbeobachtet fühlen, ich meine, jeder hat das Recht auf ein Reservat, in dem er garantiert unbespitzelt ist. Diesmal jedoch blieb ich, unsere erleuchteten Fenster vor Augen, ganz gegen meine

Grundsätze und Gewohnheiten stehen, angezogen und begeistert von dem Bild, das sich mir bot. Ich setzte den Koffer ab und stand nur noch reglos da und sah zu, wie meine kleine Schwester versuchte, Betty eine neue Frisur zu machen. Falls es jemanden interessiert: Betty selbst wäre nie auf die Idee gekommen, uns mit einer neuen Frisur zu überraschen, sie war zufrieden mit ihrem dichten braunen Haar, das sie nur kräftig bürstete und nach unten kämmte. Nun aber hatte Jette anscheinend entdeckt, daß sich mehr machen ließe aus der natürlichen Haarfülle, etwas Gewagtes, Künstlerisches, vermutlich auch Verjüngendes, und während Betty ergeben und mit amüsierter Neugier dasaß, sammelte Jette das Nackenhaar, türmte es auf und befestigte es. Dann forderte sie die Frisierte auf, sich selbst in zwei Spiegeln zu betrachten; und wohl um anzudeuten, daß die Schönheit des Hinterkopfes oder dergleichen endlich zur Geltung käme, zeichnete Jette das neu entstandene Profil nach. Betty prustete los, als sie sich so sah, offenbar erschrak sie ein wenig, aber gleich machte sie wieder einen amüsierten Eindruck und wollte abermals in die Spiegel sehen, und allmählich, weiß der Kuckuck, schien sie etwas zu finden, das ihr gefiel, etwas Neues, Unvermutetes, das ihr Freude machte. Ich konnte erkennen, wie sie sich mit ihrem neuen Erscheinungsbild langsam anfreundete und auf einmal selbst mit spitzen Fingern hier und da zupfend die Haarlage korrigierte. Sie schien sich wahrhaftig zu entdecken. Es machte mir soviel Freude, daß ich ihnen stundenlang hätte zusehen können, stundenlang.

18

Solange ich denken kann, hat noch nie ein Besuch meinen Alten aus der Ruhe gebracht. Nicht gerade gleichgültig, aber doch gelassen und unbekümmert sah er ihm entgegen; meistens arbeitete er bis zum letzten Augenblick und wusch sich dann nur die Hände, und wenn es hoch kam, wechselte er vielleicht das karierte Baumwollhemd. Manchmal dachte ich, daß er den Besuch am liebsten mochte, der pünktlich kam und bald ging und nichts hinterließ als eine rasch verblassende Erinnerung.
An jenem Sonntag aber war er nicht nur von spürbarer Unruhe erfüllt, sondern hatte sich auch bereits erkennbar auf den Besuch vorbereitet. Ich staunte nicht schlecht, als er schon zum Frühstück mit Krawatte erschien, mit diesem alten geblümten Ding, das er auf seine Art gebunden hatte: ein breiterer Knoten als der, den mein Alter geschlungen hatte, läßt sich nämlich gar nicht denken; man hätte seinen Schlips fast für ein Halstuch halten können. Wir grinsten uns nur heimlich an, als er so aufgeputzt an den Tisch kam, und wir hörten nicht auf, uns still zu amüsieren, als er nach dem Frühstück zu kramen und zu ordnen begann, herumliegende Zeitungen einsammelte, die angegilbten Blätter unserer Geranien abknipste und sogar das Badezimmer aufräumte – übrigens nicht mißmutig oder verkniffen,

sondern durchaus gutgelaunt und erwartungsfroh. Selbst Jette, der zuliebe er soviel ordnete, zwinkerte uns mitunter zu oder hielt sich eine Hand vor den Mund, um nicht loskichern zu müssen. Vermutlich wußte sie gar nicht, daß er am Tag vorher schon Ernie und mich ins Gebet genommen hatte: um alles zu tun, damit der Besuch sozusagen erfolgreich verlief, hatte er uns nacheinander abgefangen und ermahnt, auf jedes infantile Gehabe und so weiter zu verzichten; wir sollten uns Mühe geben und ausgesprochen nett sein, nicht seinetwegen, aber Jette zuliebe. Zum Schluß, wohl um mich nachdenklich zu machen, glaubte er mir auch noch sagen zu müssen: Vergiß nicht, daß deine Schwester eine junge Frau ist.
Damit es jetzt mal gesagt wird: es war allein Jettes Besuch. Sie hatte sich mit Betty und meinem Alten besprochen, und beide waren anscheinend einverstanden damit, daß ihr Freund einmal zu uns kam. Zum Essen. Am Sonntag. Es geschah nicht zum ersten Mal, daß sie einen Freund anschleppte – ich erinnere mich noch an diesen Trickzeichner, Blomm hieß er, und an diesen entsetzlich intelligenten Ralf, der uns schon nach fünf Minuten klargemacht hatte, wie zurückgeblieben wir waren –, aber es war noch nie passiert, daß für einen bevorstehenden Besuch solch ein Aufwand getrieben wurde. Selbst über das Essen wurde hin und her beratschlagt; zuerst schlug Betty Schweinefilet mit Champignons vor, dann verfiel sie auf Lammkoteletts in Rosmarinsauce und entschied sich schließlich, weil er ihr noch nie mißlungen war, für Kalbsbraten mit Rosenkohl. Wer ihr neuer Freund war, wie er hieß und so: das konnte sogar Ernie, der immer wieder danach fragte, nicht aus Jette herausbekommen; sie verriet nur soviel, daß er Chemiker war, angehender Chemiker, und daß er

in seiner Freizeit zwei Hobbies frönte, nämlich dem Sport und dem Lesen. Als ich das hörte, mußte ich gleich an diese albernen Heiratsannoncen denken: jeder zweite, der da auf eine Ehe aus ist, gibt als Hobby Sport und Lesen an, wirklich.
Als es auf Mittag zuging – Jette hatte den Tisch schön gedeckt und half Betty in der Küche –, zog es Ernie und mich wie von selbst ans Fenster; obwohl es noch nicht an der Zeit war, suchten wir den Werkplatz und den Sandweg ab, und auf einmal rief Ernie mich zu sich und zeigte auf eine Gestalt vor dem schütteren Wäldchen: Da, sieh mal, ich wette, daß er das ist. Gemächlich bewegte sich die Gestalt, verhielt wie in Betrachtung all des weggeschmissenen Abfalls, zukkelte weiter und kehrte an der Wegkreuzung wieder um. Der Junge hat sich verfrüht, sagte Ernie und fügte anerkennend hinzu: Das spricht schon mal für ihn, oder? Bald erkannten wir, daß er einen Blumenstrauß trug und von Zeit zu Zeit den linken Arm vorstieß, um auf seine Uhr zu blicken. Paß auf, sagte Ernie, zehn vor eins latscht er durchs Tor. Er tat es tatsächlich; plötzlich hatte er es sogar eilig und strebte zügig den Sandweg zu uns herab, hob im Gehen den Kopf, um unser Firmenschild zu studieren, und betrat den Werkplatz. Allmählich kam mir der braungebrannte Typ mit dem kurzen weißblonden Haar bekannt vor, und als er vor der offenen Werkstatt stehenblieb, wußte ich endgültig, wo ich ihm schon einmal begegnet war: in der Badeanstalt natürlich. Ich sah ihn auf dem federnden Sprungbrett, sah ihn wippen und hochschnellen und nach anderthalbfachem Schraubensalto ins Wasser tauchen. Mir fiel auch gleich ein, daß er Gernot hieß. Anscheinend muß ich einen Überraschungslaut produziert haben, denn Ernie fragte mich: Ist was?, und er fragte

weiter: Kennst du ihn etwa? Der da kommt, ist ein Kunstspringer, sagte ich, Spezialität anderthalbfacher Schraubensalto. Gerade als hätte er mit Kunstspringern seine besonderen Erfahrungen, sagte Ernie: Das kann ja heiter werden.
Erst einmal blieb Gernot vor der offenen Werkstatt stehen. Er hatte das Grabmal für Thérèse entdeckt und starrte und starrte es an, und es dauerte wer weiß wie lange, bis er sich wieder rührte und dann nicht etwa gleich zur Haustür ging, sondern zunächst beklommen an das Grabmal herantrat und es aus der Nähe musterte. Tupfend berührte er den Stein, wischte auch einmal ganz leicht über den Arm des davongehenden Mädchens. Ob er beeindruckt oder ergriffen oder nur neugierig war, konnte ich nicht erkennen; jedenfalls vergaß er die Zeit und ließ es fünf nach eins sein, bevor er zum Haus kam. Jette öffnete ihm die Tür und strahlte ihn ausgiebig an; dann küßte sie ihn flüchtig und stellte ihn uns vor: Gernot Kittmann. Sie führte ihn zuerst zu Betty, der er den Blumenstrauß gab, gelbe Teerosen, und für die Einladung dankte. Auch meinem Alten dankte er für die Einladung. Zu Ernie und mir sagte er nur: Freut mich, und reichte uns die Hand zur Begrüßung. Eine Weile lächelten wir uns an, und die Art, wie er lächelte, gefiel mir überraschenderweise; ich erkannte, daß seine Verlegenheit aufrichtig war. Ich fragte ihn, ob es schwer gewesen war, zu uns herauszufinden. Nein, es war nicht schwer, sagte er, und ließ durchblicken, daß ihm die Bushaltestelle bekannt war – was natürlich soviel hieß, daß er Jette schon einige Male nach Hause begleitet hatte. Unwillkürlich versuchte ich mir vorzustellen, wie sie nebeneinander im Bus saßen, Jette und er, und wie sie ihre Hände reden ließen und dann ausstiegen und im Dun-

keln die üblichen Griffe anwandten und all das, und auf einmal wurde ich gewahr, daß ich Jette mit anderen Augen sah, ich meine, sie erschien mir nicht mehr nur als der kleine schwesterliche Kumpel. Um auch das zuzugeben: gleichzeitig empfand ich für Gernot eine aufkommende Zuneigung, ich überraschte mich sogar bei dem Gedanken, daß ich ihm Jette gönnte, im Ernst. Betty bot ihm eine Zigarette an, doch er lehnte ab; er hatte noch nie geraucht, mochte es aber gern, wenn andere rauchten.

Die Kartoffeln waren noch nicht gar, und so setzten wir uns erst einmal, und Gernot musterte meinen Alten und Ernie und mich und erwiderte jeden Blick offen und freundlich. Er fühlte sich bestimmt nicht unwohl bei uns. Als wir erfuhren, daß er in unmittelbarer Nähe des Flughafens wohnte, konnten wir verstehen, warum er die Stille hier draußen so nachdrücklich lobte. Einen Flugzeugtyp wünschte er wer weiß wohin, das war die Super-One-Eleven; er wollte gar nicht wissen, wie vielen Engeln bereits die Trommelfelle geplatzt waren von ihrem Getöse. Nach einer Pause sagte er, daß er eine Steinbildhauerei noch nie von innen gesehen hätte – er gebrauchte tatsächlich den Ausdruck »Steinbildhauerei« –, und mein Alter stellte ihm sogleich frei, sich einmal während der Arbeitszeit bei uns umzusehen, obwohl es, von außen her betrachtet, Überraschendes kaum zu entdecken gäbe. Das wollte Gernot ihm nicht abnehmen, schon im Vorübergehen habe er festgestellt, daß es hier manches gibt, was einen staunen und fragen läßt, das große Denkmal aus diesem gelblichen Stein zum Beispiel, das Mädchen und der Mann mit der Rose. Ein Auftrag, sagte mein Alter bescheiden, sie werden zwar immer seltener, die Aufträge, aber wenn sie uns zuteil werden, bemühen wir uns.

Als er gefragt wurde, welche Vorarbeiten gemacht werden müssen für solch ein Grabmal, gab er bereitwillig Auskunft, erzählte von der Bestimmung des Steins, erwähnte die Entwürfe in der Skizze und die Herstellung des Modells; vor allem vergaß er nicht zu betonen, wie wichtig für ihn die Kenntnis der Person sei, zu deren Andenken er das Grabmal mache. Er bekannte, daß er nicht in der Lage sei, eine Arbeit für einen Menschen zu übernehmen, von dem er nichts wisse; deswegen lasse er sich Fotos zeigen und alles Mögliche aus dem Leben berichten, und wenn dann die erwünschte Beziehung da sei, könne er den Auftrag annehmen. Um ein Beispiel zu geben, kam er auf das Grabmal für Thérèse zurück, er erzählte Gernot, daß das Mädchen Kunsttischlerin gewesen sei, eine begabte Restauratorin, der alles gelang – bis auf die letzte Arbeit, die sie einfach nicht meistern konnte: die Wiederherstellung eines alten französischen Schmuckschrankes. Er glaubte tatsächlich – weiß der Teufel, woher ihm seine Gewißheit kam –, daß das Mädchen nicht so bald gestorben wäre, wenn es dem einzigartigen Stück seine Schönheit hätte zurückgeben können. Das überraschte mich. Jedenfalls kam er damit heraus, daß er bei der Arbeit oft das Gefühl hätte, Thérèse persönlich gekannt zu haben.
Wer weiß, mit welch verblüffenden Auskünften mein Alter uns noch unterhalten hätte, doch endlich waren die Kartoffeln gar, und Jette trug sie herein und rief uns zu Tisch. Sie ließ es sich nicht nehmen, jedem eine ziemlich blasse Scheibe Kalbsbraten auf den Teller zu legen, und forderte Ernie mit einem warnenden Blick auf, die Schüssel mit dem Rosenkohl erst einmal dem Gast zuzureichen, bevor er sich selbst bediente. Schweigend füllten wir unsere Teller, dann wünschte

Betty Guten Appetit und fügte hinzu, daß wir uns nur Zeit lassen sollten – eine Aufforderung, die in unserer fast nur aus Schnellessern bestehenden Familie ihre Berechtigung hatte. Um die Wahrheit zu sagen: wir aßen ungefähr zweimal so schnell wie Jettes Freund, der, ohne gefragt worden zu sein, das Essen lobte und gern Rosenkohl nachnahm und etwas von der braunen sämigen Soße; auf Fleisch verzichtete er. Warum Jette bei seinem Verzicht lächelte, konnte ich zunächst nicht verstehen, doch ich begriff es, als meine Schwester auf einmal sagte, Gernot mache sich nicht allzuviel aus Fleisch, weil er als Lebensmittelchemiker ständig Proben untersuchen müsse und dabei wohl etwas von seinem Appetit verloren habe. Das kann passieren, sagte sie.

Gernot war es sehr peinlich, daß Jette das erwähnt hatte, und gerade als wollte er ihre Erklärungen entwerten, säbelte er ein Stück von dem Kalbsbraten ab und schob es sich in den Mund. Er wäre bestimmt froh gewesen, wenn wir seine chemischen Untersuchungen und all das übergangen hätten, doch mein Alter, bemüht, dem Gast auf jede Art gefällig zu sein, hakte nicht nur interessiert, sondern geradezu dankbar nach. Herr im Himmel, wie der auf einmal Beschwerde führte über das miese Fleisch, das einem mitunter angedreht wurde, und wie nachdrücklich er Untersuchungen und Kontrollen forderte; er ging zwar nicht so weit, für skrupellose Mäster gleich die Todesstrafe zu verlangen, war aber doch der Ansicht, daß die Strafen empfindlicher als üblich ausfallen sollten. Danach wandte er sich an Gernot und fragte, ob er nicht recht habe mit allem, und unser Gast sagte nicht mehr als: Im Großen und Ganzen schon.

Nun legte auch noch Betty los; sie wollte endlich mal

erfahren, woran es lag, daß so manches Stück Fleisch beim Braten auf die Hälfte zusammenschnurzelte; es könne doch nicht mit rechten Dingen zugehen, meinte sie, wenn ein Steak, das beim Einkauf die ehrliche Größe einer Schuhsohle habe, in der Pfanne auf das Format einer Streichholzschachtel schrumpfe. Selbst unser heutiger Kalbsbraten, sagte sie, hat mich ganz schön enttäuscht. Gernot lächelte, und achselzuckend und zu Betty hinsprechend stellte er fest, daß es vom Mäster aus gesehen durchaus mit rechten Dingen zugehe, weil der nämlich Masthilfen verwende, Thyreostatica, die die Entwicklung von Jod in den Schilddrüsen-Hormonen hemmen. Die Schlachttiere nähmen daraufhin prompt zu, freilich nicht an Fleisch, sondern an Wasser, das sei kein Wunder, denn was diese Masthilfen unmittelbar zur Folge hätten, sei eine erhebliche Verringerung der Wasserausscheidung. So einfach ist das, sagte Gernot, statt Fleisch wird Wasser angesetzt. Betty ließ ihre Gabel fallen, sah uns der Reihe nach an und sagte dann: Das müßte doch wohl verboten werden, oder? Offiziell ist die Anwendung von Thyreostatica verboten, sagte Gernot, und fügte leise hinzu: Offiziell.

Ernie nannte das einen »dicken Hund«; sein Appetit hatte sichtbar nachgelassen, und nicht nur das: er war beunruhigt. Mißtrauisch musterte er sein Fleischstück und fragte: Kann man sich auch was wegholen, wenn man das Zeug schluckt? Ich meine, kann man sich irgendwelche Schäden wegholen? Allergien, sagte Gernot, diese Masthilfen können beim Menschen zu Allergien führen, und in jüngeren Jahren kann es zur Kropfbildung kommen. Dieser Ernie – großer Gott! Als er das hörte, fuhr er sich wahrhaftig mit der Hand an den Hals und betastete die Gegend unter seinem Adamsapfel – zur Begeisterung von Jette, die zuerst losprustete und sich dann vor Lachen fast verschluckte. Siehst du, sagte sie zu Ernie, das kommt davon, wenn man zuviel wissen will.

Sie und mein Alter aßen mit unvermindertem Appetit weiter, und nachdem Betty die Nachspeise hereingebracht hatte – Vanillepudding mit Schokoladensoße –, waren sie die ersten, die ihre Teller füllten. Ich wartete, bis der Besuch sich bedient hatte, und schob dann die Schüssel Ernie zu, der zuerst unschlüssig auf die gelbe Masse starrte, eine Weile schwankte, ob er nehmen sollte, und es schließlich mit einem kümmerlichen Klacks und einem Spritzer Soße genug sein ließ. Jette belustigte das dermaßen, daß sie zu Gernot sagte: Da siehst du, was du angerichtet hast; danach forderte sie ihn auf, sozusagen ein gutes Wort für die Speise einzulegen und alle zu beruhigen. Gernot entpuppte sich wirklich als eine Marke für sich, das heißt, er wurde mir immer unheimlicher: er brachte es fertig, den Pudding und die Schokoladensoße – er hatte sich reichlich aufgetan – zu loben und uns ganz nebenher beizubringen, daß in den Kakaobohnen, aus denen Schokolade gemacht wird, eine Menge Cadmium und dergleichen steckt, irgend so ein gottverdammtes Schwermetall, und genußvoll löffelnd verbreitete er sich darüber, daß der Kakaomasse bei der Aufschließung allerhand Chemikalien zugesetzt würden, die man später auf der Packung nicht anzugeben braucht. Ich kann mich nicht an alle Chemikalien erinnern, die er aufzählte, aber Magnesiumoxid und Magnesiumcarbonat waren bestimmt darunter, und dazu noch Ammoniumhydroxid. Als er uns dann beim Kaffee seelenruhig erklärte, in welchem Tempo der Bleigehalt in offenen Milchdosen zunimmt, war ich im Ernst bedient und beschloß still

für mich, eine Zeitlang nur noch von Äpfeln und Birnen zu leben.
Nach dem Essen wollte Jette ihrem Freund unbedingt die kranken Kleintiere zeigen, die sie in Pflege genommen hatte; und kaum waren sie abgezogen, da mußte mein Alter auch schon bekannt geben, wie sympathisch ihm dieser Gernot Kittmann war. Eine natürliche Freundlichkeit hielt er ihm zugute, außerdem hob er seine Bescheidenheit hervor und wollte nicht zuletzt entdeckt haben, daß Gernot eine Menge auf dem Kasten hätte, ohne damit aufzutrumpfen. Betty war an unserem Gast etwas anderes aufgefallen, sie glaubte festgestellt zu haben, daß er ziemlich unsicher war, weil er häufig Jettes Blick suchte, um bestätigt oder bestärkt zu werden; insgesamt aber war sie der Ansicht, daß Jette einen sehr netten Freund hatte. Daß mein jüngster Bruder zu einem eigenen Urteil gekommen war, hätte ich von ihm in jedem Fall erwartet. Ernie fand unseren Gast gar nicht so übel, er traute ihm sogar zu, witzig zu sein, aber was ihn störte, war Gernots Beruf. Der hat doch immer nur seine Chemie im Kopf, sagte er und fügte hinzu: Jette tut mir jetzt schon leid, wenn sie sich bei jedem Essen sagen lassen muß, wieviel ausgefallenes Gift da drinsteckt. Ernie sah schon voraus, daß Jette eines Tages nach einer Chemietabelle würde kochen müssen, und deshalb war er dafür, daß sie lieber einen Tierfänger als einen Lebensmittelchemiker heiraten sollte. Der gute alte Ernie! Betty und mein Alter lachten nur und tauschten einen Blick, anscheinend stiegen in ihnen Erinnerungen an ähnliche Gespräche auf, in denen es um Beruf und Ehe ging. Erleichtert angelte Betty sich ihr Zigarettenpäckchen, ich riß ein Streichholz an und gab ihr Feuer, und in diesem Augenblick hörten wir den Knall.

Es war kein richtiger Knall; ich meine, es klang nicht wie bei einem Schuß; vielmehr hörte es sich an, als sei eine sehr große irdene Blumenschale, die jemand aus dem dritten Stock gestoßen hatte, aufs Pflaster aufgeschlagen. Bei diesem mächtigen, dumpfen Geräusch, dem ein kurzes Kollern und Scharren folgte, sahen wir uns an und verharrten regungslos, einige Sekunden zumindest; dann stürzte Ernie als erster ans Fenster und blickte auf den Werkplatz und wandte sich gleich wieder um, ein einziges Erschrecken im Gesicht. Alles, was er sagen konnte, war: Um Gottes willen; und ohne ein Wort der Erklärung stürzte er hinaus, ließ die Tür offen und rannte, rannte. Nun gingen auch wir ans Fenster. Da lag es. Das Grabmal in der offenen Werkstatt stand nicht mehr. Gestürzt und zersprungen lag alles da, was mein Alter aus dem Stein genommen hatte; nur der Sockel, leicht verkantet, war heil geblieben. Ich bekam noch mit, wie Betty sich mit beiden Händen an meinen Alten klammerte, dann rannte auch ich hinaus und sah Ernie aufgeregt winken und hörte ihn schreien und rufen, und er rief immer noch, als ich neben ihm war.

Jesus Christus, nie werde ich vergessen, wie der Junge da lag unter Brocken und Grus; sein Gesicht war unversehrt, nur ein dünner Blutfaden zeigte sich in einem Mundwinkel, und seine Lippen waren aufgesprungen. Auf seinem Brustkorb lastete ein schweres Bruchstück, vermutlich ein Mittelteil der männlichen Figur; seine mageren Beine, die wie verdreht wirkten, waren verschürft von kantigem Geröll. Eine Hand wurde von einem länglichen Steinstück beklemmt, die andere, leicht erhoben, als wollte sie etwas vorweisen, hielt einen Gegenstand umklammert, der wie gepflückt, wie erbeutet schien.

Wir knieten uns hin und sammelten und wischten ab, was den Körper des Jungen bedeckte, wir stemmten auch das schwere Bruchstück zur Seite, von der Hoffnung getrieben, daß er sich bewegen und aufstehen werde, doch er rührte sich nicht; auch nachdem wir ihn von allen Brocken und von Grus befreit hatten, rührte er sich nicht. Immer noch auf den Knien, sah ich auf einmal die mit Stahlkappen verstärkten Schuhe meines Alten vor mir, er stieß mich zurück, er trat dicht an den Jungen heran und hob ihn behutsam auf und hielt ihn ohne Anstrengung in den Armen, unsicher, wohin er ihn tragen sollte. Blickweise befahl er mir dann, seine Schürze vor der Holzbank auszubreiten und auf die Schürze eine Jacke von Nikolas zu legen, die an einem Nagel hing; ich tat es, und mein Alter bettete den Jungen darauf. Mit einem Finger fuhr er ihm über die Wange. Sanft, als könnte er ihm wehtun, öffnete er seine Hand und löste aus ihr, was sie umschlossen hielt: ein Bruchstück der Rose, die die männliche Gestalt dem vorangehenden Mädchen nachtrug. Es war tatsächlich ein Stück von dieser Rose.

Ich rannte ins Haus, um den Unfallwagen zu rufen. Am Eingang prallte ich mit Betty zusammen, die mich festhielt und nur wissen wollte, ob alles entzwei sei. Sie fragte wahrhaftig: Ist alles entzwei? Ich sagte ihr, daß Fritz verunglückt war, und da stöhnte sie: Mein Gott, doch wohl nichts Schlimmes? Sie ließ mich gleich los und eilte zur Werkstatt. Ich rief die Nummer vom Unfalldienst an und nannte unsere Adresse und so weiter, und danach ging ich zu Lones Tür, ach was, ich stürzte zu ihrer Tür, verhielt aber plötzlich, gehemmt und gepeinigt von Ratlosigkeit. Ich wußte einfach nicht, was ich ihr sagen sollte. Alles, was ich spürte, war ein Pochen in den Schläfen und ein zunehmender Druck auf der Brust. Ich wartete erst einmal, bis das echolose Klappern der Schreibmaschine aussetzte. Ich nahm mir vor, ganz ruhig und beschwörend auf sie einzusprechen, so ähnlich wie mein Alter damals, als er Betty beibringen mußte, daß Reimund sich erschossen hatte. Sieh mich an, hatte er mehrmals gesagt, bitte, sieh mich an, und dann hatte er sie nicht aus seinem Blick entlassen. Um ehrlich zu sein: ich klopfte erst, nachdem ich mir die einleitenden Sätze zurechtgelegt hatte, doch als ich dann in ihrem Zimmer stand und sie sich langsam zu mir umwandte, war alles vergessen, und ich konnte nicht mehr sagen als ihren Vornamen. Lone sah mir sofort an, daß etwas Schlimmes passiert war, sie kam zaghaft auf mich zu, gespannt und verschattet von plötzlicher Unruhe. Was ist passiert, Jan, was ist passiert? Komm, sagte ich, ein Unfall. Fritz, fragte sie, und ich darauf: Der Rettungswagen ist schon unterwegs. Sie wollte an mir vorbei, doch ich faßte ihre Hand und zwang sie, neben mir zu gehen, und auf dem ganzen Weg sprachen wir kein einziges Wort miteinander.

Erst in der Werkstatt ließ ich ihre Hand los. Lone schien niemanden zu bemerken, nicht Betty, nicht Ernie, nicht Nikolas, der wohl bei Großvater Hinrich gewesen war, und auch meinen Alten nicht, der mit ineinandergelegten Händen auf der Bank saß und auf den Jungen hinabstarrte. Zitternd stand sie da, wie in Trance, und nach einer Weile fragte sie leise: Tot? Ist er tot? Sie fragte es, ohne einen von uns anzublicken. Niemand antwortete ihr. Sie stieß einen ziehenden Jammerlaut aus, ihre Augen füllten sich mit Tränen, und als suchte sie plötzlich nach Balance, streckte sie tastend die Arme aus und ging in die Knie und hockte sich auf die Schürze, dicht neben den Jungen. Während sie sein Gesicht betrachtete, stieß sie mehrmals diesen Jammerlaut aus, der mich wie ein Stich traf und den ich kaum aushalten konnte – und nicht nur ich allein. Auch Betty war so verzweifelt und mitgenommen, daß sie zu Lone trat und ihr eine Hand auf die Schulter legte, die Hand aber gleich wieder wegnahm, weil Lone unter der Berührung erschauerte. Am gefaßtesten von uns allen war bestimmt Nikolas; er brachte es fertig, einige zersprungene und weggekollerte Stücke des Grabmals aufzuheben und geräuschlos in einer Ecke der Werkstatt abzulegen; den Kopf des Mannes mit der Rose setzte er auf der Holzbrüstung ab und schabte mit den Fingern an einer Bruchstelle. Als Lone den Jungen anfaßte, um seinen Kopf auf ihren Schoß zu heben, wollte ich ihr helfen, aber sie schaffte es allein und saß dann nur gekrümmt da und schluchzte stoßweise. Was Scheu ist und was sie mit einem machen kann – an diesen Tag bekam ich es zu spüren, denn ich bin mir ganz sicher, daß es lediglich diese Scheu war, die mich lahmlegte und dahin brachte, daß ich kaum etwas tun konnte.

Ich weiß nicht, wie lange es dauerte, bis der Unfallwagen über den Sandweg zu uns herunterkam. Nikolas sagte später, daß er nur fünf Minuten gebraucht hätte, mir aber kam es wie fünf Stunden vor, und bevor er noch zu sehen oder zu hören war, kamen Jette und ihr Freund angelaufen, und Betty nahm sie zur Seite und erklärte ihnen, was geschehen war. Die kleine Jette. Nur einen Augenblick schaute sie ungläubig auf Lone und den Jungen, dann ging sie zu ihr und ließ sich nieder und legte einen Arm um sie. Und was ich nicht getan hatte, das tat Gernot wie selbstverständlich: er beugte sich über Fritz, strich einmal über sein Stoppelhaar, legte lauschend das Ohr an die schmächtige

Brust, nahm auch sein Handgelenk und suchte den Puls. Zwei-, dreimal hob er die Hand des Jungen leicht an und ließ sie zurückfallen. Gegen meinen Alten, der sie gewiß nicht wahrnahm, machte er eine Geste des Kummers, die bedeuten sollte, daß er kein Lebenszeichen gefunden hatte. Dann zog er sein Taschentuch heraus und gab es Jette, und meine Schwester wischte Lones Gesicht ab, wobei sie nicht aufhörte, flüsternd auf sie einzureden. Was sie sagte, konnte ich nicht verstehen, an ihren Lippenbewegungen erkannte ich jedoch, daß es oft die gleichen Worte waren, die sie wiederholte, und sie hatten ihre Wirkung; nach einiger Zeit brachte Lone keinen Jammerton mehr hervor.
Noch bevor wir ihn sahen, war der Unfallwagen schon zu hören, er huckelte mächtig auf dem ausgefahrenen Weg, schlingerte und hopste. Die Sirene und das Blaulicht schalteten sie aus, als sie bei uns waren: ein sehr junger Arzt stieg aus und seine bebrillten Helfer, und Gernot ging ihnen entgegen und weihte sie ein. Nun stand auch mein Alter von der Holzbank auf, mühsam, wie benommen, er stand auf und sah zu, wie sich der Arzt zu Lone herabbeugte und mit ihr sprach und danach den Jungen untersuchte, Pupillen, Brustkorb, Herz- und Pulsschlag. Anscheinend kam der Arzt zu einem anderen Ergebnis als Gernot, denn er gab seinen Helfern ein Zeichen, und sie legten Fritz auf eine Tragbahre und brachten ihn in den Wagen.
Ach, Hans, mein Alter, ich seh dich noch in deiner Werkstatt, grau war dein Gesicht, dein Mund ganz verkniffen, du stiertest durch alles hindurch, was dich umgab, bemerktest wohl gar nicht, wie der junge Arzt das Geröll und die Bruchstücke musterte, einen Brokken aufhob und ihn befühlte. Und als er sagte, daß es wohl eine Untersuchung geben müßte, nicktest du

nicht einmal, sondern stiertest nur an ihm vorbei, gleichgültig gegenüber allem, was jetzt noch geschehen konnte, nach diesem Unglück. Mehr als wir alle ahnte gewiß Betty, was mit dir los war, sie hatte nichts zu sagen, sie stellte sich nur neben dich und hakte sich bei dir ein, furchtsam und verzagt, aber dennoch erfüllt von der selbstverständlichen Bereitschaft, etwas von dem zu übernehmen, was dich belastete – und nie zuvor empfand ich soviel Mitleid mit euch wie in diesem Augenblick.

Der Arzt fragte Lone, ob sie mitfahren wollte, und half ihr beim Einsteigen durch die Hecktür, und er war damit einverstanden, daß Jette sich zu Lone setzte und sie auf der Fahrt begleitete. Es war übrigens Gernots Idee; nachdem Lone sich auf den Klappsitz gesetzt hatte, sagte er zu Jette: Du solltest wohl auch mitfahren, worauf meine Schwester ohne zu zögern in den Wagen kletterte und keinen Blick mehr für uns hatte, auch beim Abfahren nicht. Das Blaulicht und die Sirene schalteten sie erst ein, als sie den Sandweg hinter sich und die Asphaltstraße erreicht hatten.

Mir war so elend zumute wie schon lange nicht, und es gab mir fast den Rest, als ich im Geröll einen abgebrochenen Zahn schimmern sah. Ich hob ihn auf und steckte ihn in die Tasche, von Gernot dabei beobachtet, der kopfschüttelnd herumging und den Schaden bemaß und, wenn er Nikolas streifte, lediglich die Augen schloß wie in stummer Verzweiflung. Auch er hob ab und zu einen Brocken auf und begutachtete ihn. Was er aufgehoben hatte, ließ er nicht einfach fallen, sondern legte es entweder auf die Brüstung oder reichte es Nikolas, der nicht aufhörte, die Bruchstellen zu untersuchen, und immer wieder zum Meister hinüberlinste, um etwas loszuwerden; doch mein Alter übersah seine Versuche, sich bemerkbar zu machen. Betty konnte ihn nicht dazu bringen, mit ins Haus zu gehen, alles Bemühen half nicht; immerhin begriff er, was sie wollte, denn er tätschelte ihre Hand und murmelte: Geh man schon, ich komm nach. Dann setzte er sich wieder.

Gernot und Ernie boten sich an, mit Betty ins Haus zu gehen, sie war ziemlich erledigt und kurz davor, zu heulen, dennoch dankte sie Gernot für seinen Beistand. Plötzlich winkte mein Alter mich zu sich. Er hatte seine Not, zu sprechen, und es dauerte eine Weile, bis er mich fragte: Kommt er durch, Jan? Was meinst du? Schafft er es? Ich weiß nicht, sagte ich, fügte aber, um ihn zu beschwichtigen, hinzu: Sie werden bestimmt alles versuchen. Langsam öffnete er eine Hand, in der er immer noch das Bruchstück der Rose hielt, das er Fritz abgenommen hatte, und auf den steinernen Kelch hinabsprechend, fragte er: Begreifst du das? Mein Gott, begreifst du das? Ich wußte nicht, was ich ihm antworten sollte, ich wußte es einfach nicht. Da kam Nikolas zu uns, auch er hatte einen Brocken in der Hand, den er drehte und bekratzte. Nikolas stellte mit sicherer Stimme fest, daß der Stein keinen inneren Schaden hatte, nichts, meinte er, war da eingeschlossen, nichts hatte sich abgelagert; auch Lösungsschäden hatte er nicht entdecken können. Es lag nicht am Stein, Meister, sagte er, der Rohblock war in Ordnung. Nikolas vermutete, daß alles nur passieren konnte, weil die Holzplattform nicht ausreichend stabilisiert war; obwohl sie mit Stroh unterlegt war, stand sie nicht sicher genug, und ebensowenig das auf ihr ruhende Steinbild. So wird es gewesen sein, Meister – der Junge wollte an die Rose ran, er reckte sich hinauf und zog mit seinem ganzen Gewicht, vielleicht hängte er sich auch an den

Arm der Mädchenfigur, und das war zuviel. Um seine Vermutung zu stützen, erinnerte Nikolas an ein lange zurückliegendes Unglück, es geschah während seiner Lehrzeit, auf einem Friedhof, wo ein mächtiger Grabstein, unter dem die Erde gesackt war, stürzte und einen Jungen erdrückte, der nur mal die Standfestigkeit des Steins hatte prüfen wollen.
Hoffentlich bringen sie ihn durch, sagte mein Alter und stand auf und starrte fassungslos auf das Geröll zu seinen Füßen. Er wollte nicht, daß Nikolas mit dem Forträumen begann, weder gleich noch am nächsten Tag, er wollte, daß alles so liegenblieb; eine Begründung für seinen Wunsch gab er nicht. Gut, sagte Nikolas, gut, Meister, alles bleibt, wie es ist; aber dann wollte er wissen, ob er den Auftraggeber benachrichtigen sollte, diesen Professor, und mein Alter sagte: Das hat Zeit; erstmal wollen wir abwarten, ob der Junge durchkommt. Er zog davon mit seinem Schleifschritt, zum Haus hinüber; wir blieben noch in der Werkstatt, wir blieben, weil wir beide das Verlangen hatten, zu reden, doch dann erwies es sich, daß wir nur schweigen konnten, und so gingen auch wir ins Haus.
Sie saßen alle beim Kaffee. Betty hatte Apfelkuchen auf den Tisch gebracht, aber niemand nahm davon. Wer weiß, wie einige von uns sich aufgeführt hätten, wenn Gernot nicht dagewesen wäre, bestimmt hätten wir Ausbrüche erlebt und allerhand Beschuldigungen und Selbstvorwürfe zu hören bekommen. Die Anwesenheit eines Fremden aber reichte aus, daß alles unterblieb, und nicht nur das: da Gernot eine Menge zu fragen hatte – nach der Härte verschiedener Steine und wie sie gebrochen würden und welche Schäden sie bedrohten und so weiter –, fühlte sich mein Alter verpflichtet, ihm zu antworten. Er gab nicht allzu umfassende Aus-

künfte, das nicht, aber er ging auf jede Frage ein und erwähnte auch die häufigsten Unfallursachen und die Schutzvorkehrungen. Mitunter hatte ich den Verdacht, daß Gernot nur soviel fragte, damit mein Alter nicht wieder in dieses hoffnungslose Brüten verfiel wie in der Werkstatt. Von Jettes Freund ließ sich jedenfalls einiges lernen, wirklich, denn er verhinderte nicht nur, daß meinem Alten die Sprache ausging; um sachliche Aufklärung bemüht, befragte er auch Nikolas nach dem mutmaßlichen Hergang des Unglücks, wiederholte nickend dessen Ansichten und gab ihm recht.

Auf einmal hielt ich es nicht mehr aus. Ich konnte ihnen einfach nicht mehr zuhören, weil der Druck im Magen immer stärker wurde und so ein würgendes Gefühl in mir aufstieg. Deutlich sah ich Lone vor mir, sie saß in einer Nische auf einem belebten Krankenhauskorridor, über den weißgekleidete Frauen und Männer gingen, die es alle eilig hatten. Jette saß neben ihr. Das Bild kam wie von selbst, ich wurde es nicht mehr los, und ich hatte nur noch den Wunsch, bei ihnen zu sein. Meine Leute hoben kaum das Gesicht, als ich fragte, ob einer von ihnen zufällig wüßte, zu welchem Krankenhaus der Unfallwagen gefahren war. Das war typisch, keiner von uns hatte sich darum gekümmert. Ich erwog, mir ein Taxi zu bestellen und die nächstgelegenen Krankenhäuser abzuklappern; ich war ganz sicher, Lone zu finden, denn allzuviele Möglichkeiten gab es nicht. Gerade als ich mich entschloß, in mein Zimmer zu gehen und mir dort genügend Geld einzustecken, läutete das Telefon, und ich war gleich dran, und trotz eines verfluchten Nebengeräusches, das eine Maschine oder ich weiß nicht was hervorrief, erkannte ich Jettes Stimme. Sie verlangte Mami. Mehrmals fragte ich: Was ist los, Jette, komm, sag doch, was los ist, aber sie blieb bei ihrer Forderung und herrschte mich an: Hol Mami, los, hol doch Mami, und ich winkte also Betty heran und gab ihr den Hörer. Betty holte tief Luft und hörte nur zu; solange sie den Hörer hielt, sagte sie nicht ein einziges Wort und vermied es, einen von uns anzusehen. Sie preßte die Lippen zusammen, sie warf den Kopf zurück wie in verzweifelter Weigerung. Dann ließ sie den Hörer sinken und suchte den Blick meines Alten und sagte: Er ist tot. Ich nahm ihr den Hörer aus der Hand und legte ihn auf die Gabel. Nur aus Besorgnis wollte ich Betty zu ihrem Stuhl führen, doch sie wehrte meinen Griff ab. Über die Stille, die auf einmal herrschte, läßt sich nichts sagen, die muß man einfach erlebt haben. Aber daß sie etwas ankündigte, hat wohl jeder von uns gespürt. Auch wenn man noch nicht weiß, was geschehen wird: mitunter liegt in der Stille eine einzige Ankündigung, wirklich.

19

Wäre ich nur nicht zu diesem Kursus gefahren! Es war ein Fortbildungskursus für Hausdetektive, Strupp-Schönberg hatte mich dahin geschickt, er hatte sogar auf meiner Teilnahme bestanden, einfach weil er wollte, daß ich mir endlich das wissenschaftliche Rüstzeug für meinen Beruf aneignete. Wissenschaftliches Rüstzeug – wenn ich das schon höre! Mittlerweile verwissenschaftlichen die Leute ja alles, jede Erscheinung wird analysiert, wird ausgetrocknet und tabelliert, bestimmt gibt es schon irgendwo eine Wissenschaft des Schiffbruchs. Jedenfalls ging mir auf, daß ein Kursus eine Einrichtung ist, in der man wahrhaftig alles verlernen kann, was man weiß oder zu wissen glaubt, und es wird gewiß niemanden wundern, daß ich selten so deprimiert war wie auf der Heimfahrt von diesem wissenschaftlichen Kursus. Ich möchte nicht zuviel sagen, aber selbst in meinem Alter schmerzt einen mitunter vergeudete Zeit.
Meine Stimmung hob sich nicht gerade, als ich mit dem Koffer in der Hand durch unser Tor ging und den Werkplatz leer und verlassen fand. Mich empfingen nicht die sonst üblichen Doppel- und Kehlschläge, da wurde nicht gebohrt oder gespalten, der Hebekran ruhte, nicht einmal Nikolas, der an gewöhnlichen Tagen fast allgegenwärtig war, ließ sich blicken. Immer-

hin hörte ich aus dem schütteren Wäldchen das Gebell von Hund, der vermutlich vor einem Kaninchenbau die Geduld verloren hatte. Langsam schlenderte ich auf das Haus zu, und auf einmal wurde ich gewahr, daß an Lones Fenster die Gardinen fehlten; ich wurde es gewahr und erschrak. Um sicher zu sein, zählte ich tatsächlich die Fenster ab und mußte zugeben, daß ich mich nicht geirrt hatte. Sogleich beschleunigte ich meine Schritte, von Befürchtungen erfüllt, die ganz von selbst entstanden. Seit dem Begräbnis hatte ich Lone kaum gesehen, sie war nur ein einziges Mal bei uns gewesen, um uns zu bitten, sie für eine gewisse Zeit allein zu lassen, und wir alle verstanden und respektierten ihren Wunsch und wiederholten auch nicht das Angebot, sie auf den Friedhof zu begleiten, wohin sie anfangs jeden Tag fuhr.

Im Vorübergehen setzte ich den Koffer mit den schmutzigen Hemden und den neunundneunzig Kursus-Schriften vor unserer Wohnungstür ab und ging weiter zu Lone, klopfte jedoch nicht bei ihr, sondern lauschte nur, lauschte eine ganze Weile, ohne etwas zu hören. Obwohl ich einen guten Grund gehabt hätte, mich bemerkbar zu machen – ich hätte mich bei ihr von diesem albernen Kursus zurückmelden können –, tat ich es nicht; ich überquerte statt dessen den Korridor, und da ich Jettes leise werbende Stimme hörte, klopfte ich bei ihr und ging gleich hinein.

Jette saß auf dem Fußboden. Ohne aufzublicken legte sie zuerst einen Zeigefinger auf den Mund und streckte dann einen Arm abwehrend gegen mich aus. Ich blieb also an der Tür stehen und sah zu, wie sie ein Zwergkaninchen zu sich heranlockte, so ein blaugraues, wuscheliges Ding, das unter ihren Locklauten immer näher kam, ausgiebig an ihren Fingern schnupperte und

sich zuletzt in der Beuge ihres Arms duckte und sich streicheln ließ. Dann erst wandte sie sich mir zu und wollte wissen, wie es gelaufen war und ob ich mich bereichert fühlte – wörtlich sagte sie: ich hoffe, es war ein Gewinn –, doch ich antwortete nicht darauf. Ich setzte mich auf ihr Bett und fragte: Ist Lone nicht zu Hause? Jette schüttelte den Kopf und kraulte das Kaninchen, und sie brauchte eine ganze Zeit, ehe sie sagte: Es ist niemand da; wenn du Hunger hast, kann ich dir Gulasch warm machen. Weißt du, wo Lone jetzt steckt, fragte ich. Niemand weiß es, sagte Jette leise, und so, daß ich Mühe hatte, sie zu verstehen, erzählte sie stockend, daß Lone sich von allen verabschiedet hatte, nachdem der größte Teil ihrer Sachen mit diesem dreirädrigen Kleinlaster fortgeschafft worden war. Sie, Jette, habe alles versucht, Lone zum Bleiben zu überreden, und auch Betty hatte wer weiß was getan, um sie bei uns zu behalten, doch es gelang ihnen nicht, Lone hatte sich unwiderruflich entschieden. Warum sie uns verlassen wollte, hatte sie allerdings keinem gesagt, und da Jette und Betty die Gründe zu ahnen glaubten, fragten sie auch nicht weiter. Merkwürdig, aber Frauen geben sich oft mit Ahnungen zufrieden.
Mir war so elend zumute, daß ich zu bibbern anfing, ein Gefühl der Verlassenheit, das regelrecht Kälteschauer hervorrief, stieg in mir auf, und vermutlich hätte ich losgeheult, wenn ich allein gewesen wäre. Wie durch einen Vorhang hörte ich Jette weitersprechen, gewiß wollte sie mich nur trösten, als sie bekannte, wie gern sie Lone hatte, wieviel ihr die Freundschaft bedeutete und wie traurig sie nach dem Abschied gewesen sei; doch was als Trost gemeint war, machte mich nur noch verzagter. Um die Wahrheit zu sagen: auf einmal kam mir alles nutzlos vor, überflüssig und nutzlos. Ich

stand auf und wollte mich verziehen, als Jette das Kaninchen von ihrem Arm hopsen ließ und zu dem Schrank ging, in dem sie einen Teil ihrer vorsorglich gekauften Geschenke versteckte. Sie hob sich auf die Zehenspitzen, langte unter ein flaches Päckchen und zog einen Brief heraus: Für dich, ich soll ihn dir geben, von Lone. Während sie das sagte, sah sie mich bekümmert an, und da wußte ich, daß ich nicht allzuviel zu erwarten hatte. Einen Augenblick überlegte ich, ob ich den Brief in Lones Zimmer lesen sollte, aber dann ging ich doch zu mir und ließ den Brief eine Weile auf meinem Schreibtisch liegen, bevor ich ihn las.

Lieber Jan,
wenn Du wieder nach Hause kommst, werde ich fort sein. Dies ist keine Flucht, und ich gehe auch nicht, weil ich fürchte, daß Du mich umstimmen und zum Bleiben überreden könntest. Nach allem, was geschehen ist, habe ich nur noch den Wunsch, allein zu sein, allein mit ihm. Von einem toten Kind kann man sich niemals trennen. Du hast uns zu Euch gebracht, und dafür werde ich Dir immer dankbar sein. Ein Unglück hätte auch an jedem anderen Ort geschehen können. Es war Zufall, ich weiß es, und darum brauchen wir uns nicht schuldbewußt danach zu fragen, was allen erspart geblieben wäre, wenn ihr uns nicht aufgenommen hättet. Das habe ich auch Deinen Eltern gesagt, die so gut zu uns waren. Gerade wurde ich Zeuge eines Gesprächs zwischen Deinem Vater und dem alten Mann, der das Grabmal in Auftrag gegeben hatte. Der alte Mann konnte nicht verstehen, warum Dein Vater sich außerstande sah, das Grabmal noch einmal zu machen. Ich aber konnte ihn verstehen. Einmal sagte Dein Vater, daß es Möglichkeiten gibt, die uns nur ein einziges Mal zugestanden werden. Das habe ich nun auch erfahren. Ich weiß, daß ich oft an Dich denken werde, und jedesmal mit Freude. Lone.

Nachdem ich den Brief ein paarmal gelesen hatte, ging ich in Lones Zimmer, das bis auf einen Küchenschrank, den Betty ihr geliehen hatte, nun ganz ausgeräumt war. Weiß der Himmel, was ich da wirklich suchte oder zu finden hoffte, jedenfalls schlich ich in ihr Zimmer, und die Leere und die Sauberkeit, die ich zuerst wahrnahm, gaben mir fast den Rest. Es besagt wohl alles, wenn ich erwähne, daß das Zimmer besenrein war. Ich ertappte mich auf einmal, daß ich lauschte, daß ich darauf aus war, Stimmen zu hören, Schritte, Atemzüge; ich lauschte so angestrengt, daß es in meinem Kopf summte und pochte, und mehrmals bildete ich mir ein, tatsächlich etwas zu hören. Ich konnte mich noch nicht damit abfinden, daß Lone verschwunden war, ohne die geringste Spur zu hinterlassen – ich meine, selbst ohne eine Kerbe oder einen verdammten Tintenfleck oder so –, und daß überhaupt nichts mehr an Lone erinnerte, wollte ich einfach nicht wahrhaben. Schließlich fiel mir nichts anderes ein, als mich auf das Fensterbrett zu setzen und auf den verlassenen Werkplatz zu starren, wobei ich daran dachte, daß auch sie in der ersten Zeit manchmal hier gesessen und sich mit dem Leben da unten vertraut gemacht hatte; ich stellte mir vor, daß ich die Rohblöcke und die Werkstatt und die fernen Spaliere der Grabsteine mit ihren Augen sah, und es wird keinen wundern, wenn ich sage, daß ich so stundenlang hätte sitzen können. Aber dann bekam ich Hunger und verließ meinen Platz und ging in die Küche, wobei ich fast über meinen blöden Koffer gestolpert wäre, den ich auf dem Korridor hatte stehenlassen.

Aus einem Topf füllte ich mir Gulasch in eine Kasserolle ab, erwärmte das Zeug, brockte eine Scheibe Landbrot hinein und begann zu essen. Im Unterschied zu andern, die in gewissen Situationen nicht einen einzigen Bissen in den Mund nehmen können, schmeckt es mir seltsamerweise auch dann, wenn mir elend zumute ist. Ich hatte etwa die Hälfte der Kasserolle ausgelöffelt, als Jette in die Küche trat. Ohne ein Wort nahm sie mir die Kasserolle weg, kippte den Rest Gulasch in einen tiefen Teller und setzte ihn mir hin. Danke, sagte ich und löffelte weiter, während Jette mir ein Glas Apfelsaft einschenkte und, weil es zu voll geraten war, ein paar Schlucke abtrank. Hast du das gekocht, fragte ich. Mami, sagte sie, es soll mindestens für zwei Tage reichen. Wieso für zwei Tage, fragte ich. Solange werden sie wohl bei Onkel Prugel bleiben; er hat beide hier abgeholt und zu sich eingeladen, sagte Jette, und sie sagte auch: Hoffentlich geht alles gut. Und auf meinen fragenden Blick erzählte sie, daß sie sich von Tag zu Tag mehr Sorgen gemacht hatten um meinen Alten, der manchmal im Dunkeln allein in der Werkstatt saß, der das Einfachste, um das man ihn bat, vergaß, und der kaum antwortete, wenn man irgendwas von ihm wissen wollte. Den Kopf der Mädchenfigur, der nicht allzusehr beschädigt war, hatte er in sein Büro getragen und so auf ein Bord gestellt, daß er ihn von seinem Stuhl aus sehen konnte. Die Reste des Grabmals, Brocken, Grus und Geröll hatte er nach der Untersuchung, die nichts ergab, gemeinsam mit Nikolas zu dem Hügel von Abfallgestein transportiert – bis auf den Sockel, der immer noch in der Werkstatt war. Es machte ihnen aber auch Sorgen, daß er, seitdem das Unglück geschehen war, noch kein einziges Mal ein Werkzeug in die Hand genommen hatte. Wir müssen ihm jetzt helfen, sagte Jette, jeder von uns muß es. Sie dachte darüber nach, dann lächelte sie und meinte: Irgendeine Hilfe kann jeder gebrauchen, oder?

Großer Gott, als sie das sagte, hörte ich die Stimme meines Bruders Reimund, ich weiß nicht, warum. Ich hörte ihn jedenfalls sprechen, mit der aufmerksamsten Zuhörerin der Welt auf dem Schoß, mit der kleinen Jette, die sich kein Wort entgehen ließ und nur mitunter, wenn sie etwas nicht verstanden hatte, mit umwerfender Wißbegier nachfragte: Warum, Reimund, warum wünscht man sich manchmal, bestraft zu werden? Weshalb hatte der Dieb Erbarmen? Wovon kriegt man eine Achillesferse?

Ein Hupsignal schreckte uns auf. Jette stürzte gleich ans Fenster, öffnete es, winkte hinab: Gernot war da, parkte draußen in einem bejahrten Citroën, den er sich gerade gekauft hatte. Bevor sie in ihr Zimmer rannte, um die Umhängetasche zu holen, bot sie mir an, in die Stadt mitzufahren. Zuerst wußte ich nicht, ob ich es tun sollte, ich hatte nicht übel Lust, zum »Mastkorb« hinunterzugehen und dort meine zwölf bis fünfzehn Gläser Bier zu trinken, doch als mir aufging, daß es genau das war, was all die verdammten Typen im Kino taten, wenn sie mit ihrer Verzweiflung fertig werden wollten, verzichtete ich darauf. Ich verzichtete aber auch deswegen darauf, weil mir plötzlich einfiel, wo ich Lone finden konnte.

Rasch stellte ich Teller und Glas in den Spülstein und ging auf den Korridor, und als Jette aus ihrem Zimmer kam, sagte ich: Wenn's geht – ihr könntet mich am Hafen absetzen. Sie wunderte sich nicht über meinen Wunsch, sie nickte nur und zog mich mit, und nachdem wir Gernot begrüßt hatten, mußten wir zunächst das Auto bestaunen, das, wie er sagte, schon hundertzwanzigtausend auf dem Buckel hatte. Er führte uns das Gebläse vor, öffnete für uns den Werkzeugkasten, lobte die Hydraulik, die, wie er meinte, eigens erfunden worden war, um unsern buckeligen Sandweg zu meistern. Ich wollte ihm nicht die Freude verderben und staunte, wo es nur etwas zu staunen gab. Beim Start brauchten wir jedenfalls nicht anzuschieben, wir mußten es erst auf einer Kreuzung tun, wo der Motor uns blubbernd im Stich ließ, nach kurzer Zeit aber, während Jette und ich mit vereinten Kräften schoben, schon wieder zu arbeiten anfing. Ohne Unterbrechung erreichten wir dann den Hafen, und kurz vor der Seemannsmission ließ ich mich absetzen.

Daß ich zielstrebig zu dem traurigen Haus gegangen wäre, in dem Sjöberg gewohnt hatte, kann ich wirklich nicht sagen. Gleich nach dem Aussteigen spürte ich eine rätselhafte Beklommenheit, einen Widerstand, der mich bewog, erst einmal eine andere Richtung einzuschlagen und in eine schmale Straße einzubiegen, in der es einige Kellergeschäfte gab. Ich fingerte nach Lones Brief in meiner Jackentasche, er war noch da. Langsam schlenderte ich die Straße hinab, ohne zu wissen, worauf ich aus war – ich meine, ob ich mich nur vergewissern wollte, daß sie in Sjöbergs Wohnung gezogen war, oder ob ich zu ihr wollte, um über ihren Brief zu sprechen und all das. Vor einem dieser Kellergeschäfte blieb ich stehen und besah mir das Gemüse, das sie dort im Niedergang ausgestellt hatten, Blumenkohl und Fenchel und sehr magere Prinzeßbohnen, außerdem leuchtende Radieschen-Bunde und Schwarzwurzeln. In dem Geschäft, in dem sie anscheinend alles führten, bediente eine grauhaarige Frau ein kleines Mädchen, das nach einem Zettel einkaufte und jede Ware sorgsam prüfte. Es begeisterte mich, wie die Kleine – sie war etwa zehn – an den beiden Äpfeln schnupperte, wie sie das Toastbrot befühlte und das Marmeladenglas kontrollierend gegen das Licht hielt,

bevor sie sich zum Kauf entschloß. Kinder kaufen viel bedachtsamer ein als Erwachsene, wirklich. Wenn sie sich abwandte, lächelte die grauhaarige Frau in belustigtem Einverständnis; vielleicht sah sie sich selbst als kleines Mädchen, das zum Einkaufen geschickt worden war. Ich sah zu, wie die Kleine Teebeutel kaufte und Talglichter und ein Päckchen Kandis, und als sie einmal näher ans Fenster kam, erkannte ich sie wieder: es war das bezopfte Mädchen mit der Zahnspange, das mich bei meinem einzigen Besuch zu Sjöbergs Tür gebracht hatte.
Weil ich dort nicht länger stehenbleiben konnte, ging ich den Weg zurück, ging weiter, zielbewußter, hatte mich plötzlich schon entschieden, überquerte hinter der Seemannsmission einen schlecht gepflasterten Hof und linste zu dem Fenster hinauf, das zu Sjöbergs ehemaliger Wohnung gehörte. Kein Gesicht. Keine wartenden Vögel. Keine Bewegung hinter den anderen Fenstern; dennoch wurde ich das Gefühl nicht los, beobachtet zu werden. Ich trat in den Hausflur. Die Treppen waren gerade gewischt worden und bewahrten noch einen Rest von Feuchtigkeit. Während ich hinaufstieg, legte ich mir bereits eine Entschuldigung zurecht, denn ganz wohl war mir nicht bei dem Gedanken, daß ich Lones verzweifelten Wunsch, nur noch allein zu sein, mißachtete. Obwohl ich damit rechnen mußte, daß sie bei meinem Anblick wieder heimgesucht werden könnte von allem und daß es Tränen und ich weiß nicht was geben würde, stieg ich weiter hinauf, bezwungen von dem rücksichtslosen Bedürfnis, sie wiederzusehen. Niemand ahnt, wozu ich bereit gewesen wäre, nur um sie wiederzusehen, im Ernst. Endlich stand ich vor der Tür. Es gab keinen Zweifel für mich, daß sie in der Wohnung war, zu der sie ja

immer schon den Schlüssel gehabt hatte. Ein Namensschild war von der Tür entfernt worden, gewiß Sjöbergs Schild, das blasse Rechteck auf dem Holz sprach dafür.
Ihr Name fehlte. Wie mir zumute war, hätte man bestimmt schon aus meinem Klopfen erfahren können, denn die ersten beiden Versuche – und es waren wohl nur Versuche – konnte ich selbst kaum hören, so zaghaft, so behutsam waren sie. Nachdem ich eine Weile auf einen Schritt gelauscht hatte, entdeckte ich die kleine Klingel, die braun war wie das Holz des Türrahmens. Ich weiß bestimmt, daß ich auf den Klingelknopf drückte, nicht entschieden vielleicht, doch ich tat es. Bei anderen Wohnungen hört man die Klingel drinnen gehen – in Sjöbergs Wohnung dagegen war nichts zu hören, und da auch keine Schritte zu vernehmen waren, klingelte ich noch einmal und klopfte danach und rief leise Lones Namen. Es rührte sich nichts.
Ich wollte nicht aufgeben, noch nicht, aber auf einmal hörte ich jemanden ins Haus kommen und gemächlich und anfangs summend die Treppen heraufsteigen; ab und zu plumpste etwas auf den Boden, mitunter schlug etwas gegen die Stützstreben des Geländers; man konnte sich alles Mögliche denken bei dieser Annäherung. Ich beugte mich übers Geländer und blickte nach unten: da kam die Kleine herauf, die ich beim Einkaufen beobachtet hatte. Sie schleppte zwei Plastiktüten, die sie auf jeder Stufe absetzte. Eine dieser Tüten schlug manchmal gegen eine der metallenen Stützstreben und rief einen klaren nachschwingenden Ton hervor. Höher stieg sie und höher, und als sie nur noch ein Stockwerk unter mir war, zog ich mich zurück. Ich weiß nicht, warum ich vor Lones Tür nicht gesehen

werden wollte, ich weiß nur, daß ich auf Zehenspitzen einige Stufen weiter hinaufstieg und dort wartete, bereit, einfach an ihr vorbeizulaufen, falls sie ganz nach oben wollte. Aber dann blieb das Geräusch ihrer Schritte aus, ich blickte nach unten und sah die Kleine vor Lones Tür, in jeder Hand eine Plastiktüte. Sie klopfte wahrhaftig mit dem Fuß. Ein paarmal trat sie gegen die Tür, nicht heftig, gewiß nicht so, daß es schmerzte, und es waren auch keine abgesprochenen Trittsignale, das jedenfalls glaubte ich zu erkennen. Sie brauchte nicht lange zu warten. Lone öffnete die Tür, bat die Kleine allerdings nicht zu sich herein, sondern nahm ihr auf dem Flur die Tüten ab und holte aus dem Portemonnaie zwei, drei Groschen heraus und gab sie der Kleinen, die ihr mit einem Knicks dankte. Was sie miteinander sprachen, konnte ich nicht verstehen; sie flüsterten nur. Bevor Lone die Tür schloß, strich sie der Kleinen übers Haar und lächelte ihr zu, zärtlich und wehmütig.

Ach, Lone, ich sehe mich noch dastehen auf diesem Treppenabsatz, lauschend übers Geländer gebeugt, und ich sehe dich und das Kind, das auch dann noch auf die Tür blickte, als du sie schon geschlossen hattest. Anderen wäre es vielleicht gelungen, dich anzurufen und dann erwartungsvoll die Treppe herabzusteigen; ich konnte es nicht, weil ich auf einmal das undeutliche Gefühl hatte, etwas verletzt oder gegen etwas verstoßen zu haben. Ich stand da und hoffte nur noch darauf, daß die Kleine bald hinabhüpfen würde; ich wollte so unbemerkt verschwinden, wie ich gekommen war, doch sie setzte sich erst einmal auf eine Stufe, summte und ließ den Groschenlohn in den zusammengelegten Händen klötern. Großer Gott, da hielt ich es nicht mehr aus und stapfte die Treppe hinab – ich stapfte wirklich –, und als ich bei ihr war, verhielt ich unwillkürlich und blickte wohl etwas länger auf deine Tür. Das Mädchen, das sein Gesicht zu mir aufgehoben hatte, fing gewiß meinen Blick auf; rasch und erstaunlich bestimmt sagte es: Hier ist keiner da – bitte. Ich möchte nicht zuviel sagen, aber das verschlug mir den Atem – ich meine, weniger die harmlose Lüge als das nachgeschickte kleine Wort »bitte«, das, so wie sie es aussprach, etwas inständig Forderndes hatte. Vielleicht, mag sein, hätte ich es trotz allem noch einmal versucht, mich an der Tür bemerkbar zu machen, aber nachdem die Kleine das gesagt hatte, konnte ich es nicht mehr. Im Unterschied zu den meisten, die einfach nicht wahrhaben wollen, was man von ihnen erwartet, gebe ich den Wünschen anderer nach. Mein verfluchter Fehler ist, daß ich beinahe zuvielen Wünschen nachgebe, im Ernst.

Um die Wahrheit zu sagen – in meinem ganzen Leben war ich noch nie so deprimiert wie damals, als ich unter den Augen der Kleinen die Treppe hinabstieg und schnell über den Hof ging, ohne mich auch nur ein einziges Mal umzusehen. Mir war so koddrig zumute, und ein ungenauer Schmerz setzte mir so zu, daß ich mich gern irgendwo niedergelassen hätte, aber da unten gab es keine Bänke. Auf der Straße hielten mich zwei Matrosen an, beide waren schon reichlich angesäuselt, und einer von ihnen, so ein blonder, schweinswimpriger Kerl, wollte wissen, wo es zu »Tante Paula« ging. Immer geradeaus, sagte ich und schickte sie zum Fischereibiologischen Institut.

Weil ich nicht wußte, wohin ich gehen sollte, folgte ich zunächst der Straße, bis ich zu einer mit rotweißen Bändern gesicherten Baugrube kam; dort setzte ich mich auf einen Stapel Schalholz. Ich ruhte ein wenig aus. Zwischen den Brettern steckte eine Zeitung, die wohl ein Arbeiter dort verwahrt hatte, und weil ich kaum noch die abschätzigen Blicke ertrug, mit denen Vorübergehende mich musterten, zog ich die Zeitung heraus, schlug sie auf und ging hinter ihr in Deckung. Man braucht sich nur irgendwo hinzusetzen, wo sonst keiner sitzt, und sofort zieht man Argwohn und Verdacht auf sich, besonders, wenn man nichts tut, als dazusitzen. Jedenfalls, ich schlug die Zeitung auf und hatte gleich unser Kaufhaus vor mir; auf einer ganzseitigen Anzeige empfahl es sich tatsächlich mit dem fettgedruckten Wahlspruch: Ihre Wünsche – unser Anliegen. Anliegen – ich brauche das Wort nur zu hören, dann bekomme ich schon Krämpfe. Auf einer Porträtleiste waren die Köpfe sämtlicher Abteilungsleiter abgebildet, auch Strupp-Schönberg war darunter, gutherzig lächelnd wie alle seine Kollegen: Diese Herren freuen sich auf Ihren Besuch. Ich fragte mich, wo diese Herren, die immer sehr gut gekleidet waren, ihre Anzüge und dergleichen kauften oder woher sie ihre Lebensmittel bezogen – in meiner Abteilung hatte ich es nämlich noch nie erlebt, daß sich einer von ihnen von Doris auch nur ein Achtel Salami einwickeln ließ. Lange beschäftigte mich diese Frage allerdings nicht, denn im Grunde war es mir ziemlich gleichgültig, wo unsere Abteilungsleiter einkauften.

Herr im Himmel, und dann sah ich sie: ohne daß ich es gemerkt hatte, war sie an mir vorübergegangen. Es war ihre Gestalt, es waren ihre Bewegungen, und sie trug die seegrüne Bluse, die mir immer schon gefallen hatte. Sie schleppte einen Leinwandbeutel, der mir bekannt vorkam. Hastig steckte ich die Zeitung zwischen die Bretter und folgte ihr, erregt und glücklich, jederzeit bereit, mich abzuwenden, falls sie sich umschauen sollte. Ich war so glücklich, daß ich mir einen Augenblick einbildete, sie müßte es über die Entfernung hinweg spüren und verwundert innehalten. Dennoch machte ich keinen Versuch, sie einzuholen, sondern achtete darauf, daß der Abstand zwischen uns gleich blieb; und je länger ich solch einem Versuch widerstand, desto deutlicher empfand ich eine seltsame Zufriedenheit. Erklären kann ich sie mir nicht, doch ich empfand sie tatsächlich, und ich könnte schwören, daß es mir leichter und leichter fiel, ihr zu folgen, und daß ich einmal sogar über ihre charakteristische Art lächelte, Entgegenkommenden frühzeitig auszuweichen. Ich möchte nicht zuviel sagen, aber ich wurde gewahr, daß Freude und Trauer einen gleichzeitig erfüllen können, diese Freude und Trauer, auf die ja alles hinausläuft.

An einer Bushaltestelle blieb sie stehen und sprach mit einem alten Mann; da entschloß ich mich sogleich, ihr auf keinen Fall nachzufolgen, ich meine, in denselben Bus zu steigen und so weiter. Anscheinend gab sie jedoch dem alten Mann nur eine Auskunft, denn sie setzte ihren Weg fort, mit ihrer typischen Achtlosigkeit für Schaufenster – weder die Auslagen eines großen Schuhgeschäfts schienen sie zu interessieren noch die eigene Silhouette im spiegelnden Glas. Vor einer Imbißstube sprang ein struppiger Hund an ihr hoch, gerade als wollte er sie auffordern, ihm eine Wurst zu spendieren. Sie klapste ihn freundschaftlich und sagte ihm etwas, das er sich mit schräggehaltenem Kopf anhörte; danach setzte er sich, wie beschämt über sein Vorhaben. Es wunderte mich, daß sie in dieser betäubenden Hitze auf der Sonnenseite der Straße ging, ja, das Sonnenlicht noch da suchte, wo es lediglich gesprenkelte Muster auf den Bürgersteig warf. Sie schien überhaupt nicht zu ermüden. Ich versuchte, mir das Ziel vorzustellen, zu dem sie unterwegs war, doch mir fiel kaum eines ein – am ehesten glaubte ich noch, daß sie zu einem dieser Leihhäuser wollte, um etwas aus dem Koffer zu versetzen, den ich in Sjöbergs Auftrag in ihr Zimmer geschmuggelt hatte. Nicht ein einziges Mal hatte sie mir ihre Ratlosigkeit oder Verblüffung darüber gezeigt, daß all die Sachen zu ihr zurückgefunden hatten – vermutlich nahm sie an, daß Sjöberg selbst der heimliche Überbringer gewesen war. Ich nahm mir vor, unter keinen Umständen draußen auf sie zu warten, falls sie in ein Leihhaus gehen sollte, und ich beschloß auch, ihr künftig nicht noch einmal zu folgen, wenn ich sie zufällig irgendwo entdecken sollte. Das beschloß ich. Still für mich wollte ich ihr durch meinen Verzicht beweisen, wieviel mir ihr Wunsch bedeutete.

Die Straße wurde immer belebter, mitunter verlor ich Lone aus den Augen, doch so oft ich erwog, aufzugeben, erkannte ich in dem Gewoge die seegrüne Bluse wieder und ließ mich weitertragen von dieser zwanghaften, ununterbrochenen Bewegung, die anscheinend alle erfaßt hatte. Was ich sonst öfter tat und was mich nicht selten in angeregte Stimmung versetzte: diesmal blickte ich nicht in die vorbeigehenden Gesichter, versuchte nicht zu bestimmen, was sie widerspiegelten oder unzureichend verbargen.

Auf einmal stellte ich fest, daß wir bereits an der Zeile der Antiquitätengeschäfte entlanggingen, in denen ich, weiß der Kuckuck, noch nie einen Kunden beim Kauf gesehen hatte, und von denen ich deshalb glaubte, daß die Eigentümer sich ihre kostbaren Stücke nur untereinander andrehten. Von dort, von diesen vornehmen, immer kundenfreien Antiquitätenläden führte die

Straße geradewegs zu unserem Kaufhaus, auf dessen grauer Masse Phantasiefahnen flatterten, buntes Tuch, in das Schlüssel und Anker und Rettungsringe eingewebt waren. Der Gedanke, daß sie zum Kaufhaus, in die Lebensmittelabteilung, vielleicht sogar zu mir wollte, beunruhigte mich derart, daß ich unwillkürlich meine Schritte beschleunigte; dennoch holte ich sie nicht ein. Sie ging wahrhaftig auf unser Kaufhaus zu, ließ sich jedoch, was ich schon voraussah, von der Ansammlung von Leuten anziehen, die sich beim »Wächter« eingefunden hatten. Es gab keinen Zweifel für mich, daß die Skulptur meines Alten schon wieder mutwillig versaut worden war, denn ich hörte bereits glucksendes Gelächter, sah, wie die Zuschauer sich anstießen und ungläubig und vergnügt die Köpfe schüttelten. Ich trat näher heran, fand Deckung hinter einem riesigen Mann und suchte zuerst Lone. Halb verborgen hinter zwei stämmigen, ziemlich bepackten Frauen erkannte ich ihr Gesicht und spürte einen schnürenden Ring, der sich um die Brust legte. Ein Ausdruck von Ärger und Unwillen lag auf ihrem Gesicht, das starr dem »Wächter« zugewandt war.
Der »Wächter«: großer Gott, diesmal hatten sie ihm ausgefranstes, verfilztes Zeug umgehängt und an der freien Hand eine Flasche befestigt; sie hatten ihn tatsächlich als Wermutbruder verkleidet, der an einem Riemen einen Leinensack trug, aus dem das unvermeidliche Blechgeschirr herausragte. Der Anblick konnte einem den Rest geben, wirklich. Hätte Lone nicht im Kreise der Zuschauer gestanden, wäre ich sofort auf das Sims hinaufgeklettert; so aber hielt ich mich zurück und wartete und spürte meine Erbitterung wachsen und all das. Aber dann warf es mich fast um: ein energischer, proper gekleideter Mann zwängte sich

durch die Leute, schickte einen empörten Blick zur Skulptur hinauf, sprang ins Rosenbeet und stieg von dort auf den Sockel: Strupp-Schönberg. Es war Strupp-Schönberg. Mit einer Geschicklichkeit, die ich ihm nie zugetraut hätte, turnte mein Abteilungsleiter am »Wächter« hinauf und riß mit kurzen heftigen Bewegungen, die ein Kennzeichen von ihm waren, den Plunder von der Figur und schleuderte ihn auf das Beet; zuletzt ließ er mit der ihm eigenen Achtsamkeit die Flasche fallen. Seinen Absprung muß man einfach gesehen haben, desgleichen den wortlosen Zorn, mit dem er die Lumpen aufnahm und zu den Abfallcontainern schleppte.

Einen Augenblick stand ich nur fassungslos da, fassungslos und überwältigt; dann verließ ich unbedacht vor Freude die Deckung und linste schnell zu Lone hinüber, und ich sah, daß sie lächelte. Sie lächelte erleichtert und offenbar dankbar und schaute erkundend in die Gesichter der anderen Zuschauer, gewiß auf der Suche nach der gleichen Genugtuung, die sie selbst erfüllte. Bevor ihr Blick mich streifte, wandte ich mich um und trottete ohne Eile davon, und obwohl ich mich darum bemühte: es gelang mir einfach nicht, einen Namen für das Gefühl zu finden, das mich beherrschte.